FRANCESCA LO DICO

CABONGA

Pour l'éternité

TOME 1

FRANCESCA LO DICO

CABONGA

Pour l'éternité

TOME 1

CP du Tremblay, C.P. 99066
Longueuil (Québec) J4N 0A5
450 445-2974

info@performance-edition.com
www.performance-edition.com

Distribution pour le Canada : Prologue Inc.
1650, Lionel Bertrand
Boisbriand, Qc
J7H 1N7

Pour contacter l'auteure :
francescalodico@hotmail.ca

ISBN 978-2-923746-25-8

Réviseure : Francine Lamy

Conception graphique de la couverture et mise en pages :
Pierre Champagne infographiste

Dépôt légal 2ième trimestre 2012
Dépôt légal Bibliothèque et Archives nationales du Québec, 2012
Dépôt légal Bibliothèque nationale du Canada

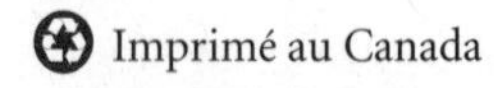

Table des matières

Ce livre est pour toi, grand-papa,
car tu as toujours cru en moi et en mes rêves.

Tu as su me soutenir dans les situations difficiles en
m'aidant à puiser en moi le courage nécessaire.

Grâce à toi, j'ai su trouver l'espoir et la volonté pour
écrire cette fabuleuse histoire.

Je sais que tu serais fier de moi
et de ce que j'ai accompli.

Je donnerais tout pour te serrer une dernière fois
dans mes bras et te remercier
d'avoir été si présent dans ma vie.

Je t'aime énormément et tu resteras à tout jamais
le plus fantastique des grands-pères.

Ta petite-fille, Francesca

Remerciements

J'aimerais avant tout remercier une amie formidable, Marie-Ève, ainsi que toute sa famille, pour m'avoir permis de rencontrer les gens chaleureux du Cabonga. Sans vous tous, je n'aurais jamais découvert la beauté de cet endroit où nous avons vécu des moments absolument inoubliables. Ce fut le début d'une grande aventure, mes amis !

Un grand merci à ma famille pour m'avoir si bien appuyée tout au long de cette belle histoire qu'est la rédaction d'un roman. Je vous suis reconnaissante pour votre aide et vos judicieux conseils. Merci à ma mère, Chantal, qui a été à mes côtés en tout temps, et à ma grand-mère, Clémentine, qui m'a encouragée dans ce beau projet. Un merci spécial à ma tante, Lisette, et à ma Nonna, qui ont été les premières à lire mon manuscrit. Un merci énorme pour votre générosité tant appréciée.

J'aimerais aussi remercier ma meilleure amie, Elyssa, qui est une véritable sœur pour moi. Notre relation d'amitié n'a jamais cessé de grandir, tout comme cette merveilleuse histoire qui a suscité de multiples conversations entre nous! Tu m'as conseillée lorsque j'avais des doutes, tu as été présente pour me remonter le moral et me soutenir lors des périodes plus difficiles. Je t'aime énormément, ne l'oublie jamais. Tu resteras toujours ma « Sista » adorée!

Merci à Marie-Josée Blanchard et à toute l'équipe de Performance Édition pour avoir cru en moi en me donnant la chance de réaliser mon rêve. Je ne pouvais demander meilleure maison d'édition avec des gens aussi chaleureux et professionnels.

Merci à Francine Lamy pour son dévouement à mon égard. Elle a su me prodiguer de bons conseils pour la révision de mon manuscrit. Ses savoirs ont été des plus précieux. Je ne pouvais avoir une meilleure coéquipière. Ce fut très agréable de travailler ensemble.

« Pour ceux qui croient,
aucune explication n'est nécessaire.
Pour ceux qui ne croient pas,
aucune ne serait suffisante. »

Joseph Dunninger

1

L'inconnu

Je n'avais jamais croisé un regard aussi dur et perçant. J'étais terrorisée! Ma vision, quelque peu floue, me permettait de distinguer une grande silhouette masculine vêtue de noir. Sous son crâne rasé, sa peau grisâtre était marquée de cicatrices qui accentuaient son aspect terrifiant. Le visage crispé, relevé vers cette apparition, je gisais sur le feuillage humide et froid d'un boisé hostile et inconnu. Terrassée et paralysée d'effroi, je voulus crier quand je le vis s'élancer vers moi, mais aucun son ne parvint à sortir de ma bouche. Je sentis ses mains massives et glacées s'emparer de mes épaules et me relever, en moins de deux, sur mes jambes chancelantes. Son regard meurtrier pénétrait le mien comme la foudre s'abattant sur sa cible. Je pouvais sentir son haleine fétide sur ma peau. Mes yeux se fermèrent de nouveau lorsque ses mains se resserrèrent autour de mon cou, m'emprisonnant d'une pression suffocante. Me faisant prisonnière de cet étau, il me chuchota des mots sombres à l'oreille.

– Tu ne seras jamais assez parfaite pour lui…

J'étouffais malgré moi.

– Je vais finalement accomplir ce que j'attends depuis toujours. Tu vas mourir, et c'est moi qui vais te tuer…

Je sentis mes larmes jaillir, car je ne comprenais rien à ce qui m'arrivait. Il m'étranglait de plus en plus, me forçant à reculer. Je sentis une dernière fois sa respiration glacée contre ma peau, et d'un seul coup, il me poussa de toutes ses forces dans un abîme noir et infini.

Je m'assis d'un bond dans mon lit, le cœur battant et la respiration haletante. Je posai la main sur ma poitrine, essayant de calmer la panique que ce cauchemar avait provoquée. Reprenant mes esprits, je scrutai lentement la pièce où je me trouvais : les couleurs éclatantes et l'emplacement des murs me donnaient l'étrange impression que je n'étais pas chez moi. La tête me tournait encore. Après quelques instants, je pris soudainement conscience que j'étais bel et bien étendue sur le lit de ma meilleure amie, Elyssa. J'ignorais totalement comment je m'étais retrouvée là. Puis, me revinrent des *flash-back* de la veille. C'était ma fête, évidemment, le 16 avril. J'avais eu 18 ans. La seule chose dont je me souvenais, c'était la musique. Elle était tellement forte qu'elle résonnait encore en moi de façon très désagréable. Je fis une tentative incertaine pour me hisser sur mes jambes et ressentis une douleur à la cheville droite qui était légèrement enflée: probablement une mauvaise chute pendant la soirée. Avant d'avoir eu le temps d'ouvrir les rideaux pour faire un peu de clarté, les lumières vives de la pièce m'aveuglèrent.

– Bon matin, Cassy! Tu as bien dormi?

Je laissai mes yeux s'habituer quelques instants à cette luminosité avant d'apprécier le charme du décor: des affiches de ses vedettes préférées tapissaient les murs peints d'un rose éclatant; son lit, garni de coussins aux motifs multicolores, côtoyait un bureau chargé de paperasse et d'objets de bricolage ainsi qu'une table de chevet où reposaient un téléphone rose et une lampe en tissu pelucheux. Un grand nombre de photos encadrées ajoutaient une présence chaleureuse au décor.

– Alors, tu as bien dormi?

– Euh... Je n'en sais rien, lui répondis-je en m'étirant. – Je crois que j'ai fait un cauchemar.

Elle avait déjà revêtu jeans et camisole fleurie, relevé ses longs cheveux bruns qui encadraient son visage au teint doré, dont la lumière vive faisait ressortir les traits italiens. Grande et mince, elle reflétait la simplicité même.

– Tu as rêvé que tu as dégringolé les escaliers? Car si tu veux le savoir, ce n'était pas un rêve. Tu as fait une de ces chutes hier soir...

Elyssa venait de confirmer la cause de la douleur que je ressentais à la cheville.

– J'ai rêvé que je me faisais attaquer... C'était bizarre, ça me paraissait tellement réel.

Elle me lança un regard indifférent.

– Il voulait me tuer dans le but d'accomplir quelque chose...

– Ouais... C'est un drôle de rêve! Au juste, comment va ta cheville? Tu as eu de la chance que Mick te rattrape au bas des escaliers.

– Ah bon?

– Ouais, c'était à mourir de rire.

– Ce n'est pas drôle. Ta mère va être obligée de m'examiner, je crois.

En plus d'être notre médecin de famille, Amy était une très bonne copine de ma mère.

– Bien sûr, je lui en ai déjà parlé. Tu peux venir ce soir si tu veux.

– Merci...

– As-tu faim? Ma mère nous a préparé de la pâte à crêpes.

– Tu as déjà mangé? demandai-je, encore endormie.

– Non, je t'attendais. Tu as envie de manger des crêpes?

– Génial! Je meurs de faim.

Sans plus tarder, nous descendîmes à la cuisine. J'étais encore en pyjama, celui d'Elyssa, dont les pantalons trop grands pour moi et le t-shirt *Winnie the Pooh* accentuaient la différence de notre taille. Pendant qu'elle préparait le déjeuner, je plaçai les couverts sur la table où trônait un magnifique vase rempli de fleurs fraîches. La pièce avait une touche campagnarde avec sa bordure de papier peint, ornée de poules, qui tapissait le tour de la pièce, où des potiches décoratives s'alignaient sur les étagères.

– Miam, ça sent bon!

Je déposai le pichet de lait et le sirop d'érable sur la table et Elyssa me rejoignit avec une assiette remplie de crêpes fumantes. Je m'en servis deux, les roulant et les aspergeant d'un coulis de sirop d'érable et de cassonade. Apprêtées de cette manière, elles étaient totalement irrésistibles.

– Mmmm… on dirait qu'elles sont meilleures à chaque fois.

La bouche pleine, elle rajouta du sirop, les imbibant abondamment.

– As-tu aimé ta soirée d'hier? J'espère au moins que tu t'en souviens…

– Euh… Un peu, bafouillai-je.

Elle éclata de rire.

– Un peu? Eh bien… Tu veux que je te dise? Tout le monde dans le bar était au courant pour ta fête. Tu le criais à tue-tête, sans arrêt. C'était vraiment drôle!

Si ce qu'elle me racontait était la vérité, eh bien, il fallait croire que j'avais oublié une partie de ma soirée ainsi que quelques bribes de ma mémoire, me ridiculisant devant une centaine de personnes. C'était assez surprenant de ma part, car habituellement, j'étais de nature plutôt réservée. Sortir dans les boîtes de nuit où l'on ne s'entend pas parler n'était vraiment pas mon activité favorite. Cependant, pour faire différent le jour de ma fête, mes amis avaient voulu souligner l'événement dans le club le plus fréquenté de la ville.

– Qui m'a ramenée à la maison?

– J'ai appelé un taxi. Je n'avais pas l'auto, alors…

Même si tous se plaisaient à qualifier cette soirée de « follement amusante », je l'aurais plutôt classée dans la catégorie « *je ne m'en souviens plus* ». Quant à moi, j'en avais marre des boîtes de nuit. À quoi bon célébrer ainsi si on ne se souvenait plus de rien! Je me contentai d'avaler le reste de mes crêpes, puis nous rangeâmes la cuisine avant de remonter dans le fouillis de sa chambre.

– Si je tiens à la vie, il faudrait vraiment que je ramasse toutes mes traîneries.

– En effet, c'est… très bordélique! lui répondis-je avec un sourire moqueur.

Il y avait des vêtements éparpillés sur le plancher, sur son bureau et sur son lit. Comme les critères de rangement de sa mère et de la mienne se ressemblaient, elle lui trancherait probablement la tête si elle voyait l'état des lieux.

– Bon, alors… Je m'y attaque! Si tu veux, tu peux aller t'habiller en attendant.

Je pris mon sac qui traînait encore sur son lit, empruntai le couloir jusqu'au fond et m'enfermai dans la salle de bains. Je m'empressai d'enfiler mon jeans et un chandail d'un de mes concerts favoris de *Bon Jovi*. N'osant pas trop me regarder dans le miroir, je me contentai de me rincer le visage sous l'eau froide et d'attacher mes longs cheveux châtains en une simple queue de cheval. Assurément, je n'étais pas au sommet de ma forme. J'avais les traits tirés et aucun maquillage. Bref, je ne pouvais être plus naturelle! Lorsque je rejoignis Elyssa, elle n'était pas encore venue à bout de son désordre.

– Tu vas en avoir pour la journée à ramasser!

– Je suis découragée…

Elle laissa tomber une pile de vêtements au sol. Je ne pus m'empêcher de rire.

– O.K. Laisse-moi t'aider, je vais faire ton lit.

– Merci, ça me sauvera du temps!

Un drap, une couette mauve dentelée, une multitude de coussins multicolores et hop, c'en fut terminé en moins de deux. Après avoir déposé son jeté au pied du lit, je me retournai vers son cadran de fée clochette.

– Ne me dis pas que c'est la bonne heure? m'exclamai-je, étonnée.

– C'est la bonne heure, oui. Crois-moi, si j'avais pu, j'aurais bien dormi une bonne partie de la journée encore.

Je n'aurais pas détesté non plus l'idée d'être encore couchée. Mais malheureusement, les examens de fin de session arrivaient à grands pas et il me fallait réviser. Demain déjà, ce serait la dernière journée de cours. Le reste de la semaine était consacré aux questions pertinentes à poser à nos professeurs.

– Je crois que je devrais y aller. Ma mère va devenir folle si je n'ouvre pas un livre de la journée.

– Ouais, la mienne aussi, dit-elle, tout en repliant une couverture et en la rangeant dans son garde-robe.

Elyssa me raccompagna jusqu'au hall d'entrée où mes *Converse* gris traînaient encore au milieu du tapis. Après les avoir enfilés, je me couvris d'un léger manteau.

– Étudie bien. Repose-toi surtout, et sois en forme pour demain matin, me conseilla-t-elle en me serrant dans ses bras.

– Mouais, révise bien toi aussi.

Je me retrouvai sur le balcon de style victorien et faillis glisser en descendant le long de l'entrée. Heureusement qu'il n'y avait aucun témoin de cette acrobatie matinale! Le trajet pour me rendre chez moi était des plus brefs, car Elyssa était ma voisine. Nous habitions la ville de Kingston, sur une petite rue nommée Churchill, située en bordure du lac Ontario. C'était ma ville natale. Le seul véritable endroit que je connaisse. Quant à Elyssa, elle y avait aménagé 15 ans auparavant. Depuis l'âge de la maternelle, nous étions les meilleures amies du monde. Notre quartier cossu était près de tout : l'université, que nous fréquentions depuis bientôt un an, le centre-ville où avaient lieu la plupart des festivals connus, comme le *Limestone City Blues Festival*. La musique était très populaire dans notre ville, ce qui en faisait une destination touristique recherchée, en plus des magnifiques couchers de soleil et des Mille-Îles qui avaient leurs adeptes.

Arrivée chez moi, je me dirigeai immédiatement vers la cuisine, la pièce où ma mère, Jena, passait la majorité de son temps.

– Salut, M'man!

– Ah, salut, ma chérie. Comment s'est passée ta soirée hier?

Elle nettoyait le comptoir à l'aide d'un chiffon. Mise à part cette petite manie de toujours faire le ménage, les gens disaient que j'étais son portrait tout craché. Nous avions, semble-t-il, le même visage, les mêmes longs cheveux ondulés et les mêmes yeux bruns. Même si ma mère était dans la quarantaine, il nous arrivait parfois de passer pour deux sœurs, ce qui était très flatteur pour elle. De plus, nous partagions une belle complicité : je pouvais tout lui raconter et j'appréciais beaucoup la qualité de ses conseils. Elle comptait beaucoup pour moi.

– C'était une belle soirée, tout le monde était là.

– Tant mieux, je suis contente que vous vous soyez amusés. Quels sont tes plans pour la journée?

– Hum, eh bien… J'ai des révisions à faire en biologie et en chimie. J'avais l'intention… j'avais l'intention de commencer tout ça.

Elle s'arrêta brusquement en me regardant étrangement.

– Ensuite tu me demandes pourquoi tu manques de temps. Je n'ai rien contre le fait que tu sortes avec tes amis, mais… j'aurais peut-être dû imposer mes conditions pour cette fin de semaine, objecta-t-elle, le sourire en coin.

– Tes conditions?

– Cassy, c'est ta dernière semaine de révision, on ne commence pas à étudier à peine quelques jours à l'avance.

– Maman, les professeurs sont complètement fous. J'ai une tonne de notions à comprendre et à apprendre par cœur. Même si j'avais un mois de plus pour étudier, ça ne me suffirait même pas…

Ma mère s'en faisait énormément pour ma réussite scolaire. Contrairement à moi, elle n'avait pas eu la chance d'aller à l'université et elle accordait une grande importance à l'éducation de ses enfants. Mon frère aîné, John, un grand costaud de 17 ans qui n'en finissait plus de grandir, avait un comportement quelque peu immature. Il lui arrivait souvent de se bagarrer avec mon jeune frère de 14 ans, Samuel, et de provoquer un chaos total dans la maison. Samuel semblait plus jeune que son âge : avec ses grosses bajoues et ses lèvres démesurées pour son visage menu, il ressemblait à un personnage de dessins animés.

– Bon, alors... je te laisse à ta cuisine et je file étudier.

– Oui, tu ferais mieux!

Je me précipitai vers les escaliers, jusqu'à ma chambre. Selon ma mère, elle ne manquait pas de couleur : deux murs peints en mauve, les deux autres, couleur bleu ciel; des rideaux de velours roses, retenus par d'énormes pompons de plumes, encadraient mes fenêtres; un énorme chandelier montait la garde au-dessus de mon lit; une grande bibliothèque, débordant de livres et de CD, rivalisait avec ma table de travail qui était jonchée d'une multitude de bijoux. Pour agrémenter l'atmosphère, il y avait mon petit Beanie d'amour, mon mignon cochon d'Inde au pelage noir, beige et blanc, qui émettait des petits cris aigus aussitôt que j'entrais dans ma chambre.

Résignée, je m'installai à mon bureau, désespérée à l'idée de tout le travail qui m'attendait : spécialement la chimie à laquelle je ne comprenais strictement rien! Ce cours allait me rendre complètement folle avec tous ces calculs et ces laboratoires incompréhensibles qui n'aboutissaient jamais à rien. Mon point fort, c'était la biologie, la matière dans laquelle j'obtenais les meilleurs résultats. Il s'agissait d'un cours obligatoire pour le programme de soins infirmiers, domaine vers lequel j'avais l'intention de m'orienter, tout comme Elyssa. Je me décidai donc à ouvrir mon sac, laissant retomber au sol tous mes livres et mes cahiers d'exercices. Ne sachant par où commencer, je pigeai au hasard mon bouquin de bio. Cette matière exigeait beaucoup plus de mémorisation que de compréhension et s'adressait davantage à ceux que le domaine passionnait. Une demi-heure plus tard, je me décidai à regret à ouvrir mon cartable de chimie. Malheureusement, après une heure d'exercices, de graphiques et de calculs, je tombai endormie, la tête plongée au cœur de mes livres de sciences de la nature. Je m'éveillai en sursaut et me laissai tomber, tout habillée, sur mon couvre-lit.

Le lendemain, j'étais encore plus fatiguée que la veille. J'avais mal au cou, en plus de cette douleur persistante à la cheville. Désorientée par cette mauvaise nuit, je me précipitai vers la salle de bains pour rafraîchir mon visage blême. Je m'habillai, donnai à manger à Beanie et filai vers l'escalier circulaire rejoignant la cuisine. Ma mère et mes deux frères étaient là, bien concentrés dans leur routine immuable.

– Bon matin, dis-je en émettant un bâillement sonore et en étirant mes bras encore engourdis.

– Une bonne nuit de sommeil ne devrait pas t'avoir fait de tort, déduisit ma mère. Te sens-tu moins fatiguée?

– Bof…

– Tiens, je t'ai préparé des gaufres à la cannelle. Les fruits frais sont dans le réfrigérateur. Sers-toi!

Ma mère était attentionnée le matin, car elle adorait préparer le petit déjeuner pour toute la famille. John et Samuel avalaient comme des affamés les gaufres exquises qu'elle leur avait cuisinées; mon père, Terry, devait probablement être déjà parti au travail. Je me servis rapidement et me dépêchai d'avaler le tout. Je n'avais pas la mine bavarde le matin, encore moins quand j'étais pressée comme aujourd'hui. Je ramassai mon assiette et celles de mes frères, partis à la course se chamailler devant la télévision pour savoir qui serait le premier à jouer aux jeux vidéo. Je croyais naïvement qu'arrivés à l'âge de 17 ans, les garçons auraient acquis une plus grande maturité. À voir leur attitude, ce n'était visiblement pas le cas dans ma famille.

– Bon, je m'en vais.

– Déjà? s'étonna ma mère.

– Mouais, je suis en retard.

– Pour faire changement, ricana-t-elle.

– C'est la dernière journée de cours, m'man.

Pendant qu'elle finissait de remplir les boîtes à lunch de mes frères, elle grimaça, me faisant signe de m'esquiver au plus vite. En moins de deux, j'agrippai mon sac à dos et sortis rejoindre Elyssa. Étonnamment, elle n'était pas là, alors je me résignai à l'attendre, assise contre les marches de l'entrée. Quelques minutes plus tard, je la vis apparaître, courant en direction de ma demeure.

– Hey! Excuse-moi de t'avoir fait attendre, mon frère a renversé tout son lait au chocolat sur mon chandail. Quel idiot! maugréa-t-elle entre ses dents.

Je ne pus retenir un fou rire irrésistible.

– Ce n'est pas drôle… s'esclaffa-t-elle, la prochaine fois qu'il m'oblige à changer de chandail à la dernière minute, je l'étripe.

Elle soupira d'exaspération.

– Toi, ça va bien? As-tu réussi à récupérer ton sommeil?

– Oh… pas vraiment. J'ai étudié toute la soirée et je me suis endormie sur mes livres.

– Moi, je me suis découragée bien avant. Au fait, ce soir, aurais-tu quelques minutes pour m'expliquer certaines notions pour l'examen de physiologie?

– Bien sûr, tu ne comprends pas? C'est simple pourtant.

– Je sais…mais je n'arrive pas à comprendre plusieurs détails du système cardiaque.

– D'accord, ne t'inquiète pas, je vais te donner quelques trucs.

Sans plus tarder, nous entrâmes à l'intérieur de ma voiture, l'ancienne Honda CR-V que ma mère m'avait léguée pour les stages que je devrais faire bientôt dans les hôpitaux.

– Dernière journée de cours! s'exclama Elyssa en baissant la vitre.

Je tournai le coin de la rue voisine jusqu'au boulevard principal, là où se trouvaient quelques magasins généraux et un parc d'amusements. L'université n'était qu'à quelques minutes de là.

– Au juste, Cassy, l'examen de soins infirmiers, il a lieu dans quel local déjà?

J'allais lui répondre quand mon attention s'arrêta sur un garçon marchant sur le trottoir désert. Il était grand et imposant, vêtu d'un long manteau noir dont le collet en pointe remontait jusqu'à son cou. Il avait l'air redoutable avec les cicatrices qui marquaient son visage et son crâne allongé, complètement rasé. J'appliquai brusquement les freins, ce qui déclencha à la fois le mécanisme de la ceinture et la colère du conducteur qui me suivait. Il me klaxonna à plusieurs reprises, me dépassant dans un crissement de pneus.

– Cassy, tu es folle? Pourquoi freines-tu au beau milieu de la rue?

Par réflexe, je lançai un regard effaré à mon rétroviseur, mais l'inconnu avait disparu.

– Qu'est-ce que tu regardes comme ça? insista Elyssa.

– Tu as vu qu'il y avait quelqu'un? Tu as bien vu qu'il n'était pas…

– Il n'était pas quoi?

J'émis un soupir accablé, tout en maintenant mon regard figé vers le trottoir.

– Il… il était pareil à celui de mon…

J'étais troublée à l'idée de confier à Elyssa que l'individu que je venais d'apercevoir correspondait en tous points à celui de mon cauchemar. Elle me prendrait pour une cinglée, étant donné que la rue était déserte.

– Cassy, si tu ne redémarres pas immédiatement, on va être en retard!

Je me décidai donc à reprendre la route, le cœur affolé. J'aurais bien aimé ignorer ce qui venait d'arriver, mais c'était beaucoup trop étrange et si peu probable comme coïncidence.

– Cassy, ton silence me tue. Qu'est-ce que tu as? me demanda-t-elle en arrivant dans le stationnement.

– Rien… J'ai eu peur tantôt quand la voiture a klaxonné.

– C'est sûr, tu n'avais pas à t'arrêter au milieu de la rue.

J'oubliai momentanément l'incident et courus jusqu'en classe. J'avais un cours de chimie et de psycho en matinée et mon après-midi était consacré à un cours de physiologie. Mes deux premières périodes me parurent une éternité. Notre prof de psycho était des plus ennuyants : aucun sens de l'entregent, jamais un sourire ni le moindre signe qu'il appréciait son travail. Pour comble, la faim qui me tenaillait l'estomac. Lorsque l'heure du dîner arriva, je me dépêchai de rejoindre mes amis avec Elyssa à la cafétéria.

– Hey, Cassy!

Mick s'avança aussitôt vers moi, son regard amical et soucieux lorgnant du côté de ma cheville. De son vrai nom, Micka Stuart, il n'appréciait guère se faire appeler de cette façon. Il arborait toujours la même tenue : souliers de skate,

.gs gris, t-shirt blanc moulant et une casquette *Hurley* .ençant parfaitement à la couleur de ses yeux vert émeraude qui me ravissaient chaque fois que je les croisais.

– Comment va ton pied?

– Ah… pas si mal, la mère d'Elyssa va l'examiner ce soir.

– C'est bien. Tu sais, si je n'avais pas été devant toi, tu serais sans aucun doute en mille morceaux aujourd'hui.

Je ricanai, embarrassée. Il avait un sens de l'humour assez particulier et le don d'exagérer les choses parfois. Malgré tout, Mick était mon meilleur ami. Je l'avais rencontré au secondaire il y a quatre ans, lors d'un projet en sciences, et nous étions tout de suite devenus de très bons amis. Son charme et sa personnalité charismatique m'avaient attirée au premier coup d'œil. Contrairement à tous ceux dont le manque de maturité envers les filles triomphait, Mick savait comment écouter et comprendre les gens. Durant toutes ces années, notre amitié n'avait fait que s'accroître. Lui et Elyssa étaient les deux seules personnes à qui je vouais une confiance absolue : c'était mes deux meilleurs amis. Mick était incroyablement doué comme chanteur et pour tout ce qui était relié à l'univers musical. Il étudiait à la faculté de musique en plus d'avoir son propre groupe, *Shameless Rock*. Son ami Bryan était guitariste, Christopher jouait à la batterie et Tom manipulait la basse. Je ne connaissais pas les membres du groupe personnellement, mais assez pour affirmer qu'ils donnaient de très bons spectacles.

– Alors… viens-tu t'asseoir? me demanda-t-il en enroulant son bras ferme autour de mes épaules.

– C'est ce que j'allais faire, mais tu es venu me bloquer le chemin, lui dis-je d'un air moqueur.

À ses côtés, je devais paraître affreusement minuscule, car il était grand et musclé.

– Essaies-tu d'être drôle? me lança-t-il, d'un ton indifférent.

J'en profitai alors pour lui remettre un léger coup de poing sur le torse, ce qui ne le fit aucunement vaciller.

– Je le suis plus que toi, en tout cas!

Il me sourit tendrement et nous nous dirigeâmes à la table où nos amis prenaient place : nous étions sept en tout. Assise juste en face de moi, la belle Marie aux cheveux noirs et aux yeux bleus, qui attirait vers elle tous les regards. Amoureuse du camping, elle ne projetait aucunement l'image d'une fille qui appréciait la nature, car son sport favori était le magasinage. Toujours au courant des dernières tendances, elle dévorait les magazines de mode. Somme toute, je ne trouvais aucun lien avec son amour pour le camping! Jamie, la blondinette aux cheveux frisés, était la sportive du groupe : elle pratiquait presque tous les sports et s'entraînait quotidiennement. Depuis près d'un an, elle formait un couple avec Alec : chevelure blonde comme elle, sauveteur à la piscine municipale l'été, moniteur de ski l'hiver, il démontrait une énergie incroyable! Jamais je n'aurais pu suivre un tel rythme de vie. Keven était le petit ami d'Elyssa. Il rattrapait Mick en grandeur et faisait partie de l'équipe de football universitaire. Son corps musclé lui permettait de plaquer n'importe quel adversaire se trouvant sur son passage. Il accordait une grande importance à son apparence physique : ses cheveux bruns très stylisés arboraient des motifs minutieusement rasés sur le côté d'une tempe.

– Alors, Cassy, comment on se sent à 18 ans? s'esclaffa-t-il.

Je lui balançai un regard perplexe.

– Eh bien... Rien n'a réellement changé, je me sens encore moi-même... enfin, je crois bien.

– Tu ne réalises pas que tu peux maintenant utiliser tes vraies cartes! Tu es une adulte maintenant!

Il retroussa les manches de son chandail moulant, qui olaient beaucoup trop serrées pour la grosseur de ses bras.

– Hum… Je n'en suis pas si sûre, mais pour les cartes, j'avoue que ça me facilite la tâche maintenant.

Je n'aimais pas vieillir. C'était le cours de la vie, je n'y pouvais rien, mais tout le stress des choix et des décisions à venir me préoccupait.

– As-tu acheté ton billet? me demanda Marie en finissant de se vernir les ongles couleur rose bonbon.

– Mon billet? Quel billet?

– Ton billet pour le party de fin de session. La date limite pour les acheter est mercredi prochain.

– Mais… c'est notre dernière journée de cours aujourd'hui?

– Je sais. Les examens sont la semaine prochaine et le comité d'événements en vend jusqu'à mercredi.

Nous venions à peine de célébrer ma fête qu'il fallait déjà penser à une autre célébration.

– Mmmm… d'accord, j'irai voir.

– N'oublie pas, car il te faut absolument un billet pour être admise au party!

Marie adorait faire la fête. Elle était sans aucun doute la plus énergique et la plus enthousiaste pour tout ce qui était relié au fait de danser et de s'amuser.

– D'accord, j'irai voir…

Mon regard se détourna vers Jamie, qui avait la tête à quelques millimètres de la surface de la table, très concentrée à sa tâche. Elle me regarda d'un air découragé, son crayon dans une main et sa gomme à effacer dans l'autre.

– Tu t'y connais en algèbre?

– Hum…

Je n'étais effectivement pas une référence exemplaire.

– Je n'y comprends rien! Ça fait au moins une demi-heure qu'on travaille sur ce fichu numéro. Il n'a toujours pas réussi à me l'expliquer correctement, soupira-t-elle en faisant allusion à son copain assis à ses côtés.

Elle lança un regard foudroyant à Alec, qui n'y prêta aucune attention. Même s'il était doué en maths, toute la démarche d'un problème se passait dans sa tête, et nulle part ailleurs.

– Cassy, viendrais-tu avec moi? me demanda Mick. Je vais m'acheter quelque chose à manger.

J'acceptai sa demande et l'accompagnai jusqu'au comptoir de nourriture.

– Et puis, cette chimie, comment elle avance? me questionna-t-il, les mains dans les poches, en attendant dans la file.

– Pfff… La chimie et moi… on est les meilleurs amis, soupirai-je d'un ton sarcastique.

Cela le fit rire.

– Tu sais, j'ai réussi mon cours, alors je peux t'aider si tu veux.

Je lui étais reconnaissante de son offre bienveillante. Seulement, j'étais un peu mal à l'aise de l'importuner, à cause de toutes les pratiques de musique qu'il avait à son horaire.

– Ouais… Tu as lu dans mes pensées. J'aurais en effet besoin d'aide…

– Ce soir, tu es libre?

– Je dois expliquer quelques notions de physiologie à Elyssa, et sa mère va examiner ma cheville. Si je ne reviens pas d chez moi, je vais t'appeler. J'aurais deux, trois, quatre ıême cinq, six numéros à me faire expliquer, dis-je, embar-ıssée.

Il étouffa encore un drôle de rire.

– Pas de problème!

Ce fut un soulagement de penser qu'il y avait peut-être un petit espoir pour moi de comprendre cette matière abstraite.

– Ce sera 6,50$ pour la salade et les pâtes, précisa la petite caissière rondelette.

Nous retournâmes manger à notre table, mais Mick, aussitôt son repas terminé, s'amusa à piger dans l'assiette des autres. Ses séances d'entraînement, disait-il, lui demandaient beaucoup d'énergie et lui ouvraient l'appétit.

– Mick! Tu n'as pas assez de ta salade qu'il faut que tu prennes une bouchée de mon sandwich?

– Désolé, il avait l'air bon.

Je croisai mes bras en le fusillant d'un regard malin. Il se moquait de moi.

– Tu es tellement gourmand, répliqua Marie, vexée. Je me demande sincèrement où va toute cette nourriture!

– Quoi… je m'entraîne…

– Oui, mais… ce n'est quand même pas une raison pour avaler tout ce qui se trouve sur ton passage!

J'éclatai d'un rire complice. Marie roula les yeux au plafond et me lança un regard découragé. Je me contentai de hausser les épaules, laissant se poursuivre leurs moqueries amicales. Nos cours recommençaient dans une dizaine de minutes. Keven fut le premier à quitter la table pour filer à la salle d'entraînement. Quant à Elyssa et moi, nous devions assister à notre cours de physiologie, le dernier de la journée. Mick ramassa sa paperasse, prêt pour son cours de musique. Tout en quittant la cafétéria, encore bondée d'étudiants fainéants, il me fit signe qu'il montait au deuxième étage.

– J'y vais! Si je ne te vois pas après les cours, donne-moi un coup de fil. Je répondrai à tes questions en chimie.

– Ouais, c'est bon, merci.

Il me gratifia d'un clin d'œil rapide avant de s'éloigner en direction de l'escalier principal, suivi d'Alec et de Jamie, le nez plongé dans leur livre d'algèbre.

– C'était quoi ce petit clin d'œil charmeur? s'enquit Marie, qui nous avait suivis.

– De quoi tu parles?

– Arrête de faire l'autruche. Tu sais très bien à quoi je fais allusion.

– Hum… non, vraiment pas, répondis-je en déballant un bonbon trouvé au fond de mon sac à main.

– Le clin d'œil que Mick t'a lancé. Ce n'était pas juste un simple petit clin d'œil. J'y ai vu beaucoup d'intérêt.

– Tu as sûrement mal interprété.

– Oh que non! rétorqua-t-elle avec assurance.

– O.K. On va clarifier les choses, d'accord? Mick est un très bon ami. C'est bon ça?

– Un ami…

– Oui, un ami!!!

– À ta place, j'en ferais plus qu'un ami.

– Marie! Tu dis n'importe quoi, tu ne le connais même pas.

– L'amitié, ça évolue toujours… surtout entre gars et filles.

– Tu m'énerves!

– Allez, je plaisante. On s'en reparlera dans quelques années, d'accord? Ou peut-être même dans quelques mois.

– C'est ça…

Elle nous quitta pour aller à son cours. Quelle idée fixe elle avait cette Marie! Tout comme notre professeur qui s'empressa de nous expliquer le déroulement pour l'examen de la semaine suivante, en plus de nous remettre un soi-disant travail préparatoire pour faire notre révision. Je fis équipe avec Elyssa afin de mettre toutes les chances de son côté pour qu'elle puisse comprendre parfaitement la matière. À la fin du cours, nous retrouvâmes Marie aux casiers.

– La session est terminée! s'exclama Marie, énervée, en vidant son casier. Il ne reste que les examens, puis c'est le party et les vacances qui s'installent pour plusieurs magnifiques semaines! Alors, les filles, quels sont vos plans pour ce soir? On célèbre ça?

Je n'en croyais pas mes oreilles! Malgré cette interminable journée de cours, rien n'était terminé pour moi. Les examens, c'était le pire des supplices!

– Je vais réviser chez Elyssa ce soir. Je vais l'aider pour l'examen final en physiologie. Tu veux te joindre à nous?

Un soulier à la main, elle figea un court instant.

– Quoi? répliquai-je.

– Eh bien, je pense sincèrement que vous avez un gros problème toutes les deux.

– Peut-être, ajouta Elyssa, sauf que moi, je compte sur cet examen pour réussir mon cours, alors il ne faut absolument pas que je passe à côté.

– Ouais… vu comme ça, je te conseille de réviser alors.

Tant mieux si Marie ne se joignait pas à nous: sa seule présence aurait suffi à bousiller notre révision et notre soirée d'étude se serait inévitablement transformée en soirée de filles!

– Bon, mon père doit m'attendre à l'extérieur, j'y vais! Passez une belle soirée avec votre étude!

– Ouais, toi aussi. À lundi…

Elle nous fit la grimace avant de sortir. Il n'était pas question, moi non plus, que je m'attarde une minute de plus. Elyssa et moi, nous regagnâmes la voiture pour filer jusque chez elle. Sa petite sœur Catherine nous accueillit, heureuse de nous voir malgré l'indifférence de son aînée. Âgée de 12 ans, elle était la cadette de la famille. Deux jolies nattes blondes descendaient sur ses épaules délicates. Grande admiratrice des *Jonas Brothers*, elle portait un chandail à l'effigie de son groupe préféré. Tout comme moi, elle avait deux frères ne vivant que pour l'attrait des jeux vidéos : Charles, 17 ans, et Jeremy, 14. Je suivis Elyssa jusqu'à sa chambre et sa sœur retourna à ses affaires. Je déposai mon sac sur son lit douillet et m'assis quelques secondes, appréciant la tranquillité de cette pièce colorée. Je décrochai son téléphone rose, de style ancien, dont la roulette argentée tournait lentement, et téléphonai à la maison pour aviser ma mère que je passerais la soirée à travailler chez mon amie. Lorsque je revins sur le lit, je commençai à feuilleter le livre de physiologie, cherchant un endroit par où commencer. Pendant quelques instants, le silence régnait dans la pièce, ne laissant filtrer que le bruissement des pages et la mastication de son chewing-gum à la fraise.

– Qu'est-ce que c'est, ça? questionna-t-elle en pointant une petite note dans mon agenda :

Appelle-moi pour ta chimie,

Mick xxx

Je gardai un moment le regard fixé sur cette écriture connue.

– Mick a dû écrire ça sans que je m'en aperçoive ce midi. Je dois lui téléphoner pour lui demander de l'aide en chimie.

Elle ne put s'empêcher de sourire ironiquement en continuant de fixer le mémo.

– Redonne-moi ça! lui ordonnai-je en lui arrachant mon agenda des mains.

– En tout cas, il a quand même pensé à te laisser quelques baisers pour conclure son court message... Je trouve ça vraiment mignon!

– Ça n'a rien de mignon. Allez, il faut se mettre au travail maintenant.

Je n'arrivais pas à fixer mon attention, tournant les mêmes pages de mon cahier.

– Mais... tu n'as rien remarqué dans la façon dont il agit avec toi?

– Non, absolument rien.

Elle fit éclater exprès une bulle parfaitement ronde provenant de son chewing-gum.

– Eh bien... moi, j'ai remarqué une chose.

Je la fixai du même air farouche avec lequel j'avais regardé Marie plus tôt dans l'après-midi. Mais qu'est-ce qu'elles avaient toutes les deux aujourd'hui?

– Elyssa, on est de très bons amis, c'est tout. Tu le sais, ça!

– Ouais, mais... je pense que Mick commence à ressentir quelque chose pour toi. Marie t'en a parlé subtilement aujourd'hui, et... je n'ai rien voulu ajouter, mais je suis un peu de son avis.

– Où veux-tu en venir?

– À rien. J'étais simplement curieuse de savoir ce que tu en pensais. J'imagine que tu y as peut-être déjà pensé, non?

– Non, jamais, répliquai-je d'un ton ferme.

Elle sembla froissée par ma réponse sèche et catégorique.

– Bon, écoute, repris-je, je l'apprécie beaucoup, mais… je ne veux pas gâcher la relation d'amitié qu'on a ensemble.

Son regard alterna entre l'expression de mon visage et le message dans l'agenda.

– Tu as peut-être raison. Tu sais, c'est ce que j'aime de toi. Tu sais accorder de l'importance à tes relations avec les autres. Avec Mick, tu veux t'assurer de préserver votre amitié pour éviter que ça tourne mal.

– Ce serait une mauvaise chose que je sorte avec lui?

– Pourquoi? Tu y penses peut-être?

– Non! Je ne voulais pas dire ça. C'est que… Ah, laisse faire!

Elle me sourit en me bousculant gentiment.

– Allez, laisse tomber. On devrait commencer à étudier.

– Excellente idée venant de ta part! Je vais m'en vouloir si tu ne passes pas ce satané examen.

Comment pouvait-on croire qu'il se tramait quelque chose entre Mick et moi? Les sentiments que nous éprouvions étaient loin d'être un début de relation amoureuse. Mick était mon meilleur ami, et rien ne viendrait s'interposer entre nous deux. Bref, la soirée se passa sans aucune autre allusion. Nous avions examiné minutieusement les notions pour l'examen de physiologie de la semaine prochaine. Sa mère avait fait de même avec mon entorse et m'avait appliqué un pansement bien serré. La cheville ainsi soutenue, j'avais presque retrouvé mon équilibre normal. Que demander de mieux! Elyssa me raccompagna à la porte, rassurée d'avoir compris toutes mes explications.

Quand j'entrai chez moi, un grand calme régnait : mes parents regardaient la télévision au salon, tandis que mes frères grignotaient un bol de céréales à la cuisine. Après un salut expéditif, je gagnai ma chambre où je m'effondrai sur mon lit, le temps d'un léger répit bien mérité. Je n'en pouvais plus de cette interminable semaine d'étude avec les examens au bout du tunnel. J'aurais voulu repousser le plus loin possible mon test de chimie, prévu pour le lundi, à cause de toutes ces notions que je ne saisissais pas bien. Même si je m'étais rendue à plusieurs récupérations durant la session, je n'en avais jamais tiré grand profit. Résignée, j'ouvris mon agenda et mon regard se posa instantanément sur le message de Mick : il était vraiment le seul à pouvoir me sortir de ce pétrin pour m'expliquer clairement les notions importantes. Je souris en relisant sa note et m'étirai le bras vers mon cellulaire. Faisant défiler mes contacts, je m'arrêtai sur son nom et laissai sonner trois fois, espérant de tout cœur qu'il répondrait à mon appel S.O.S.

– Mick?

Étrange... On avait décroché l'appareil, mais il n'y avait qu'un silence persistant au bout du fil.

– Allo?

Il y eut un grincement continu, rien de comparable à une tentative de parole.

– Mick, c'est toi?

Un pressentiment désagréable s'accrut en moi, comme une étrange sensation qu'un incident était sur le point de se produire. Je restai accrochée à mon cellulaire, tentant de comprendre la cause de ce son agressant. Peu à peu, je perçus une respiration… Il y avait donc quelqu'un à l'autre bout… Le souffle se fit de plus en plus rauque et terrifiant.

– Micka, ce n'est pas drôle, arrête…

Au même instant, les lumières de ma chambre clignotèrent trois fois de suite, ce qui me glaça le sang. J'étais paralysée comme une statue sur son socle. Je respirais à peine, l'oreille tendue vers la voix haletante qui prononça des mots qui m'enlevèrent le peu de confiance qu'il me restait.

– Tu… ne m'échapperas pas…

Je ressentis une explosion instantanée à l'intérieur de mon corps. En l'espace d'une fraction de seconde, je revis l'horrible étrangleur de mon cauchemar de la nuit précédente. Je laissai tomber mon appareil au sol comme s'il me brûlait les doigts et, au moment où j'allais quitter ma chambre à grandes enjambées, les lumières s'éteignirent, me laissant dans une obscurité totale. Je titubai vers le corridor et heurtai de plein fouet une forme inattendue qui me fit hurler de frayeur.

– Hey! Hey! C'est moi… Cassy.

Je reconnus aussitôt la voix réconfortante de Mick.

– Mais… mais qu'est-ce que tu fais chez moi à cette heure-ci?

De loin, je vis mon petit frère nous éclairer le passage avec une lampe de poche.

– J'ai essayé de t'appeler, mais tu n'as pas répondu. Je voulais t'aider pour ta chimie, car cette semaine je n'aurai pas de temps libre. C'est la fête de mon père et j'ai trois pratiques avec mon groupe. C'est ton frère qui m'a ouvert la porte. J'allais frapper à ta chambre quand il y a eu cette panne.

Ses propos me rassurèrent un peu. C'était beaucoup plus plausible que ce que je venais de vivre il y a quelques instants. J'étais vraiment plus fatiguée que je ne l'aurais cru!

– Je… j'ai essayé de t'appeler, moi aussi…

Le léger tremblement de ma voix dissimulait mal l'anxiété qui m'habitait encore. Mon frère Samuel me tendit une lampe de poche et fila se coucher. Je lançai un regard à Mick, lui signifiant qu'il pouvait entrer dans ma chambre. J'étais ravie de le savoir à mes côtés pour y retourner. J'éclairai le plancher en mouvements rapides et ramassai, d'un geste hésitant, mon cellulaire qui gisait au sol, muet sur le mystère qu'il venait de me livrer.

– Tu as eu peur, ricana Mick en s'assoyant sur mon lit défait.

– Mouais… Je n'aime pas vraiment la noirceur.

Que pouvais-je lui dire d'autre? Je m'installai à ses côtés. Après un moment de silence absolu, il poursuivit.

– J'aurais bien aimé t'aider avec ta chimie, mais il n'y a pas d'élec…

Comme il prononçait ces paroles, les lumières se remirent à clignoter deux fois très rapidement, et l'électricité revint. Mick porta un regard interrogatif vers le plafond puis vers moi.

– C'est bizarre, constata-t-il.

Pour ma part, j'étais rassurée de retrouver une certaine normalité.

– Bon, alors, puisque l'électricité est revenue, rappelle-moi quel chapitre tu ne comprends pas?

J'avais grand besoin de me changer les idées pour dissiper le malaise qui m'habitait. Je me précipitai donc vers mon sac pour sortir tous mes cahiers.

– Eh bien… Je ne comprends rien du chapitre neuf et j'ai énormément de difficulté avec les réactions chimiques reliées avec… avec… je ne sais trop quoi.

– O.K. C'est vraiment simple. Regarde, les exercices se trouvent dans les dernières pages, précisa-t-il en me pointant un numéro.

– D'accord, si on prend la première question: *Il faut brûler 6,5 g de soufre dans un flacon renfermant 3 g de dioxygène. Suite à cette expérience, il se forme du dioxyde de soufre. Écrivez et équilibrez l'équation bilan de la réaction.*

Je commençai à rédiger un semblant de réponse, mais sincèrement, c'était comme du chinois. Comme j'étais très visuelle, Mick faisait de son mieux pour m'expliquer la démarche à l'aide d'un dessin. Cela faisait plus d'une heure et demie qu'il me donnait des explications, utilisant des façons différentes pour me faire visualiser toutes ces notions abstraites. Je réussis finalement à compléter correctement quelques exercices importants: son aide m'avait été des plus précieuses. Toutefois, malgré cette diversion momentanée, je ressentais toujours une certaine crainte, car je n'arrivais pas à trouver une cause logique à ce que j'avais vécu quelques heures plus tôt. À tout cela se mêlaient l'affreux cauchemar de l'avant-veille et l'apparition de la silhouette étrange aperçue près du campus de l'université. Ce n'était pas en regardant mon cellulaire que j'obtiendrais plus de clarifications. J'avais la forte intuition que quelque chose d'important m'échappait.

2

Le Cabonga

Contrairement à ce que je pensais, la semaine de révision s'était déroulée très vite. Tous mes examens étaient terminés, à l'exception du dernier, celui de physiologie. J'étais assise à notre table habituelle, à la cafétéria, plongée dans mes doutes concernant le test de chimie passé il y a quelques jours : assurément les deux pires heures ma vie. J'avais laissé la page blanche à une dizaine de questions, sans compter les réponses que j'avais encerclées au hasard ainsi que les erreurs d'inattention que le stress avait dû provoquer.

– Arrête de t'en faire, me consola Mick en me frottant le bas du dos. Consacre-toi à l'examen de physiologie, et ensuite, vive les vacances!

Je lui lançai un regard peu enthousiaste.

– Je suis sûr que ce n'était pas si mal, tenta-t-il pour me rassurer.

– Parle pour toi! Je n'ai jamais autant creusé mon cerveau. J'ai la migraine, juste à y penser.

De toute façon, je ne pouvais rien changer à la situation ni aux résultats que j'obtiendrais.

– Il reste une demi-heure avant l'examen! s'impatienta Elyssa qui avait de la difficulté à tenir en place. Tiens, Marie arrive enfin et pas stressée du tout en plus!

Portant fièrement jupe et talons hauts, elle ondulait dans notre direction.

– Hey, les amis! s'exclama-t-elle excitée, je détiens l'idée la plus géniale au monde!

Nous la regardâmes tous d'un air intrigué.

– J'espère au moins qu'elle permettra à Elyssa de se calmer un peu, rétorqua Mick en lui jetant un regard moqueur.

Elyssa se fit un plaisir de lui rendre une belle grimace haineuse.

– Bon, il me faut l'accord de tout le monde et de vos parents aussi.

Je me demandais bien ce qu'elle avait mijoté, cette petite Marie, pour avoir besoin d'autant de permissions.

– Mon père est un mordu de la pêche et il part à chaque printemps dans une pourvoirie située dans la réserve faunique de La Vérendrye, à environ deux heures au nord de Mont-Laurier. Je lui ai demandé si on pouvait louer un chalet pendant deux semaines, pour aller fêter le début de nos vacances d'été là-bas! Qu'en pensez-vous?

Une telle proposition était étonnante de sa part, elle qui ne jurait que par l'apparence extérieure et le confort. Ce projet ne correspondait aucunement à sa nature sophistiquée. Malgré tout, son idée me plaisait, car j'adorais la nature à l'état sauvage.

– Comment se nomme l'endroit? demandai-je, intéressée.

– C'est le Black Lake, dans le réservoir du Cabonga. C'est environ à six heures d'ici. L'endroit est très protégé. Il y a onze chalets, en plus de la réception où séjournent les propriétaires qui sont de bons amis de mes parents.

– Ça ressemble à quoi là-bas? rajouta Mick.

– Je n'y suis allée que deux fois quand j'étais plus petite. Les chalets sont sur le bord d'un lac où on a accès à des chaloupes pour la pêche. Les couchers de soleil sont spectaculaires et le soir, le ciel étoilé est renversant. Si la température le permet, on peut se baigner et aller à la plage.

Marie vendait très bien l'endroit. Des vacances dans un chalet avec mes amis pouvaient s'avérer génial. Après cette session infernale d'examens et de stress, un séjour en nature serait le remède approprié.

– Est-ce que je pourrais apporter mon *wakeboard*? s'enquit Jamie, excitée.

– Je vais poser la question à mon père. Son ami, le propriétaire, nous prêtera peut-être le bateau. Ses deux neveux, Ben et Jim, qui travaillent au camp tout l'été, accepteront probablement de le conduire de temps à autre.

– Wow! Je suis partante alors!

– Le chalet a suffisamment de chambres pour nous tous? m'enquis-je, curieuse.

– Oui, le chalet dont mon père m'a parlé comporte deux grandes chambres, avec sept lits au total. Il y a un grand salon, une salle de bains et une cuisine. Ce n'est pas le grand luxe, mais l'endroit est très bien quand même. Il va falloir faire l'épicerie avant de partir, car il n'y a pas d'épicerie dans les environs, sauf peut-être la réception qui peut nous dépanner au besoin, je crois.

– Alors… ça veut dire qu'on va pêcher?

– Si vous voulez, c'est une pourvoirie, quand même.

– On partirait avec quelle voiture? demanda Keven.

– Mon père pourrait nous prêter une camionnette de son garage qui est en très bonne condition. Il ne resterait qu'à désigner un chauffeur.

Mick se proposa et fut élu à l'unanimité.

– On partirait quand? ajouta Elyssa.

– Mon père voulait réserver le chalet pour les deux premières semaines de juin.

Elle replaça sa mini-jupe tout en cherchant son cellulaire dans son sac à main.

– Quelques jours avant le départ, je vais avoir besoin d'aide pour planifier notre séjour et faire l'épicerie.

– Ça me fera plaisir, lui proposai-je sans hésiter.

Tous se montraient déjà enthousiastes à l'idée de partir.

– Parlez-en à vos parents. J'aurais besoin de votre réponse au plus tard ce soir, car je dois réserver le chalet dans les plus brefs délais.

– Je pourrais apporter ma guitare acoustique, suggéra Mick.

J'imaginai un peu la scène : tous mes amis assis autour du feu, sous la voûte partiellement étoilée… Il n'y avait rien de plus relaxant que le son mélodieux d'une guitare acoustique. Chaque fois que Mick en jouait, j'étais littéralement transportée sur une autre planète. Il avait un talent remarquable qui nous rendait tous un peu jaloux.

– L'heure a sonné! s'énerva Elyssa. Allons nous faire condamner à mort dans la salle d'examen!

Je ne pus m'empêcher de rire à sa remarque imagée. Comme une rangée de fourmis besogneuses, nous regagnâmes le local où l'examen de physiologie avait lieu. Je souhaitai bonne chance à Elyssa, la rassurant sur ses capacités. Comme prévu, je complétai aisément mon examen dans les délais fixés. À la sortie de l'examen, je croisai une Elyssa défaite.

– Je vais couler mon cours, c'est certain! se lamenta-t-elle.

– Elyssa, tu ne peux pas avoir raté l'examen, c'est impossible.

Elle me lança un regard maussade, qui voulait tout dire.

– Je t'avais tout expliqué, pourtant?

– Je sais! Mais j'ai paniqué. Je me suis mise à penser à autre chose et j'ai complètement perdu la notion du temps.

Mick me toisa du regard.

– Bon, on devrait arrêter de parler de ça. C'est les vacances maintenant, et tout le monde devrait être content!

Je me levai, et refermai la porte de mon casier.

– Que faites-vous ce soir? demanda Elyssa.

J'étais contente qu'elle change de sujet.

– J'ai un souper de famille, répondit Mick en s'engageant vers la sortie.

– Toi, Cassy?

– Je ne sais pas trop.

– As-tu envie d'aller souper quelque part?

Je savais qu'elle voulait se changer les idées et je cédai à sa proposition, car je mourais de faim. Une petite soirée entre filles allait assurément lui faire oublier ces deux heures pénibles de sa vie. Nous nous dirigeâmes vers le stationnement achalandé du campus. Alors qu'Elyssa avait déjà pris place dans mon auto, Mick m'approcha timidement.

– Qu'est-ce qu'il y a? lui demandai-je, soucieuse.

– Hum… le party de fin de session…

– Ah zut! J'ai oublié d'acheter mon billet!

Il sortit de sa poche, deux bouts de papier.

– Tu m'accompagnes?

Je restai un instant bouche bée.

– Tu as... euh...

– Oui, j'ai acheté deux billets. Je savais que tu oublierais, alors...

J'étais plutôt ravie de son initiative et le laissai paraître.

– Le comité des événements a décidé de réserver une croisière dans la région des Mille-Îles, poursuivit-il.

– On va fêter sur un bateau? Quand ça?

– Tu n'es au courant de rien, toi! se moqua-t-il. Le party a lieu dans un mois, justement pour avoir un temps plus chaud.

La région des Mille-Îles était l'endroit le plus visité par les touristes. Le port, dont j'adorais l'animation, n'était qu'à une vingtaine de minutes de chez moi. Cette région portait bien son nom : chaque île possédait une richesse et une beauté bien particulières.

– Alors... je prends ça pour un oui?

– Oh... ouais, d'accord. Je t'accompagne.

– Cool! Je suis content, ça va être une belle soirée! Bon, je te laisse retrouver Elyssa.

– O.K. On se revoit bientôt.

– Ouais, bon souper à vous deux!

– Merci, toi aussi.

Il s'éloigna vers sa voiture, l'air ravi. Avant qu'Elyssa ne perde patience, je me glissai à l'intérieur.

– Qu'est-ce qu'il voulait?

– Tu ne seras pas étonnée, j'ai oublié d'acheter mon billet.

– Tu…

– T'inquiètes, Mick a pensé à moi. Je l'accompagne.

Son visage exprima un air rempli de sous-entendus, ce qui raviva en partie la conversation que nous avions eue l'autre soir. Avant qu'elle ne dise une bêtise à ce sujet, je lui proposai de choisir l'endroit pour aller souper. Cette journée avait épuisé toute mon énergie et j'avais grand besoin de me remplir l'estomac au plus vite. Elle proposa un petit restaurant italien, réputé pour sa qualité et son menu abordable, situé près du club vidéo. C'était très chaleureux comme endroit et le menu offrait une variété intéressante de pâtes et de spécialités italiennes. Comme à mon habitude, je me régalai d'une délicieuse assiette de tortellinis à la sauce rosée. Elyssa dégusta une salade au poulet grillé, où je pigeai quelques croûtons assaisonnés. Pendant le repas, elle m'entretint encore de ses tracas scolaires. Je ne savais plus quoi lui dire pour l'encourager. Plus elle se tourmentait, pire c'était. À court d'arguments, elle contourna habilement le sujet en mentionnant l'invitation que Micka m'avait faite. J'aurais préféré ne pas en discuter, mais c'était la seule façon de lui faire oublier ses tourments. Elle trouvait que ça ressemblait drôlement à un rendez-vous galant et recommença sa théorie amoureuse. Je lui répétai une autre fois que notre relation n'était rien d'autre qu'amicale. Elle ricana en m'assurant qu'elle nous aurait à l'œil pendant la soirée. Elle était pitoyable. Je la laissai donc se réjouir de ces faux espoirs. Après avoir payé l'addition, je lui proposai de passer le restant de la soirée au *Starbucks Coffee* où nous placotâmes de tout et de rien.

Après la fermeture, je la déposai chez elle et rentrai chez moi dans une maison déjà endormie. Je montai silencieusement à ma chambre et me laissai tomber sur mon lit, épuisée mais soulagée d'avoir terminé ma semaine d'examens. Je repensai à l'invitation de Mick. L'idée de l'accompagner me plaisait bien, malgré les sous-entendus d'Elyssa. Il faudrait que je me trouve une tenue chic pour la circonstance. À part ma jupe et la camisole de dentelle que j'avais déjà portées à l'occasion de ma fête, je n'avais rien de très approprié pour ce genre de soirée et pas question de remettre les mêmes fripes! Je me levai promptement pour vider le contenu de ma commode, dans l'espoir d'y trouver le vêtement adéquat.

– Cassy?

Je sursautai en apercevant ma mère à l'entrée de ma chambre. Les cheveux relevés en chignon, elle était confortablement emmitouflée dans sa robe de chambre en velours rose.

– Excuse-moi, maman, je ne voulais pas te réveiller.

Elle jeta un coup d'œil au désordre ambiant.

– Je cherche comment je pourrais m'habiller pour le party de l'université… dans un mois, soupirai-je de dépit en regardant cette abondance de vêtements démodés. Je crois bien avoir du magasinage en vue pour les prochains jours.

– Tu ne peux quand même pas porter ton ensemble de première communion, se moqua-t-elle en le prenant dans ses mains. Je crois qu'il est temps que tu fasses un gros ménage. Tu devrais trier ce que tu ne portes plus. Attends, j'ai peut-être une idée...

Elle disparut rapidement et revint avec un sac cadeau volumineux.

– Tiens! C'est un petit présent pour ta fin de session. Tu as travaillé fort pour les examens, alors tu le mérites bien.

– Maman… dis-je, confuse.

– Allez, ouvre-le.

Je m'empressai d'enlever le papier de soie violet qui recouvrait le sac et en sortis une robe ravissante que je dépliai avec délicatesse. Je la posai devant moi : elle était magnifique, brodée de paillettes mauves, avec un décolleté plongeant ainsi qu'une fente découvrant la jambe droite.

– Wow… murmurai-je émue, elle est superbe!

– Tu l'aimes?

Ma mère replongea sa main dans le sac d'où elle sortit une boîte en carton qu'elle déposa sur mes genoux.

– Il faut bien que tu aies quelque chose à te mettre dans les pieds.

– Quand as-tu eu le temps d'acheter tout ça?

– Ne t'inquiète pas pour mon emploi du temps.

En soulevant le couvercle de la boîte circulaire, je découvris une paire de chaussures d'un mauve luisant, à talons hauts pointus, dont une boucle sertie d'une pierre ovale et de quelques plumes embellissait l'extrémité.

– Je ne sais vraiment pas quoi te dire… C'est très gentil de ta part!

Je me retournai vers elle pour la serrer très fort dans mes bras.

– Ça me fait plaisir, ma chérie.

J'enfilai ma robe et mes souliers avec empressement et défilai pour recevoir l'approbation souhaitée. Même si je n'avais plus de bandage à la cheville ni douleur, je prenais évidemment un risque en chaussant ces talons aiguilles.

– Sans aucun doute, tu seras la plus belle!

– Maman… dis-je, embarrassée par le compliment.

– Quoi? J'ai raison, rigola-t-elle.

J'étais ravie de ne plus avoir à me soucier de ma tenue vestimentaire. Toutefois, il y avait un dernier détail à régler : je ne lui avais pas encore parlé de notre fabuleux projet de vacances au Cabonga et Marie exigeait une réponse pour le lendemain afin de réserver le chalet. L'occasion était idéale pour lui en faire part et lui demander son autorisation.

– Un chalet… pour deux semaines! s'exclama ma mère, incrédule.

– Mouais… ça pourrait être cool.

– Depuis quand aimes-tu la pêche, toi?

– Eh bien… disons que…c'est plutôt pour l'envie d'aller passer des vacances là-bas avec mes amis. Le propriétaire connaît très bien ses parents. Marie dit que la route se fait très facilement à l'aide d'un GPS ou d'une carte routière.

– C'est loin? s'informa ma mère.

– Eh bien… un peu, à six heures d'ici?

– Six heures! C'est beaucoup!

– Je sais… mais ça pourrait être chouette comme voyage! J'aime l'idée d'aller célébrer notre fin de session là-bas.

J'essayais de paraître la plus enthousiaste possible.

– Alors? insistai-je, impatiente de savoir ce qu'elle en pensait.

– Tu sais, reprit-elle, quand j'avais ton âge, j'aurais beaucoup aimé que mes parents me laissent vivre ce genre d'expérience. Alors, si tu as vraiment envie d'y aller, je te le permets.

Je lui sautai au cou en la remerciant et en l'embrassant.

– À une condition!

– Laquelle?

– Je n'ai rien contre le fait que tu ailles passer des vacances dans un chalet avec tes amis, mais j'aimerais bien parler au père de Marie, question de savoir ce qu'il en est exactement.

Je lui précisai les détails concernant les gens qui seraient présents, le prêt de la camionnette pour nous y rendre, Mick qui s'était porté volontaire pour conduire.

– Vous aviez déjà tout planifié! Je n'ai donc pas vraiment le choix d'accepter.

Je me sentis rougir, tout en émettant un rire embarrassé.

– Bon, je vais aller me coucher, déclara-t-elle en resserrant le nœud de son peignoir. J'appellerai le père de Marie demain.

Je lui souris chaleureusement.

– Bonne nuit, m'man. Merci encore pour la robe. Elle est parfaite.

– Je suis très contente que tu l'aimes. Bonne nuit, ma chérie.

Elle m'embrassa sur la joue. Malgré l'heure tardive, j'étais encore bien alerte et excitée à l'idée de partir au Cabonga. Tout allait pour le mieux : une croisière festive dans les Mille-Îles ainsi qu'une belle aventure en perspective pour ce début d'été. J'enfilai mon pyjama, suspendis ma robe sur un cintre de velours en la contemplant, rêveuse. J'avais très hâte de la porter!

3

La croisière des Mille-Îles

Encore une fois, je serais prête à la toute dernière minute. Je terminai de boucler mes cheveux qui ondulaient sur mes épaules et y insérai un papillon brillant. Pour la première fois, j'avais un maquillage de soirée dans les teintes de violet et noir, qui s'harmonisait avec ma robe et mes souliers. Pour éviter d'être en retard, j'enfilai à la hâte ma robe soyeuse, mais sans parvenir à remonter la fermeture éclair. Stressée, je m'assis sur mon lit pour passer à l'étape suivante, mes talons aiguilles, qui ravivèrent un peu ma sensibilité à la cheville. Au même moment, on frappa à ma porte.

– Entre, maman… murmurai-je, accablée.

Je restai sidérée d'apercevoir Mick dans l'embrasure. C'était la première fois que je le voyais si élégant. Il portait un jeans noir serré et un veston ajusté, de même couleur, qui contrastait avec sa chemise gris pâle. Ses cheveux châtains encadraient son visage lumineux qui me regardait passionnément. Le bras croisés derrière le dos, il avait vraiment fière allure!

– Je ne te dérange pas, j'espère?

– Oh… hum… salut… Je ne savais pas que tu étais déjà arrivé.

– Ta mère m'a dit de monter. Je voulais t'attendre en bas, mais...

– Ça va, je suis presque prête.

Je me levai spontanément et replaçai ma robe à la hauteur des hanches.

– Tu es... c'est très beau ce que tu portes, bafouilla-t-il, embarrassé.

Je me sentis rougir en le remerciant et agrippai mon sac à main de soirée pour me donner contenance.

– On descend?

– Ouais, hum... mais avant... je ne sais pas si c'est voulu, ta robe n'est pas bien attachée.

– Oh! J'allais oublier.

Je me ridiculisai en essayant de la refermer: elle me serrait tellement la taille et le haut du ventre, qu'il m'était impossible de l'attacher toute seule.

– Attends, laisse-moi t'aider.

Il ricana timidement en s'approchant de moi. Je sentis le bout de ses doigts tièdes me chatouiller la surface du dos et ma robe se resserra sur ma poitrine.

– Voilà! Ça devrait t'éviter de la perdre en dansant tantôt.

– Pfff... Je n'avais pas l'intention de danser. Tu n'as pas vu la hauteur de mes talons?

– Heureusement que je suis plutôt grand, sinon, on serait disproportionnés.

– Bon, on y va? dis-je en esquissant un mince sourire. Les autres vont nous attendre.

– Ouais, on y va!

Avec précaution, je descendis une marche à la fois en agrippant fermement la rampe courbée de l'escalier. Ma mère et mon père, contemplatifs, me regardaient descendre.

– Bon sang! J'hallucine ou tu es resplendissante? s'exclama mon père.

Sa remarque élogieuse me fit sourire. Une guitare à la main, il devait probablement travailler sur l'une de ses prochaines compositions, la musique étant son passe-temps préféré. Mick et lui avaient tout de suite ressenti des atomes crochus en parlant de leur passion commune. Mais je crois qu'il avait plutôt voulu impressionner mon ami. Mon père avait un style qui différait de celui des gens de son âge : jeune d'esprit et de cœur, il avait deux tatouages, une torsade faisant le tour de son bras gauche, ainsi qu'une épée entrelacée d'une rose à son avant-bras droit. Ses cheveux longs et méchés accentuaient son look *beach boy*. Son teint bronzé et ses yeux bleus étaient les deux seules caractéristiques dont j'aurais voulu hériter.

– Je n'arrive pas à croire que j'ai mis au monde une si belle fille! s'exclama ma mère.

– M'man…

– Mick, insista-t-elle, le prenant à témoin, je n'ai pas raison?

Je lui lançai un regard réprobateur.

– Hum… je me compte chanceux ce soir, disons.

Je le fusillai du regard. Je me sentais mal à l'aise dans ce genre de situations.

– Bah quoi? marmonna-t-il.

Il méritait vraiment que je l'étripe avec le talon de mes souliers! Mes parents nous accompagnèrent jusqu'au vestibule, nous souhaitant de passer une belle soirée.

– Vous êtes vraiment beaux, tous les deux! s'enthousiasma ma mère en m'embrassant.

À vrai dire, nous avions plus l'air d'un couple que de simples amis. Elyssa s'en réjouirait sûrement.

– Faites attention à vous, ajouta mon père. Mick, je te surveille de près.

Il lui rendit son clin d'œil complice.

– Je vais la ramener en un seul morceau, promis.

Je mis un pied chancelant sur le perron tout en ressentant sur mes épaules la brise fraîche. Je m'enroulai dans un châle qui s'agençait aux couleurs de ma robe. Mick m'accompagna jusqu'à sa voiture luisante de propreté puis m'ouvrit galamment la portière.

– Merci beaucoup, monsieur, ricanai-je.

– Mais cela me fait grand plaisir, jolie dame.

Je ne pus retenir un sourire amusé. Il avait ce don de me faire rougir à sa guise. Quelques lumières rouges, trois minutes de circulation à peine et nous étions déjà arrivés à destination. Une fois la voiture garée et nos billets en main, nous rejoignîmes le groupe qui attendait le départ pour la croisière. J'étais éblouie devant cette multitude de lumières qui décoraient notre bateau : fanaux et guirlandes le rendaient des plus accueillants.

– Vous voilà, vous deux! s'écria Keven qui se trouvait en compagnie d'Elyssa et de nos autres amis.

– Cassy! s'exclama Marie. J'adore ta robe!

– Merci, la tienne est superbe aussi.

En toute impartialité, mes amis resplendissaient de beauté et d'originalité. Marie, avec ses cheveux en chignon sur le côté, portait une robe bleu marine de style sirène; Elyssa, dont la crinière de déesse cascadait au milieu du dos, arborait un collier de perles qui illuminait son teint parfait : elle était vêtue d'une robe courte fuchsia sous laquelle contrastait une crinoline en dentelle noire; Jamie était tout aussi magnifique avec sa robe rouge cerise très épurée : elle avait troqué son allure sportive contre celle d'une demoiselle chic et classique.

– On vous attendait, ajouta Alec, le pont est ouvert.

Elyssa me lança un clin d'œil discret qui manifestait son approbation à l'égard de mon beau cavalier. En retour, je lui fis comprendre que sa subtilité ne l'était vraiment pas. Nous franchîmes donc la passerelle menant au bateau et nous nous regroupâmes à l'intérieur, près du bar central où les tables, ornées d'un bouquet de fleurs coupées et d'un délicieux buffet, étaient dressées. Le décor, l'ambiance et même la température, tout concourait à rendre l'atmosphère chaleureuse. Un lustre de verre suspendu laissait filtrer une lumière tamisée et relaxante. Même le tapis rouge moelleux ajoutait au concept prestigieux propice pour un bal.

– Ça va être fou comme soirée! s'éclata Marie.

Elle avait déjà un verre de sangria entre les mains.

– Notre table est réservée là-bas... précisa Jamie.

Les gars s'étaient déjà élancés vers le buffet appétissant. Le bateau naviguait maintenant vers les montagnes, à proximité.

– Miam, dis-je en salivant à la vue de l'assiette débordante d'Elyssa, tu es affamée ou quoi?

– Ouais, je meurs de faim.

Elle me passa une assiette chaude, tout en humant l'odeur alléchante des différents mets. Je me servis à mon tour une généreuse portion et regagnai notre table en sa compagnie.

– C'est dommage pour ceux qui n'ont pas acheté de billet, marmonna Keven en mastiquant son pain. Ils manquent une très belle soirée.

– Le bateau avait une limite de places, confirma Marie, la bouche pleine. Mais, on est quand même nombreux.

– Bon! coupa Elyssa, en se levant de table, je vais chercher des verres de sangria. Qui en veut?

– Je t'accompagne.

– Apportez deux verres de plus, demanda Jamie.

– Toi, veux-tu quelque chose, Mick?

– Non, merci, j'ai déjà ce qu'il me faut.

Chemin faisant, Elyssa me confia que le père de Keven leur avait prêté sa BMW, ce qui semblait la ravir au plus haut point. Cela avait de l'importance pour elle alors que ça m'importait peu. Je pris l'énorme cuillère argentée qui baignait dans le bol de sangria sucrée et m'en versai généreusement dans une coupe.

– Mick ne t'a pas lâchée de l'œil depuis votre arrivée au port, me souffla-t-elle à l'oreille.

Elle en profita pour remplir les trois verres du délicieux nectar rougeâtre. Je jetai un coup d'œil furtif vers notre table et croisai le regard de Mick qui me fixait subtilement. Quand il se rendit compte que je le regardais aussi, il se détourna aussitôt.

– Qu'est-ce que je te disais…

Elle me remit une coupe, prit les deux autres remplies à ras bord et nous nous frayâmes un chemin jusqu'à notre table.

– De la sangria! s'esclaffa Keven, enjoué.

– Hey, c'est toi qui prends le volant ce soir, maugréa Elyssa. Je ne veux surtout pas être obligée de conduire la BM de ton père.

– Mais non, je suis en contrôle.

Il s'empara aussitôt d'une coupe et en ingurgita la moitié en une seule gorgée. À ce rythme, Elyssa ne le laisserait sûrement pas s'asseoir derrière le volant. Ce fut au tour de Marie de se lever pour attaquer la montagne de savoureux desserts, revenant avec tout un assortiment de sucreries : tarte au sucre, gâteau au fromage, mousse au chocolat. Si je goûtais à tout, j'en aurais pour quelques kilos en une soirée seulement.

– Où est Mick? demandai-je à Elyssa.

– Je n'en ai aucune idée, répondit-elle en balayant du regard les alentours.

– Il est à la toilette, me répondit Keven qui engloutissait son quatrième verre de sangria.

Comme tout le monde discutait ferme, j'en profitai pour m'éclipser subtilement à la recherche de mon cavalier en me frayant un chemin entre les tables animées. Comme je ne le trouvais pas à l'endroit indiqué, je sortis de la salle à manger et me dirigeai en bordure de la rampe, longeant le pont principal, là où des étudiants rigolaient ou s'embrassaient. Après quelques instants, je me dis que Mick ne pouvait être ici, le centre de l'action se trouvant vers l'avant ou dans la grande salle intérieure. Toutefois, je me rendis quand même jusqu'à l'arrière du bateau où je ne trouvai personne. Il faisait noir, et seul le souffle du vent tiède me murmurait sa douce mélodie. Comme j'allais faire demi-tour, j'aperçus un individu au loin, à l'arrière du bateau, appuyé à la rampe et observant le paysage environnant. Il était vêtu de noir et son crâne grisâtre était entièrement rasé. Je plaquai aussitôt ma main tremblante contre ma bouche. Je ne pouvais croire que ces hallucinations me hantaient encore.

– Hey! hurlai-je, décidée à élucider le mystère.

Il ne se retourna pas, mais s'empressa de quitter l'endroit en accélérant le pas. Je fis de même en le suivant d'un pas précipité.

– Mais qu'est-ce que tu me veux, hein? Qui es-tu?

Je courus vers lui cette fois, sans crainte de l'affronter. Étrangement, les étudiants avaient déserté le pont.

– Arrête de me suivre!

J'étais assez proche maintenant pour lui agripper l'épaule. Je l'empoignai fermement, et lorsqu'il se retourna, surpris, je constatai avec stupeur qu'il ne s'agissait que d'un simple étudiant.

– Tu as un problème? maugréa-t-il, offensé.

– Oh! Excuse-moi... Je t'ai pris pour quelqu'un d'autre, dis-je, troublée.

– Cassy! Viens vite!

Au même instant, Elyssa surgit à mes côtés, l'air d'avoir une excellente nouvelle à m'annoncer.

– Cassy, tu vas bien? Qu'est-ce qu'il y a?

Je fixais le garçon qui s'éloignait en douce, visiblement perturbé par mon approche agressive.

– Hey, tu ne devineras jamais! Ils ont installé une scène à la pointe du bateau. Mick va chanter.

Passant la main dans mes cheveux bouclés, je tournai mon visage inquiet vers elle.

– Qu'est-ce que tu as dit?

– Seigneur, Cassy, mais où as-tu la tête? Le spectacle va bientôt commencer! Mick va chanter!

– Ils vont jouer?

Elle m'agrippa fermement le bras, m'entraînant avec elle. Trop de choses se passaient en même temps. Je ne comprenais plus rien.

– LES FILLES!

Keven apparut à nos côtés. Les spectateurs étaient déjà entassés devant la scène de spectacle illuminée.

– Alec a réservé des places à l'avant, suivez-moi.

Je me sentais déboussolée par toutes les questions qui se bousculaient dans ma tête. Pourquoi les visions de cet inconnu me poursuivaient-elles? Pourquoi cherchait-il tant à croiser mon chemin de façon si étrange? Était-il même réel? J'avais la singulière impression d'être seule à l'apercevoir. Le coup de téléphone du mois passé avait-il un lien dans tout ça? J'avais bien peur que oui.

– Allez! Viens, Cassy!

Elyssa m'agrippa la main sans que j'aie le temps de lui expliquer ce que je venais de vivre. Aussitôt, les lumières aveuglantes des projecteurs augmentèrent d'intensité et tous se mirent à hurler d'excitation. Je me sentis happée par l'atmosphère en délire et oubliai l'incident désagréable pour me consacrer entièrement à la prestation musicale de Mick et de son groupe. J'étais heureuse des encouragements qu'on leur témoignait. Je ressentis un pincement au cœur en voyant Mick prendre place au milieu de la scène, sa guitare électrique suspendue au cou. Les autres membres s'installèrent derrière lui, chacun à son instrument respectif.

– Bonsoir tout le monde! J'espère que vous êtes en forme? hurla-t-il dans le micro.

Tous l'acclamèrent par des sifflements et des applaudissements frénétiques.

– La première chanson qu'on va interprétée est l'une de nos favorites. Elle s'intitule, *Forever We'll Be Young.*

La guitare et la batterie éclatèrent aussitôt dans un tintamarre ahurissant. Mick entra dans sa bulle imaginaire et fit retentir sa voix chaude. Il m'adressait un sourire subtil de temps à autre, avant de replonger au cœur de sa musique.

– C'EST INCROYABLE!!!!! cria Keven dans mes oreilles.

Près de moi, Elyssa fredonnait les paroles du refrain et Marie sautillait, emportée par la frénésie ambiante. Le concert se poursuivit avec trois autres chansons acclamées avec autant d'enthousiasme. Par la suite, Mick annonça qu'ils allaient jouer une pièce plus apaisante. Je savais de quelle ballade il s'agissait, car elle était ma préférée entre toutes.

– Elle s'intitule: *Hopeless Without You.*

Cette chanson me remémorait de beaux souvenirs. Je l'avais tellement écoutée, sans jamais m'en lasser. Elyssa passa son bras autour de mes épaules dénudées, m'entraînant avec elle dans un doux balancement de gauche à droite. Mick avait réservé ma chanson pour la fin, celle que nous avions composée ensemble et qui représentait une grande valeur à mes yeux : c'était notre chanson.

– Il chante tellement bien! s'exclama Elyssa.

Mon émotion était palpable, car cette mélodie avait un sens profond et unique à mes yeux. Mick me transmettait son message d'une façon si touchante! Il chantait avec une telle profondeur qu'on avait l'impression d'être une partie de lui. Après leur prestation, les spectateurs les acclamèrent chaleureusement. C'était l'une de leurs meilleures performances.

– Merci à tous! Je vous souhaite une très belle fin de soirée.

Les membres du groupe s'alignèrent côte à côte pour saluer le public.

– Monte, fit Mick en m'attrapant par les deux mains pour m'entraîner avec lui vers l'arrière-scène où les membres du groupe s'échangeaient des poignées de mains.

– C'était super, les gars! les félicita Mick.

– Je me suis trompé sur une note, grommela le grand Tom, le bassiste du groupe dont la tignasse garnie accentuait le style punk rock.

– La foule a bien aimé en tout cas, ajouta Christopher. L'ambiance était vraiment géniale.

– Ouais, on devrait jouer sur les bateaux de croisière plus souvent, rigola Mick.

Pendant que Tom, Christopher et Bryan s'élançaient vers le petit réfrigérateur pour se rafraîchir un peu, je me tournai promptement vers Mick.

– Hey… tu ne m'avais pas dit que tu jouais ce soir!

Cherchant encore son souffle, il attrapa une bouteille d'eau glacée que Tom venait tout juste de lui lancer.

– Je sais, je voulais te faire la surprise, répliqua-t-il en retirant sa guitare de son cou. J'espère que tu as aimé le spectacle?

– Mais oui, quelle question! Tout était super! Ta voix, ta présence, les accords du groupe, tout!

Il vida tout le contenant de sa bouteille en une seule gorgée.

– Tu trouves? J'ai eu peur pour la dernière chanson.

– Pourquoi?

Il s'essuya le front à l'aide d'une vieille serviette.

– J'avais peur de fausser.

– Tu l'as très bien chantée. C'était ma préférée...

Il me sourit du coin des lèvres.

– Je t'ai cherché partout, tu sais? dis-je en faisant semblant de le disputer.

– Ah oui?

– Parce que mon cavalier de bal s'était volatilisé et m'avait laissée toute seule.

Il s'approcha doucement et me serra dans ses bras trempés de sueur. Je le repoussai, dédaigneuse, mais il fit exprès de me serrer encore plus, ce qui fit rire ses amis. Pendant qu'il remplaçait sa chemise humide, je lui proposai d'aller rejoindre les autres sur la piste de danse. Il accrocha la serviette sur une rampe et salua les musiciens.

– J'y vais, les gars! On se revoit dans deux semaines pour la pratique.

– C'est vrai, se remémora Tom, tu pars à la pêche, petit chanceux. Bon voyage, alors!

– Merci, dit-il en les saluant une dernière fois.

Il empoigna ma main et nous longeâmes le côté de la scène pour aller rejoindre la foule compacte sur la piste de danse. Un DJ animait la soirée en faisant jouer les plus grands succès de l'année. Au loin, je repérai Marie qui s'avançait vers nous en compagnie de nos amis.

– Qu'est-ce que vous attendez! s'agita-t-elle en s'emparant du bras de Mick. Il ne manque plus que vous deux, venez danser!

– Trop de sangria dans le sang, commenta Elyssa ouvertement.

Sa remarque me fit rire. Je fis semblant de suivre Marie au centre de la piste, mais sans m'arrêter, je poursuivis mon chemin à travers la foule, jusque de l'autre côté du pont.

– Tu n'aurais pas dû, elle va te chercher! me reprocha Mick.

– Arrête, elle ne se rendra compte de rien. Je suis sûre qu'elle s'est déjà trouvé un gars pour danser.

– Ouais…

– Tu tenais à danser, toi? le taquinai-je.

– On peut rester ici, c'est plus calme, dit-il avec un sourire complice.

En effet, la musique était moins tapageuse dans cette section du bateau. Je préférais me balader sur le pont pour savourer cette bienfaisante tranquillité. À droite, les montagnes et le ciel se fondaient en un noir profond. Quelques scintillements d'étoiles apportaient une touche magique à l'atmosphère envoûtante de cette soirée. C'était une nuit comme je les aimais : un pur bonheur!

– Veux-tu qu'on s'assoie? proposa Mick en désignant un banc.

– Ouais, je ne dis pas non… Ces talons commencent à me torturer, dis-je en les retirant avec soulagement.

– Je suis content d'être un gars!

– En effet! Tu ne survivrais pas à la moitié de ce que nous, les filles, on doit endurer, rétorquai-je en me massant les pieds.

– Tu n'as plus ton bandage?

– Non, ça va mieux. De toute façon, je n'aurais pu enfiler mes souliers.

Mick se laissa glisser au sol, s'étendant sur le dos.

– Tu ne te sens pas bien?

– Mais non, je regarde les étoiles, murmura-t-il en croisant ses mains sous sa nuque. Fais comme moi, tu verras, le ciel est magnifique ce soir.

Je l'imitai, mais profitai plutôt du banc pour m'allonger à mon aise.

– Je vais m'endormir, chuchota-t-il. J'ai l'impression de me faire bercer.

Je me laissai porter par le doux mouvement des vagues. Nous restâmes ainsi, silencieux, profitant de ce calme bienfaisant et oubliant la session d'études qui était maintenant loin derrière.

– WOUUUHOUUUUUU!!!

Je sursautai d'effroi, manquant m'effondrer sur le pont. Mick bondit aussi, déboussolé par ce cri intense qu'avait poussé Keven. Il faisait le pitre à l'arrière de ma banquette, une bière à la main, dansant comme un imbécile.

– Vous dormiez? Mais vous êtes vraiment ennuyants!

– Keven, tu es soûl, lui dis-je d'un air repoussant.

Il vint s'installer à mes côtés, déposant sa bière presque vide sur le plancher.

– Que se passe-t-il ici? bégaya-t-il en nous regardant. Êtes-vous en train de vous cajoler, mes petits coquins?

– KEVEN! m'énervai-je.

– Je plaisante… Vous êtes moches! Venez danser! Tout le monde s'amuse là-bas.

– Keven, tu devrais faire comme nous, relaxer et regarder les étoiles, maugréa Mick en se relevant.

– Mais non, c'est plus amusant sur la piste de danse! Les filles sont belles, les gars sont beaux, tout le monde est beau!

Je ne pus m'abstenir de me moquer de lui. Il divaguait!

– Cassy, viens! balbutia-t-il en passant un bras autour de mes épaules.

Il ne se contenta pas d'un seul bras, mais plaça le deuxième sous mes jambes pour me soulever. Il se releva en déséquilibre et prit la direction de la piste de danse.

– KEVEN! Lâche-moi immédiatement!

– On va danser! On va danser! chantonnait-il.

– Mick accéléra le pas vers nous.

– Mick! m'écriai-je en riant.

Il nous rattrapa rapidement, et nous nous élançâmes tous les trois vers la foule compacte où régnait une ambiance de fête totalement délirante.

4

L'arrivée

– Demain à midi pile, on sera devant ta maison avec la camionnette. Assure-toi que tes valises soient prêtes.

Il était trois heures de la nuit, Mick m'avait reconduite chez moi, épuisée mais ravie de ma soirée, mes souliers de torture dans une main, mon petit sac de soirée et mon châle dans l'autre.

– Ne t'inquiète pas, tout sera prêt.

Il me sourit chaleureusement en me serrant contre lui.

– Je n'ai pas été un trop mauvais cavalier?

– J'ai passé une très belle soirée. Merci d'avoir pensé à m'inviter.

À mon grand étonnement, j'avais dansé toute la nuit. Bien sûr, Keven m'avait un peu obligée à rester sur la piste. Je m'étais défoulée avec Elyssa, et Mick m'avait emprisonnée contre lui, me faisant parfois virevolter sur moi-même. Cela avait été un party de fin de session mémorable.

– Bon, je vais me coucher, j'ai une longue route qui m'attend demain.

Comme il s'était porté volontaire pour conduire jusqu'à la pourvoirie, il avait effectivement besoin de repos. Il m'embrassa amicalement et nous nous souhaitâmes bonne nuit. Trop lasse pour retirer ma robe de paillettes, je m'allongeai sur mon lit et m'endormis à la seconde même où je fermai les yeux.

Je regardai tout autour : je me trouvais dans un endroit inconnu, qui m'aurait effrayée en temps normal, qui m'aurait fait fuir à toutes jambes, à cause de l'atmosphère lugubre qui s'en dégageait. Cependant, quelque chose m'attirait vers ce lieu étrange. C'est la raison pour laquelle j'y restais, essayant d'observer tout ce qui m'entourait. La noirceur ambiante m'empêchait de préciser l'endroit où je me trouvais. Cependant, je savais qu'il s'agissait d'une maison abandonnée : le frôlement de mes mains contre les murs rugueux confirmait leur état délabré. Le plancher et les recoins des pièces étaient recouverts de moisissures dégoûtantes. Je continuais de progresser dans la mystérieuse demeure. Seul le craquement du plancher froid résonnait sous mon poids. Je m'arrêtai soudainement devant les marches d'un escalier étroit, à moitié saccagé, dont la solidité semblait précaire, tout comme le reste de la maison. Sans réfléchir à l'imprudence de ma décision, je m'agrippai fermement à la rampe, dont la peinture était écaillée, avec l'intention d'inspecter le deuxième étage. Un pied vacillant devant l'autre, j'atteignis un couloir long et droit menant à trois pièces, dont les murs avaient été arrachés. J'hésitais à faire un pas de plus dans ce couloir ténébreux. Mes battements de cœur s'accéléraient de plus en plus, m'obligeant à respirer plus profondément. Par la petite fenêtre rectangulaire au fond du couloir, dont la vitre émiettée sur le sol rendait mon avancée périlleuse, je ne percevais rien d'autre que le néant de cette nuit noire qui me narguait dangereusement. Qu'est-ce que je cherchais tant en ce lieu sordide? Au moment où j'atteignis le milieu du couloir, je m'arrêtai net, car une présence froide frôla la peau dénudée de mon épaule. Je ne pus retenir un léger frémissement, sentant la peur me paralyser graduellement. De toute évidence, je n'étais plus seule dans cette maison macabre. Après quelques longues secondes d'un silence accablant, un rayon argenté jaillit de la fenêtre brisée, me permettant d'entrevoir une ombre floue à mes côtés. Comme à travers un voile transparent, je distinguai les traits doux d'un garçon qui me regardait. Sans réfléchir, je levai une main fébrile dans sa direction, et il fit de même en soulevant son bras transparent. À l'instant même où nos doigts allaient s'entrelacer, sa main entière passa au travers de la mienne sans que je ressente quoi que ce soit. J'étais sidérée! Le rayon provenant de la fenêtre augmenta d'intensité, aveuglant quelque peu ma vision. Je réussis tout de même à percevoir les traits de son visage. Il était parfait! Une peau lisse et délicate, ainsi que des yeux d'une luminosité incroyable qui reflétaient cependant une tristesse profonde. J'étais prisonnière de ce regard posé tendrement sur moi. C'est alors qu'il disparut, emportant cette partie de moi dans la nuit obscure.

Encore une fois, un deuxième rêve étrange était venu perturber mon sommeil, pensai-je en essayant de boucler ma valise. Heureusement, l'inconnu à la tête rasée en était exempt. J'étais soulagée d'une certaine façon d'avoir rêvé à quelqu'un de beaucoup plus attrayant. Mais de qui s'agissait-il et pourquoi cette demeure inconnue, délabrée, abandonnée? Je ne trouvais aucune explication à ce rêve mystérieux, si ce n'est une simple déviation de mon imagination. N'arrivant pas à fermer le couvercle de ma valise, je m'assis délibérément sur le dessus, espérant réussir à faire entrer tout ce que je tenais à apporter : une quinzaine de chandails, des jeans, des vestes chaudes, trois maillots de bain et des bottes pour la pêche, sans compter tous les produits esthétiques, le chasse-moustiques et la crème solaire. Je parvins finalement à la fermer solidement. Je pris quelques minutes pour nourrir et dorloter Beanie, sachant que ma mère s'occuperait bien de lui pendant mon absence. Agrippant la courroie de mon lourd bagage, je la traînai jusqu'à l'escalier.

– PAPA!!! J'aurais besoin d'un petit coup de main.

Prêt à m'apporter son aide, il me rejoignit à l'étage, souleva facilement ma valise sur ses épaules robustes et la déposa dans l'entrée, sous l'œil complice de ma mère.

– Seigneur, Cassy! On dirait sincèrement que tu déménages!

– Je pars quand même pour deux semaines…

– Je vois ça. En tout cas, ça pèse une tonne!

À l'heure prévue, mes amis sonnèrent à la porte : Mick avec son sourire éclatant, Marie avec ses shorts courts et ses gros verres fumés qui remplissaient toute la surface de son visage étroit et Elyssa en robe d'été, une queue de cheval lisse descendant sur le côté de son épaule dénudée.

– Tu es prête? Les autres sont dans la camionnette, impatients de partir. Il ne manque que toi, ta valise et la bouffe!

– En parlant de bouffe, rajouta mon père, si Cassy ne réussit pas à me pêcher du poisson, je compte bien sur vous trois pour m'en rapporter.

Mick se mit à rire.

– Tu peux compter sur moi, s'emballa-t-il, je vais faire en sorte qu'elle attrape quelque chose.

Mon père lui rendit un sourire approbateur. Ma mère ajouta des conseils à Mick concernant le long trajet en voiture. Elle lui dit qu'elle s'inquièterait toute la journée, attendant impatiemment que je lui téléphone à notre arrivée à la pourvoirie. Heureusement, il la rassura sur sa conduite sécuritaire.

– Bon! Si vous voulez partir avant la nuit, blagua mon père, il faudrait que quelqu'un m'aide à transporter les trois glacières.

Pendant que Mick s'exécutait gentiment, nous rejoignîmes la camionnette dont Keven ouvrit le coffre arrière, déjà surchargé, pour y placer les victuailles par-dessus les autres sacs empilés.

– Dieu du ciel! s'étonna mon père en apercevant la somptueuse camionnette noire, vous voyagez dans le grand luxe!

– Le père de Marie possède un garage et il nous l'a prêtée. Il en a fait l'inspection avant le départ.

Une fois le chargement terminé, ma mère s'approcha pour me serrer dans ses bras.

– Fais attention à toi, d'accord? Tu as de l'argent de poche et ton cellulaire. Appelle-moi quand tu arrives, n'oublie pas.

– Promis!

Elle embrassa aussi Elyssa et Marie. Mick serra la main de mes parents et ce fut au tour de mon père de m'enrouler dans ses bras massifs.

– Téléphone-nous souvent.

– Oui, promis.

Comme prévu, Mick s'installa au volant, Keven ajusta le GPS, tandis que Jamie et Alec dépliaient la carte routière à l'arrière.

– C'est parti! s'écria Marie.

– Six fabuleuses heures de route à faire, rectifia Keven.

En ce qui me concerne, je n'avais aucun problème à gérer la longue route en voiture.

– Tiens, Keven, j'ai apporté des CD. Tu peux les mettre dans le coffre à gants.

J'étais une amoureuse de la musique, quel qu'en soit le genre, mais *Bon Jovi* restait mon groupe favori. Je l'avais déjà vu quatre fois en concert.

– Wow, tu as une belle variété! Je vais mettre du *Boys Like Girls.* J'adore ce groupe.

Keven mit la chanson numéro un du CD, celle qui s'intitulait « *The Great Escape* ». C'était l'une de mes favorites et un excellent début pour amorcer ce long périple. Les deux premières heures passèrent rapidement. Keven fit jouer l'ensemble de mes CD; Jamie préférait écouter la sienne sur son iPod et, assise à mes côtés, Marie faisait la folle en prenant une multitude de photos inutiles. Tant bien que mal, elle réussit à capter un portrait d'Alec, à moitié endormi sur l'épaule de Jamie.

– Cassy, pour mon album!

Je la regardai, moqueuse, et chacun y alla de ses bouffonneries. Nous avions notre photographe attitrée pour la durée de notre séjour.

– Les gars! Regardez-moi encore une fois!

– Marie, tu me déconcentres! s'énerva Mick. Je conduis, je ne peux quand même pas me tourner la tête!

Il lui fit plaisir en grimaçant dans le rétroviseur. La séance de photos et de vidéos nous occupa pour la troisième heure. L'art de se divertir avec le strict minimum! Marie se filma, essayant en vain de se lécher le coude. Quant à Keven, il s'amusait à compter les chevreuils aperçus. Nous étions presque arrivés dans la région de Mont-Laurier, alors la faune se faisait évidemment de plus en plus présente.

– Trois! Seigneur, il était gros celui-là!

– Je les rate toujours! se plaignit Marie.

– Arrête de jouer avec ton bidule et regarde le paysage! Il y en a plein!

Sans répliquer, elle rangea minutieusement son appareil photo dans son sac à motifs fleuris et se colla aussitôt le nez à la fenêtre. Leur petit jeu à compter les chevreuils allait probablement me donner mal à la tête si je m'y mettais aussi.

– Je meurs de faim! déclara Mick. Je me stationne quelque part, et on arrête manger un petit quelque chose, ça vous va?

Comme nous avions effectué plus de la moitié du trajet, nous étions tous d'accord pour nous dégourdir les jambes au petit casse-croûte aperçu en bordure du chemin : une maisonnette plutôt accueillante, dans un décor champêtre, avec les montagnes à l'arrière-plan d'où venait une fraîche odeur de sapinage. C'était différent de la ville de Kingston! Malgré le peu d'habitants de ce petit village, je fus étonnée de voir autant d'affluence : à croire que ce restaurant, à l'allure de chalet, était le plus populaire des environs ou tout simplement une halte réputée pour les voyageurs comme nous.

– C'est chouette comme endroit, commenta Mick.

Le décor vieillot comportait d'anciennes machines distributrices à coca-cola, ainsi que de vieilles publicités et un ancien juke-box aux musiques d'époque. Au milieu, un foyer artificiel créait une ambiance réconfortante.

– Je vais choisir une table pendant que vous commandez, proposa Alec. Rapportez-moi un *grilled-cheese* et une liqueur, s'il vous plaît.

Nous nous rejoignîmes sur une banquette en cuir rouge, près d'une fenêtre aux rideaux quadrillés.

– Il nous reste environ deux heures de route à faire, précisa Keven en mordant goulûment dans son hamburger juteux.

– Oui, mais… une heure de route dans les bois et les ravins, spécifiai-je.

Comme Marie avait déjà tenté de nous le décrire, la pourvoirie se trouvait au fin fond des bois, enfoncée à environ une heure de la route principale sur laquelle nous roulions depuis déjà quatre heures et quart. Selon elle, le pire du chemin était précisément cette dernière partie du trajet : une route de terre cahoteuse, rocailleuse et sinueuse, pleine de trous dangereux.

– Le GPS risque de s'affoler légèrement, précisa Marie, mais ne vous en faites pas, à l'entrée de la forêt, des pancartes indiquent le chemin jusqu'à la pourvoirie.

– Je ne veux surtout pas faire ma trouillarde, bredouilla Jamie, mais… en forêt… on risque de croiser un ours… Eh bien… j'imagine…

– Le réservoir du Cabonga est un lieu propice pour la chasse et la pêche. Les risques d'y rencontrer une bête sauvage sont quand même assez probables. Mais il n'y a pas de quoi s'en faire, car les ours, ou même les meutes de loups, sont des animaux très craintifs.

Jamie sembla soudainement changer de couleur.

– Ne t'inquiète pas, Jamie, la rassura-t-elle, c'est très rare qu'ils se montrent quand il y a présence humaine. On est beaucoup trop nombreux.

– Tu sais quoi? rajouta Mick en se frottant les mains l'une contre l'autre. J'ai déjà entendu dire que si un ours se sent menacé, il fonce droit vers sa proie et peut même renverser toutes les voitures sur son passage.

– QUOI?

– MICK! m'énervai-je en le frappant. As-tu fini d'inventer des histoires impossibles qui ne sont même pas drôles?

– Hey, c'était juste pour rigoler.

Je le fusillai du regard. Quel imbécile! Il allait la faire crever de peur si je ne l'arrêtais pas. Je pris ma bouteille de thé glacé vide et la lui lançai sur la tête.

– Aie! Tu cherches la bagarre ou quoi?

Jamie approuva fièrement mon geste en me donnant une légère tape dans la main.

– Bon! On devrait y aller avant que la bataille ne s'envenime, déclara Keven. On a encore du chemin à faire.

Marie et moi, nous nous dirigeâmes vers la toilette, une pièce minuscule aux couleurs chaudes, dotée de deux miroirs ovales au-dessus du lavabo. Une lampe munie d'un abat-jour de dentelle éclairait faiblement un cadre représentant un paysage rural qui surplombait un divan fleuri. On se croyait presque dans une maison.

– J'ai tellement hâte d'arriver, murmura Marie à travers la porte fermée de sa cabine. Je n'y suis pas retournée depuis cinq ans, mais je suis persuadée que l'endroit n'a pas changé. Je me demande bien ce que sont devenus Ben et Jim, les deux neveux de Jackie, le propriétaire. Chaque année, ils venaient passer l'été à la pourvoirie où ils travaillaient pour leur oncle.

– Ils doivent avoir changé.

– Ouais, mais ils sont jumeaux, alors... ce sera difficile de les différencier.

Nous regagnâmes la camionnette et filâmes, plus calmes, vers notre destination en écoutant de la musique. Après une heure de route, nous aperçûmes une pancarte indiquant : *Réservoir du Cabonga, pourvoirie Black Lake, 45 km.* Mick quitta l'autoroute pour emprunter un chemin qui semblait traverser la forêt et les montagnes entourant l'autoroute principale.

– Alors, j'imagine que c'est ici?

– Ouais... hésita Marie un instant, je reconnais l'endroit.

– Ça a l'air tout à fait sympa comme chemin, rajouta Jamie, toujours sarcastique.

Mick ne passa aucun commentaire, mais sourit, amusé. Il tourna sur le long chemin étroit et sinueux. La route de gravier nous obligeait à rouler à 20km/h, à cause de l'encombrement des roches et des branches. La camionnette était secouée de gauche à droite, entre les montagnes et la forêt qui s'étiraient à perte de vue devant nous.

– Marie, ta pourvoirie est vraiment dans un trou perdu! maugréa Mick en essayant d'éviter le frottement des branches contre les fenêtres du véhicule.

– Je sais. C'est assez retiré dans les bois… Il faut être extrêmement prudent.

– En tout cas, j'espère que ton père ne pensait pas revendre la camionnette!

Je regardai Jamie à l'arrière, couchée contre les genoux d'Alec, les oreilles branchées sur ses écouteurs : soit un mal de cœur l'avait assaillie ou la crainte de faire face à une bête sauvage.

– MICK, STOP!!! s'écria Keven.

Instantanément, il enfonça les freins. Nos ceintures bloquèrent d'un coup sec, nos corps propulsés vers l'avant.

– QU'EST-CE QU'IL Y A? s'étonna Mick, paniqué.

– Tu allais écraser une tortue, regarde!

Keven sortit de la camionnette et empoigna une branche pour soulever la petite bête. Je sortis à mon tour pour l'observer: en effet, une tortue s'était bel et bien immobilisée au centre de la route. Heureusement qu'il l'avait aperçue à temps, car Mick l'aurait probablement écrasée.

– Qu'est-ce que tu fais? s'exclama Mick.

– J'essaie de la déplacer, mais elle refuse de bouger.

Marie, Elyssa et Mick sortirent aussi pour examiner le reptile.

– Hey ma petite, il faut que tu nous laisses passer, d'accord?

Il mit ses mains sous la coquille, la souleva de terre et alla la déposer sur le bord du fossé.

– Tu sais que ça mord, ces petites bêtes-là, intervint Keven, brandissant toujours sa branche. Elle aurait pu te couper un doigt!

Je riais aux éclats. Même si Keven avait l'air d'un colosse, il craignait tout, même cette tortue inoffensive. Nous reprîmes la route pour arriver avant la tombée de la nuit. Après une vingtaine de minutes, progressant toujours à la même vitesse dans l'étroit couloir bordé de sapins volumineux, nous arrivâmes enfin à une pancarte différente des autres. C'était indiqué, en grosses lettres carrées : *BIENVENUE À LA POURVOIRIE BLACK LAKE! BONNE CHASSE ET PÊCHE!*

– Ralentis un peu, s'écria Marie, attentive. On est arrivés.

J'aperçus les chalets au loin. Mick se gara à côté des autres voitures, près d'un espace gazonné sillonné de traces de pneus, et il soupira de satisfaction.

– Wow! J'ai grand besoin d'aller me dégourdir les jambes, moi.

Nous avions tous ce même désir qui fourmillait dans nos jambes.

– Ça n'a pas changé! s'émerveilla Marie.

L'endroit n'avait rien de luxueux, mais la nature magnifique et généreuse offrait sa richesse de beauté. Un autre monde nous ouvrait ses bras, et j'étais très excitée à l'idée d'y passer deux semaines entières. Un homme arrivait à notre rencontre, au volant d'un quatre-roues jaune, accompagné de deux jeunes garçons.

– Bon sang! s'esclaffa-t-il, je n'en crois pas mes yeux! Tu dois être Marie?

Elle s'avança aussitôt, lui tendit la main et l'embrassa sur la joue. Il devait s'agir du propriétaire, Jackie. Au premier coup d'œil, il avait plutôt l'air intimidant : un véritable homme des bois! Carrure costaude, il était vêtu d'une chemise rouge quadrillée, à moitié déboutonnée, comme s'il avait eu très chaud. Son teint bronzé et sa crinière brune, attachée en queue de cheval, lui donnaient un air plutôt sauvage qu'accentuait sa barbe forte qui ornait presque tout son visage, jusqu'à son cou. Les deux jumeaux dont Marie m'avait parlé, Ben et Jim, étaient assis à ses côtés, blonds aux yeux bleus, tout le contraire de leur oncle. En effet, c'était presque impossible de les différencier.

– Tu as changé, c'est incroyable! s'étonna-t-il en s'essuyant le front perlé de sueur. Te souviens-tu de Ben et Jim, mes deux neveux?

Elle se retourna vers eux en rougissant.

– Salut, ça fait longtemps.

– Ça fait un bail! s'exclama Jim. On est contents de te revoir à la pourvoirie.

Elle lui rendit un sourire angélique.

– Alors, ajouta Jackie, le voyage n'a pas été trop pénible? On a inspecté le chemin menant jusqu'à l'autoroute hier, pendant la journée. Tout avait l'air dégagé.

– Il n'y a pas eu de problèmes.

Pour ma part, j'avais trouvé le chemin plutôt encombré…

– C'est parfait, on espérait aussi qu'il n'arrive rien. Tu nous présentes tes amis?

Nous nous avançâmes un à un, pour nous présenter. Avec un tel accueil de leur part, la glace s'était vite brisée et nous nous sentions un peu comme chez nous. Jackie avait un charisme remarquable auquel les jumeaux s'associaient bien. Je les aimais déjà!

– Ben, Jim, allez mettre toutes les valises sur la plateforme arrière du quatre-roues et apportez-les au onzième chalet.

Les deux frères se précipitèrent sur la camionnette, tandis que Mick leur ouvrait le coffre arrière.

– Pendant que ces deux-là vont porter vos valises, acheva Jackie, venez avec moi, je vais vous faire visiter le camp.

Il avait l'air d'aimer les jeunes malgré ses 40 ans. Tout cela augurait bien. Nous le suivîmes d'un pas alerte vers les maisonnettes alignées sur une colline gazonneuse offrant une vue spectaculaire : un lac immense et un long quai invitant, auquel une dizaine de chaloupes étaient rattachées, inspiraient le calme et la détente. La vue sur les montagnes avoisinantes était époustouflante. Le soleil orangé commençait déjà à tirer sa révérence dans l'immensité du ciel. Face aux chalets, au milieu d'un immense îlot de verdure, se dressait un minuscule cabanon, probablement l'endroit où les pêcheurs préparaient le poisson fraîchement capturé.

– Voici l'accueil! Venez, je vais vous montrer l'intérieur.

C'était le plus gros des chalets avec ses deux étages, son toit pointu et sa galerie de façade qui nous accueillait avec un écriteau indiquant qu'il s'agissait de la réception. Un énorme chien somnolait en bas des marches dont l'état laissait à désirer.

– Shadow, pousse-toi, ordonna Jackie.

Aussitôt, l'énorme chien se leva pour venir nous flairer. Jamie, toujours un peu craintive des animaux, se tenait à l'écart.

– Lui, c'est notre bouvier bernois. N'ayez crainte, c'est un vrai toutou. C'est grâce à lui que la sécurité du camp est assurée et qu'aucune bête n'osera s'approcher des limites de la pourvoirie.

Je me penchai pour le flatter. Son pelage aux trois couleurs me rappelait celui de Beanie, mais la ressemblance s'arrêtait là : je ne crois pas qu'ils auraient fait bon ménage. Shadow s'écarta un peu, nous laissant la voie libre pour accéder à la galerie. Deux chaises de rotin déposées sur le plancher craquelé semblaient en attente de visiteurs, comme l'indiquait le tapis où était inscrit le mot « bienvenue »; un téléphone public accroché au mur me remémora la promesse faite à mes parents aussitôt que nous serions arrivés au camp. Jackie sembla lire dans mes pensées.

– Les réseaux de cellulaire entrent très mal ici, car on est trop éloignés de la ville. C'est pourquoi vous avez accès à un téléphone public gratuit.

Il poussa la porte grinçante qui s'ouvrit sur une pièce ressemblant à ce que je m'étais imaginé : face à nous, un bureau chargé de papiers où trônait un ordinateur désuet; sur le mur de gauche étaient accrochées une multitude de clés semblables; en face du bureau, un petit espace réservé pour l'équipement de pêche. La pièce avoisinante était un salon commun meublé de deux divans usés, d'une petite table à manger et d'un téléviseur où se déroulait un match de soccer. Mais le plus impressionnant, c'était les têtes empaillées d'un orignal, d'un ours et d'un énorme brochet accrochées au mur. J'en avais la chair de poule!

– Vous faites comme chez vous. Ici, c'est un salon familial, alors vous pouvez venir autant que vous le souhaitez. Vous n'avez cependant pas accès au deuxième étage, car ce sont nos chambres. La cuisine arrière ne vous concerne pas non plus. Le salon est ouvert jusqu'à 23h tous les soirs, et la véranda, en tout temps. S'il vous manque quoi que ce soit en nourriture ou en boisson, j'ai tout le nécessaire pour vous dépanner. Il suffit de le demander.

Tout en suivant Jackie, je me familiarisais avec l'atmosphère accueillante et sympathique des lieux. Malgré son confort minimal, je m'y plaisais déjà.

– C'est vraiment beau chez vous, commenta Mick. C'est vous qui avez empaillé toutes ces têtes d'animaux?

Je ne voyais vraiment pas ce qu'il trouvait beau dans ce genre de trophées.

– Oui, en plus de la pêche, la chasse est une activité qu'on pratique beaucoup ici. Tous les animaux que vous voyez ont leur habitat dans la forêt du Cabonga. Mais ne vous inquiétez pas, aucun d'entre eux n'approche les limites du camp. On veille à ce que le *Black Lake* reste un site protégé.

Jamie l'écoutait attentivement.

– Justement, on essaie de capturer un renard. Ils sont très craintifs, mais extrêmement bruyants. Il se peut que vous l'entendiez aux petites heures du matin.

– Il n'entrera pas dans notre chalet? s'inquiéta Jamie.

– Mais non, ricana Jackie, ils sont peut-être rusés, mais pas si effrontés.

Jamie s'inquiétait pour rien. De toute façon, Shadow était là pour s'assurer qu'aucun animal ne s'approche trop près du camp.

– Bon! Je vous reconduis à votre chalet?

Empressés de découvrir notre nouvelle demeure pour les deux prochaines semaines, nous ne nous fîmes pas prier pour suivre Jackie. Face à l'accueil se dressaient six chalets alignés. Les autres étaient également visibles, mais dispersés à l'arrière du camp. Ils étaient tous peints en blanc, sauf le nôtre qui avait gardé sa couleur naturelle.

– Voici votre palais pour les deux prochaines semaines, ironisa-t-il. Installez-vous confortablement.

– Où sont nos couronnes et nos trônes? se moqua Keven, qui ne pouvait s'empêcher de blaguer.

Tout le monde se prêta au jeu et nous fîmes une révérence à Ben et à Jim pour s'être occupés de nos bagages.

– Alors, je vous laisse, ricana Jackie, j'ai du travail, mais ne vous gênez surtout pas s'il vous manque quoi que ce soit. Ah, j'allais oublier... notre réservoir d'eau chaude se limite à trois douches consécutives. Vous êtes sept, alors… c'est à vous de bien les répartir!

Il nous fit un petit clin d'œil complice et s'éloigna vers l'accueil, nous laissant à la découverte de notre chalet. Une grande galerie ornait la façade, tout comme celle de la réception. Une table et un divan y étaient installés, ainsi que nos valises. Comme Marie nous l'avait bien précisé, ce n'était pas le grand luxe. Cependant, je fus agréablement surprise d'y découvrir un intérieur tout à fait invitant. À droite, la cuisine comportait de grandes armoires en bois, une cuisinière ancien modèle mais en bon état, un ensemble de table et chaises rustiques ainsi que de magnifiques rideaux en dentelle blanche suspendus à la fenêtre du lavabo. À gauche, le minuscule salon comprenait une commode, remplie de couvertures épaisses, et un foyer en pierres naturelles pour se réchauffer lors des soirées fraîches. C'était au-delà du strict nécessaire, car j'étais habituée au camping sauvage. En arrivant dans la section des chambres, je vis, à la lueur du faible éclairage, qu'il y avait quatre lits et un seul bureau à quatre tiroirs déposés sur un tapis tissé. Le placard vide n'attendait que nos vêtements.

– Je prends le lit près de la fenêtre, s'exclama Marie en s'élançant dessus.

– D'accord, répliquai-je, indifférente, je m'installe à côté.

Elyssa et Jamie prirent les deux autres. Après avoir déterminé nos lits respectifs, nous sortîmes voir ce que les gars faisaient. Mick était monté sur la table instable de la cuisine pour dévisser l'ampoule brûlée. Après s'être informé de notre installation, il fila à l'accueil pour en demander une autre à Jackie. Je l'accompagnai pour téléphoner à mes parents et leur dire que nous étions arrivés sans problèmes. Évidemment, ma mère voulait tout savoir sur l'état de la pourvoirie. Je la rassurai en lui racontant l'accueil chaleureux que nous avions reçu. Lorsque je revins au chalet, les filles rangeaient tant bien que mal l'abondance de nourriture dans le réfrigérateur. Keven s'empressa de brancher son iPod sur la radio du salon pour nous faire jouer de la bonne musique. Quant à Marie et Jamie, elles s'activaient déjà dans les préparatifs du souper. Mick arriva avec la lumière salvatrice et je pus dresser la table avant que la noirceur ne nous surprenne.

– Qui veut jouer une partie de poker? demanda Keven en brassant un paquet de cartes de façon habile.

Tout le monde accepta. Le souper avait été bref, mais la vaisselle jonchait encore le comptoir. Nous nous installâmes sur la véranda, laissant cette première soirée se poursuivre dans une ambiance festive. Notre arrivée au Cabonga méritait d'être célébrée.

– Voulez-vous d'autres bières? proposa Marie qui avait le nez plongé dans le réfrigérateur.

Pendant que les gars amorçaient une cinquième partie de poker, nous les filles, nous décidâmes d'aller bavarder dans le salon.

– Je vais d'abord finir la mienne.

Je ne raffolais pas de ce genre de boisson, mais j'en buvais à l'occasion. Marie revint avec deux bouteilles à la main et en servit une à Jamie qui l'accepta volontiers.

– Alors? se réjouit Marie. Comment trouvez-vous les jumeaux?

Je savais qu'elle reviendrait sur le sujet. Comme elle n'avait pas de petit copain, je me doutais bien qu'elle aurait l'œil sur l'un des deux frères.

– Ils sont *hot* ces jumeaux! lança Jamie, visiblement un peu pompette!

– Jamie, je ne crois pas qu'Alec apprécierait ton commentaire.

– Je ne fais que répondre à la question de Marie… Je lui donne mon opinion, c'est tout, ricana-t-elle en se levant pour changer la musique.

– Hey! Cassy, s'exclama Marie, on est les seules à ne pas avoir de petits copains.

– N'y pense même pas.

– Attends, c'est vrai… Ben et Jim n'ont pas de copines non plus.

Je voyais parfaitement où elle voulait en venir. Ben et Jim avaient notre âge, ils étaient sympathiques et beaux garçons, mais je n'étais pas du genre à faire les premiers pas. Et puis, je ne correspondais peut-être pas à leurs critères, non plus.

– Qu'est-ce que tu en sais? Marie, je ne crois pas que ce soit une très bonne idée de commencer à…

Avant même de pouvoir terminer ma phrase, je sentis une main se faufiler sous ma chevelure. Deux bras m'enveloppèrent pour m'attirer vers l'arrière. Je n'avais pas besoin de me retourner pour savoir qu'il s'agissait de Mick, mais je le fis quand même.

– Viens-tu avec moi? chuchota-t-il gentiment à mon oreille. On va aller sur la véranda.

Contente de pouvoir m'échapper avec lui, Keven et Alec étaient si concentrés dans leur jeu qu'ils ne s'aperçurent même pas de notre présence sur le canapé moelleux.

– J'ai regardé si le ciel était étoilé ce soir, murmura-t-il en passant un bras autour de moi, mais on n'a pas de chance.

– Demain, peut-être.

Je contemplai le paysage qui s'offrait à nous. La pleine lune éclairait en partie la surface du lac, et le son mélodieux des huards à travers les montagnes était des plus envoûtants. Je sentais, par moments, la surface de ses doigts tendres caresser mon épaule, comme s'il en avait toujours été ainsi.

– Je suis content d'être ici, avoua-t-il. Je sens que les vacances vont passer vite, mais… qu'elles seront mémorables.

Il avait raison. Pour le moment, tout ce qui m'importait, c'était d'être avec lui et mes amis. Les vacances venaient à peine de commencer et je ne voulais surtout pas penser à leur fin prochaine.

5

La légende

J'étais encore emmitouflée dans l'épaisseur chaude de mes couvertures en lainage. Je levai la tête pour voir si les filles dormaient : les lits d'Elyssa et de Jamie étaient encore bien occupés, contrairement à celui de Marie, recouvert d'un sac de couchage vide. Sans faire de bruit, je me glissai sur le plancher tiède et sortit de la chambre.

– Tu es déjà réveillée? bâillai-je malgré moi. Quelle heure est-il?

Elle se retourna, une tasse à la main.

– Hey, bon matin. Il est 8 h.

– Ça fait longtemps que tu es là?

– Non, je viens tout juste de me réveiller. Veux-tu du café?

– Non, merci.

La caféine me donnait souvent mal à la tête, alors j'évitais le plus possible d'en prendre.

– As-tu bien dormi? me demanda-t-elle en soufflant sur la vapeur qui se dégageait de sa tasse.

Nous nous dirigeâmes vers la véranda.

– Pas si mal. Le lit est plutôt… dur.

– Ouais, je ne crois pas que Jackie ait acheté les meilleures qualités de matelas.

Elle but une gorgée de son café. Je restai silencieuse, contemplant le paysage magnifique. La verdure était imprégnée de la rosée matinale. En me penchant légèrement pour apercevoir la réception, je vis Jim sortir du chalet avec un bol de nourriture pour Shadow, qu'il flatta quelques instants.

– Alors… comme ça, chuchotai-je, tu serais peut-être intéressée à… laisse-moi deviner… à Jim!

Il ne faisait aucun doute qu'elle l'avait aperçu, elle aussi. Elle émit un petit rire étouffé.

– Je ne sais pas. Ça faisait longtemps que je ne l'avais pas revu.

– Mais… il est quand même ton genre?

Elle me regarda en rougissant.

– Ouais, on peut dire.

Je lui fis un clin d'œil complice.

– J'avoue que vous iriez bien ensemble.

Elle le regarda au loin, l'air songeur.

– Je suis mal à l'aise de lui parler.

– Pourquoi? Il n'a rien d'intimidant.

– J'ai pourtant passé mon enfance avec lui et son frère.

– Je suis prête à parier que, dès demain, la glace sera brisée.

– Je voudrais bien te donner raison! poursuivit-elle en déposant sa tasse. Peu importe… qu'est-ce qui se passe de bon avec toi et Mick?

– Quoi encore?

– Je suis sûre qu'il t'aime, ça crève les yeux!

– Arrête de voir des intrigues amoureuses là où il n'y en a pas, veux-tu?

– Mais, je suis sérieuse! Vous avez une grande complicité tous les deux... Je n'arrive pas à comprendre ton aveuglement.

– Complicité? Qu'est-ce que tu entends par là?

– Analyse un peu la soirée d'hier. Il t'a serrée dans ses bras et vous êtes disparus pour le reste de la soirée. Je ne porte aucun jugement, je constate simplement à quel point tu sembles heureuse avec lui. Pourquoi tu te fixes des barrières? Mick ferait tout pour toi...

Déstabilisée, je n'arrivais pas à trouver les mots justes.

– Hum... je crois que... je crois qu'on a tout simplement une grande complicité amicale. C'est ce que tu voulais dire, non?

– Je savais très bien qu'elle faisait allusion à tout autre chose.

– Pas exactement... Je parlais plutôt d'une complicité amoureuse.

– Je ne crois pas qu'on en arriverait là. De toute façon, je ne voudrais pas m'engager dans une relation qui pourrait compromettre notre amitié. C'est mieux pour nous deux et je crois qu'il partagerait mon avis.

– Comment le sais-tu?

– Je le sais, c'est tout.

Il y eut un court moment de silence. Tout se mélangeait dans ma tête. Elle n'avait pas tort d'affirmer que je me sentais bien en présence de Micka.

– J'ai une idée! C'est un peu hors sujet, mais j'aurais un endroit à te faire visiter. Depuis que je suis petite, Jackie me donne la frousse avec toutes ces histoires.

– Quelles histoires?

– Eh bien, à l'arrière des chalets et de la vieille grange, il y a deux maisons abandonnées. Jackie a toujours dit qu'elles étaient hantées par des fantômes.

Je la regardai, perplexe. Quel changement de sujet!

– Des fantômes? répétai-je, incrédule.

– Ouais, c'est ce qu'il affirme. Il dit qu'il y a même une légende concernant ces vieilles maisons.

Je n'avais jamais cru aux histoires de fantômes : il m'aurait fallu en voir un pour y croire. Je lui proposai donc de nous y rendre. Je me faufilai discrètement vers notre chambre pour prendre des vêtements. Après avoir enfilé camisole, short et bottes d'eau à motifs zébrés, je retrouvai Marie, assise sur la table à pique-nique, également chaussée des siennes. En m'apercevant, elle se leva promptement, se dirigeant à grandes enjambées vers l'arrière de la réception.

– Elles sont encore là, déclara-t-elle en pointant les maisons du doigt. Jackie n'a jamais voulu les déplacer.

Nous ne pouvions les apercevoir de notre chalet, car elles étaient enfoncées dans la forêt et pour s'y rendre, il fallait descendre un large fossé d'herbe coupée, entouré d'arbustes épineux.

– Regarde, pointa Marie, des gens on écrit *Bonne Chance* sur la première maison.

Elle descendit sans hésiter le sentier y menant. Je la suivis du même pas et m'immobilisai devant sa façade blanche. Elle avait tous les aspects d'une maison hantée comme en voit dans les films d'horreur : délabrée, abandonnée, porte défoncée et fenêtres cassées. La maison voisine était dans le même état.

– Alors… on va entrer là-dedans? demandai-je avec un sentiment étrange de déjà-vu. Et comment on va s'y prendre? Il n'y a même pas de marches et l'herbe est tellement haute qu'elle bloque le passage.

– Nos bottes d'eau serviront à quelque chose. Suis-moi!

Elle s'enfonça d'un pas décidé vers l'entrée de la première demeure. Avec répugnance, elle dégagea les herbes piquantes en les écrasant de ses bottes. Elle ne me donnait pas le choix de la suivre.

– Bon, il va falloir que tu me fasses la courte échelle.

D'un bond agile, elle s'agrippa au rebord du plancher intérieur, puis je lui donnai l'élan nécessaire pour l'aider à grimper. Une fois stabilisée, elle secoua ses deux mains poussiéreuses sur ses vêtements et se retourna vers moi. J'empoignai fermement ses mains pour me hisser à mon tour. Quelle désolation s'offrait à nous : l'intérieur dénudé était jonché de débris de plâtre et de verre brisé, les murs fissurés dégageaient une odeur de moisissure qu'un énorme trou au plafond devait alimenter pendant les intempéries.

– J'entre enfin dans cette mystérieuse maison! s'exclama Marie, exaltée.

– Quoi? Tu n'étais jamais venue?

– Jackie m'en avait parlé, mais… jamais je n'avais osé m'y aventurer.

Je n'étais pas d'un naturel craintif, mais mises à part les histoires de revenants, cette maison aurait pu servir d'abri à des animaux. Nous étions peut-être sur leur territoire...

– Je me demande bien qui habitait ici auparavant, fit Marie, intriguée.

– Ne compte pas sur moi pour te l'apprendre.

À voir les poutres anciennes et son architecture, cette maison devait sûrement avoir plus d'une centaine d'années.

– Je me demande aussi pourquoi Jackie tient tant à les garder ici. C'est étrange...

– Je crois tout simplement qu'il aime entourer les lieux de mystère et faire peur aux gens en disant qu'elles sont hantées.

– ... ou peut-être parce qu'elles le sont réellement et qu'il craint la vengeance des fantômes s'il les déplaçait.

J'ignorai sa remarque farfelue et me dirigeai vers les escaliers en lui faisant signe de me suivre, car après tout, c'est elle qui tenait tant à venir. Je glissai ma main le long de la rampe instable et l'impact de mon poids fit gémir les marches. Marie me suivait de près, je pouvais sentir son souffle saccadé dans mos dos. Arrivée à la dernière marche, mon cœur se noua au fond de ma poitrine et je sus d'où m'était venue cette étrange impression de déjà-vu à l'extérieur. Je me remémorai instantanément mon cauchemar récent : les lieux correspondaient en tous points. Je restai figée devant l'étrangeté de la coïncidence. Pourtant, je ne pouvais nier cette montée de chaleur qui m'envahissait et me paralysait. La fenêtre au bout du couloir, le trou dans le plancher, les murs disloqués de façon identique. Il ne manquait que la présence de... ce garçon, celui qui m'avait procuré réconfort et attirance cette nuit-là.

– Cassy, ça va?

– Ouais... mentis-je en me ressaisissant, ça va... J'avais cru entendre quelque chose.

– Arrête de me faire peur.

– Mais non, dis-je, tentant de me convaincre moi-même. Viens voir, on peut apercevoir le camp d'ici. Il y a une fenêtre au bout de la pièce.

Elle hésita un peu avant de venir me retrouver.

– Jackie avait raison, ces maisons-là ont quelque chose de mystérieux, grogna-t-elle en m'agrippant fortement l'épaule.

Nous avançâmes vers la petite ouverture, nos pas crissant sur la vitre émiettée. De notre poste, nous observions en silence les alentours quand une main chaude et massive me frôla l'autre épaule. Je hurlai de frayeur, tout comme Marie qui faillit mourir de peur. C'était Jackie qui éclata de rire en nous voyant ainsi, paralysées. J'avais le cœur qui battait à tout rompre.

– Tu nous as fait peur!

– Mais, que faites-vous ici?

Je pris quelques instants pour reprendre mon souffle, mon corps tremblant de tous ses membres.

– Marie voulait explorer les maisons…

– Il n'y a rien d'intéressant dans cette cabane. Venez, sortons d'ici, dit-il, d'un ton sec qui contrastait avec sa gentillesse habituelle.

Encore sous le coup de l'émotion, nous ne répliquâmes rien et le suivîmes à travers la pièce. Mon cauchemar me tracasserait l'esprit sans relâche si je n'obtenais aucune explication sur les histoires entourant cet endroit. Je lui demandai donc, hésitante :

– Jackie… Marie m'a dit qu'il y avait une légende à propos de cette maison… C'est vrai?

Il s'arrêta sur le haut du palier et se tourna vers nous.

– Ce ne sont que de vieilles histoires sans importance, murmura-t-il, songeur. On dit que ces maisons ont été bâties au cours du 19e siècle; elles faisaient partie d'un petit village situé près d'une réserve algonquine, nommée Rapid Lake. Bref, ces deux maisons auraient servi à faire subir des sévices à des Indiens réfractaires aux règles locales. On aurait même torturé à mort certains d'entre eux. La légende dit que leurs fantômes rôdent toujours par ici, prêts à se venger contre ceux qui oseront y mettre les pieds. Mais comme vous pouvez le constater, il n'y a que des décombres qui n'attendent qu'à être débarrassés.

Marie avala sa salive, n'osant interrompre le récit de Jackie.

– Lorsque j'étais jeune, bien plus jeune, ricana-t-il, mon père était propriétaire du camp. J'y passais toutes mes vacances d'été. Un jour, j'ai eu la bonne idée de passer une nuit ici, avec mes amis... et je le regrette encore!

– Qu'est-ce qui est arrivé?

– Vous n'avez qu'à faire comme moi pour vérifier s'il vous arrivera la même chose, rétorqua-t-il d'un ton mystérieux.

– Mais... es-tu tombé sur la tête! s'énerva Marie. Jamais je ne passerais une nuit ici après ce que tu viens de dire, jamais de la vie!

– Je vous offre cent dollars si vous relevez ce défi.

Ce n'était pas la nuit dans cette maison hantée qui m'effrayait, mais plutôt la ressemblance avec mon cauchemar. Même si la légende dont il nous avait parlé n'avait aucun lien direct avec mon rêve, j'avais la curieuse impression qu'il me manquait une information majeure pouvant expliquer mon attirance particulière envers ce lieu insolite.

– Allez, on s'en va, conclut Jackie. Vos amis vont vous chercher partout.

Il nous laissa descendre les premières. Une fois sorti, il sauta sur le talus sans difficulté et nous aida à faire de même. Nous remontâmes le fossé pour rejoindre le camp. Je me retournai une dernière fois vers la maison, le temps d'apercevoir, le *Bonne Chance*, peint en lettres rouge sang.

– Jamais je ne passerai une nuit dans cette maison! répéta Marie. J'ai la chair de poule rien qu'à y penser.

Jackie ne put s'empêcher de rire suite à l'effet qu'il avait provoqué avec son histoire.

– Je te croyais moins trouillarde que ça, Marie.

Il grimaça en regardant vers l'accueil : un homme rondelet, sa femme et son garçon, portant tous trois une ceinture de sécurité orange, attendaient d'un air impatient, avec en main une canne à pêche.

– Hey, Jackie! l'interpella l'homme, où étais-tu?

Je le dépassais sûrement de sept ou huit centimètres. Cheveux rasés laissant apparaître un peu de gris sur les tempes, il devait être dans la cinquantaine.

– Sergio, excuse-moi, j'étais occupé avec ces belles demoiselles! Elles traînaient dans les anciennes maisons.

Jackie n'élabora pas davantage, probablement à cause du petit qui s'impatientait, à en juger par la roche qu'il frappait obstinément avec son pied.

– Je te présente Marie et son amie, Cassy. Elles sont ici pour deux semaines avec leurs amis.

Je lui serrai la main et le saluai poliment.

– Bonjour, nous gratifia-t-il d'un ton sec.

Cette famille stéréotypée ne donnait pas envie de faire plus ample connaissance.

– Sergio est un très bon client, nous expliqua Jackie. Il est enquêteur pour la brigade des crimes et vient presque chaque week-end pêcher dans notre réservoir. Je vous présente sa femme, Anna, et leur garçon, Tristan.

Anna ressemblait plutôt à une bibliothécaire ennuyeuse et sévère. Son chapeau de style explorateur et ses longs shorts beiges à la *Indiana Jones* étaient démodés depuis belle lurette. Tristan ne passait pas inaperçu non plus : ses longs cheveux bruns, bouclés par endroits, camouflaient la moitié de son visage, l'obligeant à se secouer la tête constamment pour voir devant lui. Comble du ridicule, ils portaient tous le même chandail vert, orné d'un logo représentant une chaloupe sous laquelle on pouvait lire l'inscription : *Sergio's Best Fishing Crew*. Sincèrement, je n'étais pas du genre à porter des jugements sur les gens, mais quelque chose clochait avec l'allure de cette famille. Marie semblait avoir la même impression, car elle les regardait également avec insistance.

– Tristan, minauda sa mère en déposant une main sur l'épaule de son garçon, je crois que tu vas te faire de nouveaux amis.

Pitié, je ne voulais surtout pas jouer à la gardienne pendant nos vacances.

– Salut, chuchota-t-il, intimidé.

Je le saluai gentiment. Malgré tout, il semblait avoir un caractère moins incommodant que celui de ses parents.

– Alors, s'exclama Sergio en regardant Jackie, je viens tout juste de préparer la chaloupe. Il ne me reste qu'à acheter quelques vers. Je suis entré à l'accueil, mais Ben et Jim n'y étaient pas.

– Ah oui… Ils sont partis couper du bois ce matin et ne seront de retour que d'ici une heure. Combien de pots veux-tu?

– Quatre pots devraient être suffisants.

Pendant l'absence de Jackie, je sentais le regard du couple posé sur moi.

– Tu as de très belles bottes zébrées! ricana le père. J'espère qu'elles te permettront un bon camouflage pour la chasse en forêt!

Il se trouvait drôle, évidemment, mes bottes étant tout le contraire de la discrétion.

– Je n'aime pas la chasse, rétorquai-je d'un ton railleur à mon tour.

– Dommage. Pourquoi êtes-vous venus ici?

– Pour fêter la fin des cours et passer du temps agréable entre amis.

Son visage resta impassible. L'attitude de cet homme m'énervait royalement! Il était temps que je trouve une excuse pour filer d'ici. Marie n'avait pas prononcé un seul mot et sa femme avait rejoint Tristan qui s'était aventuré trop près du quai.

– J'espère que la pêche sera bonne cette semaine, ajouta-t-il. On connaît un endroit où le poisson mord sans arrêt à l'hameçon.

– C'est bien… Bon, on doit rejoindre nos amis, dis-je pour terminer la conversation au plus vite.

Je n'avais aucune envie de discuter de pêche avec cet imbécile d'enquêteur.

– Vous les saluerez de notre part! nous lança-t-il avec un petit clin d'œil que je fis semblant de ne pas remarquer.

Avec empressement, j'attrapai Marie par le bras et nous filâmes d'un pas rapide vers notre chalet, en commentant cette rencontre désagréable.

– J'ai préféré me taire, se moqua Marie. C'est incroyable comme il aime se vanter!

– Tu as bien fait! La prochaine fois qu'il se moque de moi, je lui lance mes bottes au visage, dis-je en éclatant de rire avec Marie.

– Où étiez-vous donc passées? questionna Mick quand il nous vit surgir du bosquet.

Il déjeunait en compagnie des gars. Elyssa et Jamie jouaient aux cartes sur la table de la véranda.

– Pas très loin. Marie voulait aller vérifier quelque chose.

Le regard interrogateur de Mick nous força à nous expliquer davantage.

– … des maisons hantées à l'arrière des chalets.

Il parut étonné.

– Vous voulez rire de nous? De vraies maisons hantées?

– Elles le sont vraiment! insista Marie.

– Elle est prête à croire n'importe quoi, soupirai-je en levant les yeux.

– Mais c'est vrai! J'entends cela depuis que je suis toute petite.

– Pourquoi tu dis qu'elles sont hantées? s'intéressa Keven en buvant une gorgée de son Pepsi diète.

Marie me fit signe de leur raconter la légende. Après avoir donné tous les détails, il y eut un court moment de silence où tous me regardèrent sans broncher. Keven fut le premier à rire.

– Et… vous avez cru Jackie?

– Il avait l'air sérieux. Il nous offre cent dollars pour y passer la nuit. Il l'a fait lui-même, et à l'entendre parler, c'était la pire nuit de sa vie.

– Cent dollars!!! s'esclaffèrent les gars à l'unisson.

– À ce compte-là, j'irais même y passer les deux semaines complètes, rigola Mick.

– Je suis partant, moi aussi, rajouta Alec.

– Vous n'avez aucune idée à quoi ressemblent ces maisons! s'étonna Marie. Elles sont sans portes ni fenêtres, insalubres et pleines de moisissures, en plus des tas de débris qui jonchent le plancher! Ce n'est pas un endroit où passer la nuit, croyez-moi.

– Pourquoi Jackie garde-t-il les maisons si elles sont dans un tel état… et hantées en plus? questionna Elyssa.

– Je n'en ai aucune idée, affirmai-je.

– Il ne les déplace pas, car il pourrait réveiller les fantômes et subir leur mauvais sort pour le restant de sa vie, s'exclama Marie, convaincue.

Jamie bougea nerveusement sur sa chaise.

– Voulez-vous arrêter de parler de ça! Je déteste les histoires d'esprits et de fantômes.

– Oh! Toi, tu as peur de tout! se moqua Keven. Tu es la pire des trouillardes que je n'ai jamais rencontrées.

Elyssa se retourna vers lui en faisant mine de le frapper.

– Tu es aussi trouillard qu'elle, alors ferme-la!

Il lança un regard de rigolade aux garçons qui se moquèrent à leur tour.

– Vous êtes tellement immatures! commenta-t-elle.

Comme les gars continuaient de rigoler, je décidai de les ignorer et m'installai sur le canapé. Elyssa en profita pour changer de sujet. Elle nous parla des nouveaux arrivants qui occupaient le chalet voisin : un couple avec un garçonnet d'environ dix ans. Je n'en croyais pas mes oreilles. Sur les dizaines de chalets que comportait le camp, il fallait qu'on les endure à côté de nous! Mick nous apprit que Sergio s'était plaint toute la matinée parce qu'il les trouvait trop bruyants.

– S'il n'est pas content, qu'il change de chalet! Il y en a d'autres!

– Je ne crois pas qu'il le fera, coupa Jamie. Il nous a dit qu'un couple d'amis devait les rejoindre dans le chalet d'à côté.

– Peu importe, je n'aime pas ce type. Avec ses 87 cannes à pêche et sa nouvelle chaloupe, il n'impressionne personne.

J'étais hors de moi : nous allions être obligés de les endurer pendant deux semaines! Je racontai notre rencontre avec cette famille et notre réaction épidermique à leur égard.

– Tiens, déclara Keven en se levant du canapé, Ben et Jim sont arrivés. Ils viennent nous montrer comment fonctionnent les chaloupes à moteur. On va faire un petit tour sur le lac.

Les gars sortirent, et le reste du groupe à leur suite. Deux chaloupes préparées le matin même par Ben nous attendaient. Marie et moi nous empressâmes d'enfiler notre maillot, de ramasser deux serviettes de plage ainsi que la crème solaire avant de filer rejoindre les autres sur le quai flottant. Je sentais déjà le soleil ardent sur mes épaules. La journée s'annonçait chaude. Les petits nuages de la matinée avaient disparu, laissant place à un ciel entièrement dégagé.

– Vous n'avez qu'à démarrer le moteur comme je vous l'ai montré, et le tour est joué, précisa Ben en s'adressant à Mick et à Keven.

Les chaloupes pouvaient accueillir quatre personnes chacune. Elyssa, Keven, Jamie et Alec en occupaient déjà une. Mick se retourna vers moi, me faisant signe d'approcher.

– J'allais oublier! poursuivit Ben. Mick, as-tu le *walkie-talkie* avec toi?

– Ouais, j'en ai apporté un.

– Parfait, Jackie t'a montré comment il fonctionne?

Mick l'assura qu'il avait bien fait son travail.

– Génial! S'il arrive quoi que ce soit, on est sur les stations 11,12 et 13.

Je réussis tant bien que mal à embarquer dans la chaloupe instable, suivie de Marie et de Mick qui y sauta en dernier. Ben et Jim larguèrent les amarres, nous livrant à cette vaste étendue d'eau calme!

– Revenez pour l'heure du souper! hurla Ben. Avant le coucher du soleil.

Je fus surprise par la rapidité d'éloignement de notre embarcation. Les jumeaux, déjà tout petits au loin, agitèrent la main avant de faire demi-tour vers la réception. Le paysage environnant était d'une beauté enchanteresse : des montagnes nous encerclaient de partout comme pour retenir cette eau limpide qui scintillait sous les chauds rayons du soleil doré. Tout l'après-midi, nous naviguâmes ainsi sur cette eau miroitante, explorant les différents endroits du réservoir. Par moments, les cris de la nature nous surprenaient. Une vingtaine de huards s'offrirent en spectacle sous nos yeux ébahis. Passant devant une plage isolée, nichée au creux d'une anse étroite, Mick et Keven décidèrent d'y accoster, par simple curiosité. Le sable presque blanc longeait la ligne de la forêt, un paradis sublime pour notre premier bronzage de la saison. Alec et Keven en profitèrent pour se rafraîchir dans l'eau glacée et Mick me proposa une balade le long de la montagne. Le sable soyeux et l'eau nous caressaient les pieds tour à tour. Son corps bien sculpté reflétait déjà un bronzage impeccable qui me rendait même un peu jalouse.

Le reste de l'après-midi s'était écoulé si rapidement. Rentrés à l'heure prévue, les jumeaux nous aidèrent à nous amarrer. Regagnant notre chalet, nous ne fûmes pas étonnés de voir Sergio et Anna souper en compagnie d'un couple d'amis d'un certain âge. La soirée se poursuivit au même rythme que la veille, mais lorsque la noirceur se pointa, Mick eut la fabuleuse idée de préparer un feu au centre du vaste terrain, devant notre chalet. Je croisai les doigts pour que Sergio et ses amis ne viennent pas nous incommoder. Nous nous installâmes sur nos chaises de plage, bien emmitouflés dans nos cotons ouatés douillets, écoutant le crépitement des flammes. J'appréciais ce genre de moments hors des bruits et de la pollution de la ville, hors du temps, dans un endroit serein et paisible.

Marie raconta en détails la légende des maisons hantées, qui semblait encore plus vraisemblable avec l'oscillation de nos ombres provoquée par les flammes. Toutefois, je repensai au malaise vécu dans la matinée : il n'était pas près de disparaître de mes pensées. La sensation étrange, qui s'était emparée de moi en apercevant le décor de la première maison, continuait de me troubler. Inquiète et confuse, j'avais du mal à comprendre ce qui s'était passé. Le cauchemar fait la veille de notre départ pour le Cabonga m'apparaissait maintenant être une prémonition. Quoi qu'il en soit, j'avais rêvé à cette maison. Peut-être était-elle liée avec cet inconnu qui semblait me suivre ces derniers temps? Je sentis les battements accélérés de mon cœur s'emballer encore, bien malgré moi. À cet instant précis, je sus avec certitude qu'il s'agissait d'un signe annonciateur d'un incident dont je serais victime sous peu.

6

Rencontre

Le cadran circulaire de la cuisine affichait 6h44. Ma tasse de chocolat chaud à la main, je ressassais les idées sombres liées aux maisons hantées qui avaient tourmenté mon sommeil, m'empêchant de bien dormir. Je me réfugiai sur le canapé réconfortant de la véranda et la vue du paysage magnifique me remonta un peu le moral. L'absence de vent annonçait une autre journée chaude et ensoleillée. Je détournai le regard vers le chalet voisin qui sommeillait encore, tout comme le reste du camp d'ailleurs. Je n'aimais pas les nouvelles sensations étranges qui m'habitaient et je devais à tout prix me libérer de ces pensées obsédantes. D'un pas décidé, je déposai ma tasse encore chaude sur le comptoir et me dirigeai vers les chalets dont je longeai précautionneusement les façades avant de rejoindre le fossé menant aux maisons hantées. Mon regard se tourna instantanément vers la fenêtre brisée de la première demeure. Avec assurance, je descendis le ravin en pente jusqu'à l'entrée de la maison. La hauteur de la marche m'obligea à me donner un élan suffisant pour m'agripper au rebord du plancher et à me propulser vers l'intérieur en appuyant mes pieds contre le mur. Sans m'attarder au premier étage, je me dirigeai vers les marches que j'escaladai prudemment. J'avançais malgré la peur qui me tenaillait, car j'avais décidé de mettre un terme à ces foutues visions fantomatiques. Arrivée sur le palier, je regardai instinctivement vers la fenêtre et mon cœur se glaça d'effroi à la vue d'un individu assis sur le rebord de la fenêtre, le regard plongé vers l'extérieur. Ce n'était ni Jackie ni l'un des jumeaux. Les rayons éblouissants du soleil à travers l'ouverture m'empêchaient de percevoir les traits de son visage lumineux. Lorsqu'il détourna le regard vers moi, je sus qu'il m'avait repérée. Prise de panique, je descendis les marches avec une rapidité vertigineuse et un grand fracas.

– Non, attends!

Je figeai sur place, terrorisée. Il ne m'avait pas laissé le temps de filer.

– Attends! Ne pars pas... s'il te plaît.

J'aurais dû ignorer sa demande. J'hésitai avant de faire le moindre geste. La sincérité avec laquelle il avait prononcé ces douces paroles me fit faire demi-tour jusqu'à l'étage. Il se tenait encore à la fenêtre, il n'avait pas bougé.

– Pardonne-moi, je ne voulais surtout pas t'effrayer, murmura-t-il en plaçant une main rassurante devant lui.

Je restai immobile sans dire un seul mot.

– Je ne m'attendais pas à avoir de la visite, poursuivit-il.

Je le fixais, emmurée dans mon silence troublé, ne trouvant aucun mot approprié. Seul mon cœur battait au rythme de ma peur. Il se leva soudain du rebord de la fenêtre disloquée et s'avança vers moi à travers les débris de la pièce. Instinctivement, je reculai d'un pas maladroit.

– Ne t'inquiète pas, je passe mon été au camp. Jackie est mon oncle et les frères jumeaux sont mes cousins. Je suis de la famille.

L'évocation de ces noms familiers fit tomber la tension angoissante qui m'habitait et me redonna une certaine assurance.

– Hum… Il faudrait que j'y aille…

– Je t'assure que je suis de la famille.

Je le croyais. Cependant, il n'avait aucune ressemblance avec son oncle, et encore moins avec ses cousins. Il était beaucoup plus grand et musclé. Ses épaules carrées étaient recouvertes d'un manteau de cuir noir, de style gothique, dont les nombreuses pochettes et les déchirures accentuaient l'allure provocante. La manche droite, à moitié relevée, laissait voir plusieurs bracelets entrelacés. Peut-être par peur de m'effrayer davantage, il avançait avec lenteur, soulevant légèrement, comme dans un mouvement de danse, ses bottes de cuir usées et délacées. Le noir de sa chevelure, s'alliant au noir opaque de ses ongles, laissait paraître un doux reflet bleuté. Normalement, une telle apparence m'aurait impressionnée, mais dans son cas, ça lui allait très bien. Quand il fut devant moi, mon regard se déposa sur le bleu très pâle, presque blanc, de ses iris. Mon corps frissonna, happé par son regard hypnotisant.

– Je m'appelle Oliver.

Il me présenta une main accueillante. J'hésitai à lui tendre la mienne.

– Cassandra Sawyer. Mais… on m'appelle Cassy.

– Je suis très heureux de faire ta connaissance, Cassy.

Il me sourit tendrement, affichant un sourire des plus séducteurs.

– Alors, tu t'aventures seule ici? Ce n'est pas vraiment l'endroit où j'aurais pensé rencontrer quelqu'un.

– Je devrais te faire la même remarque.

Il m'observait toujours, avec le même regard intéressé.

– Je chasse. Je garde mes armes ici.

Je hochai légèrement la tête.

– Tu sais, on a une très belle vue de la fenêtre. Elle surplombe l'ensemble du camp. Viens voir.

Même si j'étais déjà venue, j'acquiesçai à sa demande, prudemment.

– Alors… tu chasses, c'est bien ça?

– Oui. Je m'occupe de la sécurité du camp. On est en pleine forêt ici, et les animaux sauvages s'approchent trop près des chalets parfois. Je dois m'assurer de la sécurité en permanence. C'est pour cette raison justement qu'on ne s'est pas encore rencontrés. Je passe la majorité de mon temps dans les bois. J'essaie présentement de traquer un renard. Tu risques même de l'entendre la nuit, ou très tôt le matin.

Il avait une très belle façon de s'exprimer. Je lui rendis un sourire timide. Je l'observais à la dérobée: son visage reflétait une perfection inhumaine. Seule la carnation de son teint m'intriguait : livide, comme dénué de vie. Malgré tout, je trouvais sa beauté incomparable.

– Jackie nous a parlé du renard, mais je ne l'ai pas encore entendu glapir.

J'avais de la difficulté à converser avec lui. C'était peut-être son apparence étrange qui m'en empêchait ou son style qui sortait vraiment de l'ordinaire.

– Il m'a dit que vous étiez plusieurs amis?

– Oui, on est sept. On célèbre notre fin de session.

Après un court moment de silence, je lui demandai s'il étudiait encore. Il fixa un point à l'horizon comme s'il réfléchissait à la question. Puis, il m'avoua qu'il avait vécu des moments difficiles avec ses parents et qu'il avait dû quitter l'école et la maison pour se trouver du travail. Son oncle Jackie lui avait offert un emploi au camp et, avec le temps, il était un peu devenu son père. Il ne semblait pas vouloir élaborer davantage sur son passé.

– Quel âge as-tu? demandai-je, tentant de dévier la conversation.

– J'ai 19 ans.

Le silence s'installa de nouveau. Je le regardai avec discrétion : il paraissait beaucoup plus mature qu'un garçon de son âge.

– Et toi?

– Je viens tout juste de fêter mes 18 ans.

– L'âge de la majorité.

– Mouais…

Il me fixa un court instant.

– Tu ne m'as toujours pas dit quelle était la raison de ta présence ici, ajouta-t-il sans me lâcher des yeux.

Comme j'étais venue vérifier ce qui clochait dans cette maison, cela aurait été complètement ridicule de lui en parler, surtout qu'il venait de me dire qu'il y cachait ses armes pour la chasse.

– C'est à cause de Jackie.

Je croyais, en mettant le blâme sur quelqu'un d'autre, que cela m'aurait tirée d'affaire.

– À cause de Jackie? Qu'est-ce qu'il t'a dit au juste?

– Eh bien… il m'a dit que… que c'était des maisons hantées.

De toute façon, il devait être au courant. Je ne lui apprenais sûrement rien.

– Je n'arrive pas à croire qu'il t'a fait gober tout ça.

– Tu connais la légende?

– On dit que ce sont d'anciennes maisons de tortures, mais si tu veux mon avis, je n'en crois pas un seul mot. Ce sont tout simplement de vieilles maisons auxquelles Jackie n'a apporté aucun soin. Elles ne valent plus la peine d'être rénovées. Il les garde seulement comme refuge. J'y entretiens mes armes et tous les pièges pour la chasse.

– Où ça?

– Un placard sous l'escalier du premier étage.

Rien n'était donc vrai dans tout ce que Jackie nous avait raconté à propos de ces maisons. Pourtant, cela n'expliquait toujours pas pourquoi cet endroit m'était, par moments, si familier.

– Tu pourras dire à tes amis qu'ils n'ont rien à craindre.

– Mouais, Jamie sera soulagée de l'apprendre.

Il me sourit amicalement. Je commençais déjà à me sentir plus à l'aise avec lui. La crainte ressentie plus tôt s'était estompée graduellement. Toutefois, j'avais de la difficulté à le regarder trop longtemps, l'intensité de ses yeux étant difficile à soutenir.

– Tu as de très beaux yeux, commenta-t-il. C'est étrange, ils me rappellent quelqu'un que j'ai connu et qui m'était cher.

Je ne m'attendais pas à ce genre de compliment qui m'intimida encore plus. Par politesse, je lui souris gentiment et détournai encore une fois mon visage.

– J'ai toujours rêvé d'avoir les yeux bleus, répliquai-je, mais merci… c'est gentil.

Ce genre de situation me rendait toujours mal à l'aise, provoquant une réponse fuyante ou sèche de ma part.

– La météo annonce une très belle journée aujourd'hui, ajouta-t-il pour me tirer d'embarras.

Mon attention fut soudain attirée par un détail qui m'avait échappé jusque-là. Une cicatrice traversait son cou : une ancienne marque de pendaison, à en juger par la faible intensité de la rougeur. La coupure longeait le bas de son oreille droite jusqu'à l'extrémité gauche.

– Tu dois te demander comment je me suis fait cette marque au cou, n'est-ce pas?

Mon regard à la dérobée avait échoué.

– Euh... si tu préfères ne pas en parler...

– Non, au contraire. Les gens se trompent complètement lorsqu'ils aperçoivent ma cicatrice. J'ai eu un grave accident lorsque j'étais plus jeune. Je suis tombé du premier étage de ma maison et j'ai heurté une clôture métallique. J'ai subi une grosse opération qui a nécessité 25 points de suture.

– Je... je suis désolée, dis-je en plaquant une main contre ma bouche. C'est horrible!

– J'étais jeune, je ne m'en souviens pas beaucoup.

Il paraissait complètement indifférent au fait qu'il avait failli mourir.

– Heureusement que tu t'en es sorti.

Il ne me répondit pas. Il avait l'air pensif, l'espace de quelques instants.

– Cassy... je... je vais devoir te raccompagner. J'ai promis à Jackie de lui rapporter ce renard, alors il faudrait que je retourne au travail.

– Oh ... ouais... d'accord. Pas de problème.

D'ailleurs, je n'avais aucune idée de l'heure qu'il pouvait bien être. Mes amis devaient probablement s'inquiéter de mon absence prolongée. Je descendis l'escalier, suivie d'Oliver dont je devinais le regard posé sur moi. Arrivé en bas, il sauta le premier et me tendit une main chaleureuse. De son autre bras, il m'agrippa par la taille pour me faire glisser à ses côtés. Cette proximité me troubla.

– Alors, je te revois bientôt?

– Si tu ne passes pas le reste de ta vie à la chasse!

En remontant le sentier menant au chalet, je lui lançai un dernier regard. Il me fit signe de la main avant de plonger dans les profondeurs de la forêt. Je restai immobile quelques instants, n'arrivant pas à détacher mes yeux de l'endroit où nous nous étions quittés. Un sourire s'esquissa spontanément sur mes lèvres et je courus, le cœur léger, rejoindre mes amis.

– Mais où étais-tu passée? s'alarma Elyssa. Je t'ai cherchée partout, je suis même allée à la réception.

– Attends, tu as un drôle d'air! s'étonna Marie en scrutant mon visage.

– Quoi? Qu'est-ce qu'il a mon air?

– Une légèreté inhabituelle… Où étais-tu?

– Je suis retournée voir les maisons hantées. Hum… l'autre, celle d'à côté, mentis-je.

– Tu es complètement insensée d'aller là-bas toute seule!

Ce n'était pas dans mon habitude de mentir. J'ignorais même pourquoi je ne leur mentionnais pas ma rencontre avec Oliver. L'autre jour, au casse-croute, Marie m'avait bien spécifié que seuls Jackie, Ben et Jim étaient responsables du camp. Elle ne m'avait jamais parlé de leur cousin, Oliver. Peut-être qu'il n'y travaillait pas à l'époque où Marie venait avec ses parents.

– En tout cas, poursuivit Marie, tu n'aurais pas pu compter sur moi pour t'accompagner. J'ai fait des cauchemars toute la nuit!

Je rigolai, mais sans élaborer sur les motivations qui m'avaient incitée à agir ainsi.

– Bon matin, les filles!

Torse nu, Keven s'étira en bâillant sans retenue, exposant son impressionnant tatouage de style tribal qui ornait le côté droit de sa poitrine.

– Les autres dorment encore? s'enquit Elyssa.

– Non, ils arrivent. Les gars veulent retourner à la plage aujourd'hui.

– Et toi, tu devrais penser à aller t'habiller!

Il s'approcha pour l'embrasser délicatement sur le coin des lèvres.

– Viendrez-vous avec nous?

– Ouais, s'enthousiasma Marie, j'ai envie de prendre du soleil!

Nous nous préparâmes pour une autre journée plaisante sous ce soleil réconfortant. Regagnant le quai, Mick lança son ballon de football à Keven et il faillit heurter Sergio qui s'affairait près de sa chaloupe. D'un air contrarié, sa femme marmonna un reproche dans notre direction.

– Encore cet imbécile de pêcheur sur mon chemin, s'énerva Mick.

– Hey, pas si fort! Il va t'entendre, murmurai-je en lui tapant l'épaule.

– J'aimerais bien qu'il m'entende.

Rendu au quai, il passa devant lui sans le regarder. Tristan se tenait immobile, bien serré dans sa ceinture de sécurité encombrante.

– Tiens, tiens, s'exclama Sergio, de la visite!

Mick l'ignora. Il prit mon sac de plage et le lança brusquement à l'intérieur de la barque. Je savais qu'il bouillonnait intérieurement.

– Tristan! hurla son père, la chaloupe est prête.

Le petit garçon obéit sur-le-champ et alla s'installer sur le banc arrière de l'embarcation. Sergio fixait Mick d'un œil mauvais et insistant. Une situation désagréable, interrompue par la demande inattendue de Tristan qui me proposait gentiment de les accompagner. Surpris, son père se crispa et mon refus sembla le soulager. Touchée par la gentillesse du garçon, je le remerciai en disant qu'on pouvait peut-être remettre cela à une autre fois. Son père fit mine d'ignorer notre conversation et démarra le moteur d'un geste prompt comme pour s'éloigner du quai au plus vite.

– Il a l'air de bien t'aimer, ce petit, commenta Mick. Il va te coller comme une sangsue durant toutes les vacances.

– Arrête, il n'est pas si énervant que ça. C'est à cause de ses parents que tu ne veux pas avouer qu'il est sympathique.

– On verra bien.

Nous embarquâmes à notre tour dans les deux mêmes chaloupes que la veille, en direction de la plage. Le soleil plombait encore plus fort et les gars s'amusaient comme des gamins à se bagarrer dans l'eau. Sortant en courant, Mick vint m'agripper sous les jambes pour me jeter dans le lac frisquet. Suite à cette baignade involontaire, je regagnai la plage auprès des filles et m'étendis sur le tapis sablonneux, me laissant chauffer par le soleil. Avant la tombée du jour, nous reprîmes la direction du camp et la soirée se déroula encore autour du feu de camp rassembleur où Keven fit griller de délicieuses saucisses qui répandirent un arôme invitant.

– Cassy, chuchota Mick à mon oreille, suis-moi, je veux te montrer quelque chose.

– Tu m'amènes où comme ça?

– Au Cap de roche.

Je le suivis sans le questionner davantage. Au bas de la colline, non loin du quai, se trouvait une immense roche plate pouvant accueillir une dizaine de personnes. À quelques pas, le lac s'agitait doucement. Mick s'y allongea sur le dos, m'invitant à faire de même. Un ciel diamanté tapissait d'un voile lumineux la voûte au-dessus de nos têtes.

– C'est le temps des perséides, murmura-t-il.

– C'est magnifique…

L'éclat des étoiles se reflétait à la surface du lac, les multipliant à l'infini.

– Regarde, j'ai trouvé la casserole. La vois-tu?

Je balayai la Voie Lactée du regard à la recherche de cette constellation amusante.

– Oui, je l'ai repérée, soufflai-je en pointant mon index vers la suite d'étoiles qui formaient la constellation de la Grande Ourse.

– Ce sont les sept étoiles les plus brillantes. C'est la raison pour laquelle on peut facilement les repérer.

– Je n'ai pas assez d'yeux pour tout regarder.

Une étoile filante zébra le ciel en une fraction de seconde.

– Wow! Tu as vu ça! s'étonna-t-il, stupéfait.

– Elle est passée si vite! Allez, fais un vœu…

– C'est fait!

– Déjà? lui demandai-je, surprise qu'il ait répondu si rapidement. De quoi s'agit-il?

– Tu veux que je te révèle mon vœu?

– Bah, ouais.

– Mais… il ne se réalisera pas, si je te le dis.

– Donne-moi un indice, alors.

– ….

– Allez, s'il te plaît, insistai-je avec un sourire enfantin.

– Bon, d'accord, si tu y tiens tant! C'est quelque chose qui… me plaît, murmura-t-il en s'approchant de moi.

– C'est un peu vaste, je trouve.

– Ah! Je n'en dis pas plus.

Je le poussai amicalement et nous continuâmes de contempler silencieusement ce feu d'artifice d'étoiles errantes. C'était la première fois que je me sentais si minuscule. Le calme fut soudainement interrompu par un rayon de lumière qui n'avait rien à voir avec une étoile filante. Le reste de la bande arrivait, éclairé par une lampe de poche, apportant chaises et couvertures.

– Je vois la Grande Ourse! s'écria Keven comme un gamin.

Ce moment de pure tranquillité en présence de mes amis me fit apprécier la magnifique journée qui se terminait. Malgré ma rencontre singulière du matin, le charme d'Oliver m'avait imprégnée. Pour la première fois, je ressentis une chaleur à l'estomac, un pincement dont j'ignorais s'il était de nature agréable ou non. En cette nuit étoilée, mes pensées convergeaient vers lui, comme attirées par une force d'attraction irrésistible. J'y vis un autre signe que je n'en avais pas terminé avec lui.

7

La famille Miller

J'étais encore une fois prisonnière de ce rêve incompréhensible et de cette même maison d'où je ne pouvais m'enfuir : j'avançais d'un pas constant en direction de la fenêtre du fond quand je trébuchai contre une fissure du plancher craquelé, tombant dans le trou noir et profond d'une falaise sans fin. Je me réveillai, haletante, le souffle court, comme lorsqu'on remonte à la surface après de longues minutes sous l'eau. Dans la chambre, les filles dormaient encore profondément, étrangères à ma frayeur nocturne. Pour me ressaisir, je me rendis à la cuisine pour boire un verre d'eau, car je me sentais complètement déshydratée. Assise seule dans la maison endormie, je repensais à ce rêve angoissant qui provoquait en moi un vertige comparable à cette chute du haut de la falaise. J'inspirai profondément pour chasser cette sensation désagréable, mais je restai malgré moi dans cet état de torpeur jusqu'au lever du soleil.

– Tu es déjà réveillée?

Je sursautai, craintive encore, en entendant la voix d'Elyssa qui arrivait en compagnie de Marie.

– Ça ne fait pas longtemps, me repris-je, plus calme.

– Avez-vous entendu ce foutu renard? grommela Marie. Il a crié toute la nuit!

– Un renard? répondit Elyssa, étonnée.

– Oui, tu te souviens, Jackie nous en a parlé? Il nous a même avertis qu'il rôdait près des chalets, la nuit.

– Ah… Je ne crois pas l'avoir entendu.

– Bon sang, tu dors profondément!

Cette histoire de renard me fit hésiter à dévoiler ma rencontre avec Oliver. Jackie n'était donc pas le seul à vouloir capturer cette bête. C'était peut-être la bonne occasion de leur en glisser un mot.

– Hey, Marie, savais-tu que… que Ben et Jim avaient un cousin?

– Un cousin? répéta-t-elle en fronçant les sourcils.

– Hum… ouais, il s'occupe du camp, lui aussi… ou plutôt de la chasse. Il m'a justement dit qu'il était à la poursuite de ce renard.

– Comment il s'appelle?

– Oliver… J'ai pensé que tu le connaissais peut-être?

– Non, jamais entendu parler. Ben et Jim ont toujours travaillé seuls.

– Peut-être qu'il est arrivé après tes séjours ici?

– Sûrement! Mais attends, où l'as-tu rencontré?

– Hier matin, à la maison hantée… Ça lui sert d'abri pour ses armes.

Elle regarda par la fenêtre, espérant l'apercevoir.

– Il passe presque tout son temps en forêt pour protéger le camp contre les animaux.

– De quoi il a l'air?

C'était le genre de question auquel j'aurais dû m'attendre de la part de Marie.

– Probablement blond aux yeux bleus, intervint Elyssa, c'est leur cousin.

– Non, c'est tout le contraire.

Je tentai de trouver les mots justes pour décrire sa beauté mystérieuse et sombre, son allure gothique. J'avais la conviction que Marie le connaissait, mais je trouvais étrange que les jumeaux ne lui aient jamais parlé de leur cousin, Oliver.

– En tout cas, soupira Elyssa, Jamie sera ravie d'apprendre qu'Oliver surveille le camp. Comme ça, elle n'aura plus rien à craindre!

Nous continuâmes de bavarder ainsi, Oliver et les jumeaux faisant l'objet principal de notre conversation. Marie finit par avouer qu'elle avait un petit penchant pour Jim et qu'elle souhaiterait le revoir à notre retour à Kingston. Nous écoutions ses confidences, approuvant les sentiments et impressions qu'elle ressentait à son égard. Vers la fin de la matinée, Jamie arriva, les yeux encore froissés de sommeil, suivie des gars qui avaient eu la bonne idée de nous préparer un délicieux déjeuner : œufs, bacon et jambon que nous dégustâmes tous ensemble sur la véranda.

– On part à la pêche ce matin, annonça Mick après avoir dévoré goulûment le contenu de son assiette. Venez-vous avec nous, les filles?

– Moi je suis partante, s'exclama Marie, ravie.

Elyssa et Jamie acceptèrent avec enthousiasme. Quant à moi, l'envie d'aller pêcher ne m'excitait guère, préférant rester au chalet pour donner des nouvelles à ma mère et lire au bord du quai tout en me prélassant au soleil. Les filles et Mick semblaient déçus que je ne les accompagne pas.

– La prochaine fois, tu es mieux de venir, sinon, je t'étripe! s'exclama Mick en faisant le geste de m'étrangler.

Je lui souris en le repoussant gentiment. Je les rejoignis au quai avec mon bouquin pendant qu'ils préparaient les chaloupes et leur équipement de pêche.

– Es-tu sûre que ça ira? s'enquit Mick d'un ton protecteur.

– Mick, quand même, je vais survivre à votre départ, répliquai-je sur un ton moqueur.

Il rit et sauta à bord rejoindre les autres. Je ne pus m'empêcher de me moquer de leur allure loufoque de pêcheurs en herbe. Je leur souhaitai de ne pas croiser Sergio, car une bagarre de poissons pourrait s'en suivre. Le cœur léger à l'idée de profiter de ma solitude, je décidai avant tout de me rendre à la réception pour téléphoner à ma mère. Je lui résumai nos activités jusqu'à ce jour, lui parlant des gens qui s'y trouvaient et lui demandant à mon tour des nouvelles de la famille, ce qui incluait Beanie dont elle s'occupait à merveille. Je fus interrompue par l'arrivée des jumeaux et proposai à ma mère de la rappeler dans quelques jours. Jim me dévisageait, le râteau sur l'épaule, le visage en sueur, visiblement très affairé à une tâche difficile.

– Tu téléphonais chez toi?

– Ouais, mes parents aiment avoir des nouvelles.

– C'est normal.

– Qu'est-ce que vous faites?

– On vient de racler l'arrière du chalet. On doit ensuite passer la tondeuse, s'occuper de l'aménagement extérieur et aller promener Shadow jusqu'aux limites du camp. Comme tu vois, on ne chôme pas!

– C'est beaucoup de boulot, en effet!

– Et toi, tu n'es pas avec tes amis?

– Ils sont partis pêcher. Je n'avais pas envie d'y aller. J'ai ma serviette qui m'attend au bout du quai.

Je lui expliquai mon envie de profiter de ce moment de tranquillité et de cette belle température. La porte du chalet s'ouvrit brusquement, et Ben sortit, annonçant qu'il s'occuperait de tondre la pelouse pendant que son frère arroserait les plantes. Il essuya les gouttelettes de sueur qui perlaient sur son front et il me posa les mêmes questions auxquelles je fis les mêmes réponses: on ne pouvait nier qu'ils étaient de vrais jumeaux.

– L'eau est trop calme et il fait beaucoup trop soleil. Le doré ne sort que la nuit et très tôt le matin. La pêche ne sera pas bonne.

– C'est dommage pour eux! dis-je, heureuse de ne pas les avoir accompagnés.

– Bon! On fait une course jusqu'au lac pour se rafraîchir? proposa-t-il en regardant son frère.

Jim s'empressa d'enlever sa camisole tachée de terre et ils coururent en flèche vers le lac où ils sautèrent sans hésitation. Pour ma part, je me contentai de m'asseoir sur ma serviette de plage à rayures arc-en-ciel et de me rafraîchir à ma façon en ballottant mes pieds au bout du quai. Je fermai les yeux pour offrir mon visage aux rayons ardents du soleil.

– Alors, l'eau est bonne?

Je sursautai en entendant la voix d'Oliver qui était assis à mes côtés, son jeans noir retourné aux mollets et les pieds immergés dans l'eau.

– Tu m'as fait peur, je ne t'ai pas entendu arriver.

– Excuse-moi… Tu m'as donné le goût de me réchauffer au soleil.

Il portait un chandail moulant gris foncé, à manches longues relevées jusqu'aux coudes, dont le col en V découvrait un peu son torse. Je pouvais mieux apercevoir ses nombreux bracelets : une large languette de cuir au poignet gauche et, dans l'autre, des cordes tressées entremêlées de bijoux. Il avait déposé à ses côtés le même manteau que la veille, malgré la chaleur intense. Son style ne manquait délibérément pas de piquant. Sa chevelure noire brillait d'un reflet bleuté sous le soleil et ses yeux presque blancs ne semblaient pas incommodés par l'intensité lumineuse, à en juger par sa facilité à scruter le ciel sans verres fumés.

– Tu n'étais pas à la chasse ce matin?

– J'ai décidé de prendre un petit congé. Toi, tu n'es pas à la pêche avec tes amis?

Les jumeaux lui avaient probablement mentionné ce détail.

– Non, je n'avais pas le goût.

– La pêche n'est jamais bonne, de toute façon, par un temps pareil.

– Mouais, c'est ce que Ben m'a dit tantôt.

Je le regardai à la dérobée : il contemplait, rêveur, le paysage féerique devant nous. À quoi pouvait-il bien penser?

– Oliver…

– Oui… répondit-il, semblant revenir de loin.

– Tu… tu vas peut-être trouver cela ridicule, mais… je suis curieuse de connaître la légende à propos de ces maisons hantées. Je suis sûre que tu es courant et que tu pourrais m'en apprendre davantage.

– Cassy, ce ne sont que des histoires.

– Je n'en suis pas si sûre. Jackie m'a dit qu'il y avait passé une nuit complète déjà, mais il a refusé de me donner plus de détails.

– Justement, il n'y a rien à ajouter. C'est pour faire peur aux gens, c'est tout.

– O.K. Alors… disons que Jackie n'a jamais passé de nuit dans cette maison! Mais, il y a quand même une légende, non?

Il ne disait mot. Il replongea son regard mystérieux vers les montagnes. Si seulement j'avais pu savoir à quoi il pensait.

– Oui, il y a une légende, enchaîna-t-il en me fixant avec une expression beaucoup plus sombre et sérieuse.

– Elle n'a aucun rapport avec les tortures, n'est-ce pas?

– Tu sais, dans la vie, il se passe parfois des phénomènes inexplicables, étranges. Si, par malheur, Jackie racontait réellement ce qui s'est passé, tu peux être certaine que plus jamais personne ne reviendrait ici. Mais, dis-toi une chose, il y a une raison pour laquelle Jackie refuse de déplacer ces maisons.

– Je peux la connaître?

– Je ne peux t'en parler ici de peur que quelqu'un puisse nous entendre. Depuis que Jackie est propriétaire des lieux, il n'a jamais raconté cette légende à personne.

J'essayais de démêler tout cela. J'ignorais pourquoi je tenais tant à découvrir le fond de cette histoire. En fait, cela remontait à la sensation étrange que j'avais ressentie quand Marie m'avait entraînée dans cette maison, le lendemain de notre arrivée. C'était difficile d'exprimer ce que j'y avais vécu comme pressentiment.

– Si tu peux me rejoindre cette nuit, à la première demeure, chuchota-t-il en se penchant légèrement vers moi, je vais peut-être pouvoir t'en dire davantage.

Sans avoir eu le temps de lui confirmer que j'y serais, Jackie se pointa près du quai.

– À votre place, j'irais faire un petit tour dans l'eau! Alors, Cassy, tu as rencontré mon troisième neveu, Oliver!

Oliver se releva immédiatement, agrippant son manteau. Jackie lui tapa deux fois dans le dos en lui demandant des nouvelles du renard. Je me levai à mon tour, sentant un malaise entre eux. Il lui promit de s'en occuper dès le lendemain matin. Au même moment, on aperçut les chaloupes sur le point d'accoster. Ils n'avaient rien pêché et semblaient contrariés, surtout Mick quand il aperçut Oliver à mes côtés. Il le dévisagea de la tête aux pieds. Je fis les présentations et il répondit aux interrogations pressantes de Mick sur son travail au camp. Je sentis le regard d'Oliver se poser sur moi, probablement mal à l'aise sous cette avalanche de questions. Pour mettre un terme à son embarras, les filles s'approchèrent. Marie le contemplait sans aucune subtilité, comme à son habitude. Mick s'empressa de ramasser ses affaires et remonta la colline d'un pas décidé. Au moment où Oliver me disait tout bas qu'il partait retrouver ses cousins pour les aider à terminer les travaux, Marie l'invita à se joindre à nous pour le souper. Il sembla hésiter quelques instants, me questionnant du regard, avant d'accepter sa proposition. Jackie et lui nous saluèrent et remontèrent la colline.

– Wow… s'exclama Marie, il n'est pas laid du tout! Il est même mieux que ce que je m'étais imaginé. Son style et ses bracelets lui donnent… un look assez séduisant.

Je lui donnai un bon coup sur l'épaule, lui signifiant qu'elle avait intérêt à ne pas faire son petit jeu de séduction.

– Aïe! Je disais ça juste pour rire.

– Ouais, c'est ça!

Le reste de l'après-midi se déroula dans une ambiance de douce oisiveté, sauf Mick qui ne m'adressait la parole que lorsqu'il était obligé. Ignorant son humeur maussade, je m'amusai avec les filles en jouant aux cartes sur la véranda. Plus tard en début de soirée, Keven fut le cuistot désigné pour nous préparer de délicieux hamburgers. Réunis autour du feu pour manger, tout le monde s'informa réciproquement du déroulement de sa journée. Une partie de pêche ratée pour les uns et une belle rencontre pour moi. Mick s'informa froidement de ma journée, évitant de croiser mon regard. Ils avaient rencontré Sergio, les pauvres! S'il m'avait offert un meilleur accueil le premier jour, il aurait peut-être mérité plus de respect de ma part. Notre conversation fut interrompue par l'arrivée d'Oliver et des jumeaux, qui nous rejoignirent autour du feu.

– On peut se joindre à vous? demanda Ben.

– Mais oui, quelle question! s'exclama Keven, plutôt content de leur arrivée. Servez-vous, il en reste assez pour nourrir une deuxième famille!

Jim s'installa à côté de Marie, Ben près de Mick et Keven, et Oliver, près de moi.

– Ça va? me demanda-t-il de son sourire chaleureux.

Ses yeux pâles me fixèrent, et je rougis instantanément. J'avais encore de la difficulté à soutenir son regard, pourtant si tendre. Mais, mon sourire en coin en disait suffisamment long pour répondre à sa question. La conversation tourna autour des nouveaux arrivants, tous étant intéressés à les connaître mieux. Oliver parla des tâches qui lui incombaient au camp et de certaines techniques de chasse auxquelles je ne comprenais pas grand-chose.

– Vas-tu finir par capturer ce foutu renard? s'énerva Marie. Il nous casse les oreilles toute la nuit.

– J'y travaille. Laisse-moi encore une nuit et je te le capture vivant, si tu veux.

– Euh… tant que je ne me réveille pas avec cette bête gigotant sous mes couvertures.

Tout le monde éclata de rire.

– J'aimerais bien voir ça, s'esclaffa Keven en faisant un clin d'œil à Oliver.

La soirée se poursuivit dans une atmosphère festive. Marie riait de tout ce que Jim racontait. Je ne l'avais jamais vue aussi radieuse. Keven engagea une conversation sur les voitures avec Ben et Alec, un sujet qui ne m'intéressait pas vraiment. Par moments, Oliver me chuchotait quelques mots à l'oreille, ce qui semblait déplaire à Mick qui se tenait à l'écart des discussions. Je m'excusai auprès d'Oliver en disant que j'avais deux mots à dire à mon ami.

– Hey… ça va?

– Ouais… Je vais bien, pourquoi?

– Tu ne me donnes pas cette impression-là.

– Non, je t'assure, insista-t-il en souriant cette fois, je vais bien.

J'en profitai pour échanger avec lui, et il retrouva la bonne humeur que j'aimais tant. Jim nous proposa quelques bières, ce qui ne manquerait pas d'amplifier le joyeux délire qui régnait déjà. Oliver vint nous retrouver et Mick l'accueillit plus gentiment. J'étais à la fois surprise et heureuse de les voir se serrer la main amicalement. Sa présence avec nous, ce soir, me faisait connaître un autre aspect de sa personnalité, que je croyais sérieuse et réservée. Il semblait apprécier la compagnie de mes amis et s'amuser également. Avant que la nuit tombe, Elyssa et Keven se retirèrent, suivis de Jamie et Alec. Ben proposa à son frère et à Oliver de rentrer aussi, à cause de tout le travail qui les attendait le lendemain. Ils nous remercièrent pour notre accueil et Mick les invita même à revenir encore. Oliver m'adressa un clin d'œil complice, signifiant qu'il m'attendrait aux maisons hantées. En guise d'acquiescement, je lui souris timidement. Marie me fit sursauter en enroulant un bras autour de mes épaules.

– Quelle belle soirée! s'exclama-t-elle, se laissant presque tomber dans mes bras.

Nous regagnâmes le chalet à notre tour et Marie s'écroula d'épuisement dans son lit sans même avoir pris le temps de se changer. Les filles dormaient déjà. Je m'étendis à mon tour, gardant l'œil bien ouvert, n'attendant que le moment propice pour rejoindre Oliver. Une fois la maison bien endormie, je m'éclipsai dans la nuit, malgré cette noirceur peu rassurante et la brise fraîche qui me fit frissonner. De nuit, l'aspect des lieux était métamorphosé : les maisons, tels des observateurs hostiles, s'alignaient, menaçantes, et le sifflement du vent contre les branches les faisait s'agiter nerveusement comme pour m'avertir d'un danger. Pour m'encourager, je me concentrai sur la présence d'Oliver qui m'attendait là-bas et j'enroulai mes bras autour de mon corps, je fermai légèrement les yeux et pris une bonne respiration avant de m'élancer sur le sentier menant à la première maison. Sans avoir à chercher Oliver des yeux, il apparut juste devant moi, prêt à m'aider pour me hisser à l'intérieur.

– Tu n'as pas eu trop peur?

– Tu parles! Tu n'aurais pas pu choisir un meilleur endroit?

– Viens, monte, me dit-il en m'agrippant fermement. Suis-moi.

Ma peur s'était quelque peu estompée, car sa présence à mes côtés me sécurisait énormément. Une fois au deuxième étage, j'aperçus une lueur au bout de couloir: Olivier y avait installé des chandelles et une couverture. Il s'abaissa au sol en m'invitant à ses côtés.

– Fais comme chez toi, chuchota-t-il.

– Tu as pensé à apporter tout ça? murmurai-je en me mettant à l'aise.

– Je me suis dit qu'on en aurait pour un bon moment avec cette histoire, alors... je voulais rendre l'endroit confortable.

– C'est réussi, en tout cas.

Les flammes des chandelles parfumées dansaient sur sa peau lisse, rendant son teint plus lumineux. Elles accentuaient ses yeux de neige qui brillaient dans l'obscurité: il était d'une beauté inégalable.

– Alors, souhaites-tu réellement savoir ce qui s'est passé ici?

Je hochai la tête, lui faisant comprendre que c'était bien la raison de ma présence.

– Sois attentive, car l'histoire remonte à deux siècles environ. Le Cabonga est avant tout un large territoire qui a été exploité pour la traite des fourrures et la pêche. Au 19e siècle, le Black Lake n'était pas ce qu'il est aujourd'hui. Ce n'était qu'un petit village d'une poignée d'habitants. Rien de ce que tu peux apercevoir présentement au camp n'y était à cette époque, à l'exception de ces deux maisons qui subsistent encore: celle où on est et la maison voisine. Les autres ont été démolies ou déplacées.

Il avait l'art de raconter et j'étais déjà captivée par son récit.

– La famille Miller habitait cette maison: un homme, une femme et leur garçon de 19 ans, prénommé Vincent, y coulaient des jours heureux. Son père, un bûcheron, avait aussi un atelier de tannage, d'où l'importance de la chasse et la pêche dans ses activités. La mère besognait au foyer. Quant à Vincent, ses parents l'obligeaient à fréquenter l'école, mais il apprenait aussi le métier de son père dans ses temps libres. Vincent était plutôt… comment dire, populaire dans les environs et apprécié de tous. Son seul problème, c'est qu'il faisait partie d'une bande de voyous irrespectueux des biens d'autrui et ne pensant qu'à faire des mauvais coups. Vincent ne volait pas, mais il savait comment garder le silence afin d'épargner ses amis. Le chef, un dénommé Jayson, faisait approuver chacune de ses décisions par la bande qui lui était très dévouée, les *Fidèles*, leur nom de clan. Jayson et Vincent, quoique très liés, entretenaient une amitié plutôt étrange, car leurs caractères opposés les menaient souvent à des confrontations. C'est ce qui s'est produit lorsque Vincent a fait la connaissance de…

Il hésita, comme pour chercher ses mots, mal à l'aise de terminer sa phrase.

– … lorsqu'il a fait la connaissance de Rachel.

– Qui est Rachel?

– Un jour, une famille a emménagé dans la maison voisine: un couple d'une quarantaine d'années et leur fille unique, Rachel qui avait le même âge que Vincent. Ravissante, un visage de porcelaine d'où émergeaient des yeux couleur noisette et une chevelure de «sirène blonde comme le blé», disaient les villageois sur son passage.

Oliver en parlait comme s'il l'avait déjà vue, et l'image que je m'en faisais était tout aussi réelle.

– Un soir de pluie, Vincent lisait, assis dans la pièce où on est présentement. C'était le bureau où son père faisait sa correspondance. Vois-tu la fenêtre, là-bas? Elle donne directement sur la chambre de Rachel. C'est par cette ouverture que Vincent a commencé à communiquer avec elle. Peu à peu, ils ont fait connaissance, restant chacun de son côté, à l'insu de tous. C'était excitant autant pour lui que pour elle.

– Mais… ils ont bien fini par se rencontrer à l'extérieur de leur maison, non?

Oliver me sourit, l'air mystérieux, avant de me dévoiler la suite.

– Un matin, Vincent est allé frapper chez elle pour lui souhaiter la bienvenue dans le village et lui proposer une promenade en bordure de la plage. C'était l'occasion rêvée pour apprendre à mieux la connaître. Ils s'entendaient à merveille et partageaient de nombreux points en commun. Mais, il a commis une imprudence qu'il regretterait sûrement aujourd'hui, s'il vivait encore.

– Qu'est-ce qu'il a fait?

– Il a présenté Rachel à ses amis.

Je commençais à deviner où il voulait en venir. Jayson allait sûrement être mêlé à cela, à voir la façon dont il me l'avait décrit : un être hypocrite, agressif et menteur. Difficile à croire que Vincent entretenait une relation avec lui.

– Rachel a accepté volontiers de rencontrer ses amis. Elle qui était si naïve et douce ne se méfiait pas de l'hypocrisie de Jayson.

– Jayson lui a fait du mal?

Je pouvais presque lire la réponse dans ses yeux.

– Il est d'abord tombé amoureux d'elle, car lorsqu'il désirait quelque chose, il fallait à tout prix qu'il l'obtienne, par n'importe quel moyen.

– Mais... Rachel ne l'aimait pas, c'est Vincent qu'elle aimait?

– Oui, et elle lui consacrait tout son temps. Ses sentiments n'allaient à personne d'autre qu'à Vincent.

Je détournai le regard vers la fenêtre où leurs échanges avaient lieu.

– Jayson s'est bien rendu compte qu'elle préférait Vincent. Contrairement à son habitude, il a gardé son sang-froid, préférant taire sa colère pour manigancer un complot contre elle.

– Un complot?

– Comme il n'acceptait pas le choix de Rachel, il a organisé un coup monté pour que tous les *Fidèles* se rangent de son côté, laissant Vincent dans l'ignorance totale. Un soir que Rachel était seule à la maison, il a eu l'audace de se rendre chez elle pour la prévenir d'un incident grave. Prenant un air affolé et dévasté, il lui a annoncé que Vincent s'était heurté la tête en sautant de la falaise de la mort. À l'époque, les adolescents pariaient sur qui avait le courage d'y sauter. Les chutes existent encore aujourd'hui, mais crois-moi, une fois pris à l'intérieur de ce courant, ton espérance de vie n'existe plus.

Il arrêta son récit quelques secondes, me regardant d'un air grave. Je me demandais bien comment son histoire allait se terminer.

– Que s'est-il passé ensuite?

– Rachel est partie sur-le-champ avec Jayson, vers les falaises. Les deux couraient dans les bois, terrorisés par l'issue de la tragédie.

Je ne voulais pas imaginer ce qui allait s'en suivre.

– Arrivée sur les lieux, elle s'est élancée jusqu'à la falaise pour essayer de repérer Vincent. Le courant était tellement tumultueux, qu'on n'y voyait qu'une énorme traînée d'écume blanche. À travers ces remous impétueux, elle ne l'a pas aperçu. Désespérée, elle s'est retournée vers Jayson, dans l'espoir d'obtenir son aide, mais il restait à la regarder, sans broncher, la fixant comme une proie, ne faisant plus semblant de se préoccuper de la recherche de Vincent. C'est à ce moment qu'elle s'est rendu compte que quelque chose ne tournait pas rond...

– Vincent n'a jamais sauté du haut de la falaise… murmurai-je, le souffle court.

– Exact… C'était un affreux mensonge.

Je n'étais vraiment pas certaine de vouloir entendre la suite, mais Oliver poursuivit son récit.

– Jayson s'est alors approché de Rachel sans retenue, lui faisant comprendre par ses attouchements grotesques qu'elle lui appartenait. Elle a essayé en vain de le repousser, mais la force de Jayson a eu raison de son innocence. Il s'est emparé de ses bras, la maintenant fermement contre lui, à la merci de ses désirs les plus odieux. Lorsqu'il a conclu qu'il s'était suffisamment amusé, il a ordonné à sa bande de *Fidèles* d'amener Vincent assister au spectacle. Il lui réservait le moment le plus excitant pour la fin.

– Quoi? Vincent était avec eux?

– Ils avaient piégé Vincent dans le seul but d'attirer Rachel vers la falaise.

Cette histoire commençait à devenir lourde en émotions et je ne me sentais pas trop bien.

– Quand Vincent a aperçu l'horreur où se démenait Rachel, il a tenté de se libérer pour lui venir en aide, mais ils étaient cinq contre lui. Jayson en a profité pour poursuivre ses infamies dans le seul but d'étirer la souffrance qui tenaillait Vincent. Puis, sadiquement, il a sorti son canif, l'arme avec laquelle il s'amusait à torturer de petits animaux inoffensifs. Rachel a subi, cette nuit-là, la plus atroce des tortures, car il l'a poignardée à plusieurs reprises.

J'eus un haut-le-cœur incontrôlable. Comment Vincent avait-il pu assister, impuissant, au meurtre sordide de la seule personne qu'il aimait?

– Suite à son délire maléfique, Jayson a posé le geste qui est aujourd'hui responsable de l'origine de cette légende.

Encore sous le choc, je n'osais imaginer qu'il y avait encore pire que l'horrible meurtre qu'il venait de commettre.

– Jayson a projeté Rachel en bas de la falaise.

Spontanément, je plaquai une main contre ma bouche…

– Il l'a projetée froidement dans le vide, ainsi que son canif, l'unique preuve qui aurait pu l'inculper. Vincent, hurlant de rage et de chagrin, a réussi à se libérer des mains des traîtres et s'est élancé sur Jayson. Il n'avait plus rien à perdre : qu'il saute ou non en bas de cette falaise, c'en était fait de sa vie à lui aussi, seul face à cette bande déchaînée. Supérieur à Jayson en force et l'effet de l'adrénaline décuplant sa puissance, il a sauté sur lui comme une bête sauvage, le projetant par terre et lui assénant de violents coups de poings au visage. De toute évidence, il allait le tuer. Voyant l'affrontement sanglant, deux des *Fidèles* sont partis chercher du secours et les deux autres se sont élancés pour tenter d'arrêter la fureur incontrôlée de Vincent. Jayson, défiguré, était paralysé au sol et Vincent continuait de se déchaîner aveuglément sur lui. Je ne crois pas qu'il l'aurait poignardé s'il avait eu le canif de Jayson, mais cette nuit-là, il a tout de même commis un meurtre lui aussi.

Je ne pouvais croire qu'un triangle amoureux ait pu mener à une telle tragédie.

– Les parents de Vincent sont arrivés les premiers. Sa mère a éclaté en sanglots et son père est immédiatement allé prendre son fils dans ses bras, l'éloignant du corps ensanglanté de Jayson.

– Jayson était déjà mort? demandai-je d'une voix tremblante.

– Vincent l'avait tué de ses propres mains.

C'était la plus horrible des histoires que j'avais entendues dans toute ma vie.

– Peu de temps après l'arrivée des parents de Vincent, ceux de Jayson et de Rachel sont apparus à leur tour, dans un état hystérique.

– Comment Vincent s'en est-il sorti après avoir tué Jayson?

– Il a été accusé de meurtre, évidemment. Quant à la disparition de Rachel, les *Fidèles* de Jayson ont affirmé qu'elle était accidentellement tombée de la falaise et leur complicité a eu raison des démentis de Vincent. C'est ainsi que la mort de Rachel a été classée définitivement. Les *Fidèles* ont vainement cherché à retrouver son corps afin de détruire toute preuve du crime, mais Rachel a emporté à jamais son secret dans les flots tumultueux.

Oliver soupira profondément, comme s'il était profondément attristé par ce terrible drame.

– Le lendemain du meurtre, Vincent s'est dirigé vers la falaise avec une idée bien arrêtée en tête. Ce n'était pas le fait d'aller en prison qui l'angoissait, mais plutôt l'idée de vivre avec l'image de Rachel sous la torture. Il ne se pardonnerait jamais de n'avoir pu la sauver. La légende dit qu'il s'est laissé tomber dans le courant et qu'on n'a jamais retrouvé son corps. Les deux familles ont vendu les maisons pour s'éloigner de ce lieu maudit. Plus personne ne les a revus par la suite.

Je regardai autour de moi cette pièce où s'étaient déroulées tant de souffrance et de douleur.

– Depuis ce drame, le village s'est éteint et on dit que les fantômes de ces trois adolescents errent toujours dans ces maisons. On ajoute que si, par malheur, quelqu'un osait les déplacer, il aurait à subir d'horribles souffrances.

Je sentais le regard d'Oliver posé sur moi avec attention. Il aurait peut-être voulu savoir ce que je pensais de cette histoire, mais il ne me le demanda pas.

– Comment deux personnes peuvent-elles s'aimer à ce point et être séparées d'une façon si tragique? murmurai-je d'une voix à peine audible. La vie est cruelle et injuste.

– Non… la vie n'est pas injuste, Cassy.

Il repoussa de sa main la mèche retombant sur mon visage.

– Les humains peuvent la rendre cruelle et injuste, mais à l'origine, la vie n'est pas ainsi. Au contraire, elle est un cadeau du ciel. Malgré tout, certains l'utilisent pour accomplir le mal de toutes sortes de manières.

Il avait raison.

– Oliver… tu parles de cette histoire comme si tu l'avais déjà vécue.

– Non, je te la raconte de la façon dont on me l'a racontée… c'est tout.

Je n'ajoutai rien. Je laissai le silence planer entre nous.

– Il se fait tard, on devrait peut-être rentrer.

Il éteignit les chandelles et ramassa les couvertures réchauffées par nos corps. En quittant la maison, je le remerciai de la confiance qu'il m'avait témoignée en me racontant cette histoire. Quand il me raccompagna au chalet, la noirceur paraissait encore plus opaque après ce récit bouleversant. Avant de repartir, il prit ma main délicatement en souriant, la rapprocha de ses lèvres et déposa un doux baiser à la surface de ma peau frissonnante. Ce premier contact me troubla le cœur et le corps.

– Bonne nuit, Cassy.

Je lui souris timidement, ne sachant comment exprimer toutes les émotions qui m'envahissaient. Je n'eus d'autre choix que de lui tourner le dos pour rentrer me coucher, encore remplie de la chaleur qu'il venait de me transmettre avec ce baiser inattendu.

8

La nuit

Je ne pouvais m'échapper de ses mains puissantes dont la pression étouffante m'étranglait. Je distinguais, au loin, les ombres floues d'individus dont je n'aurais pu préciser l'identité. Je reconnus toutefois mon assaillant dont je percevais le souffle rageur contre la peau de mon cou tendu : son crâne cicatrisé, sa mâchoire carrée, crispée dans un rictus de colère et sa peau translucide.

– Rachel, je vais te tuer. Tu vas mourir, et cette image de toi, impuissante et fragile, restera à jamais gravée en lui...

J'aurais voulu crier de toutes mes forces, mais j'étais paralysée. À l'instant où je rendais mon dernier souffle, je me réveillai dans l'épaisseur humide de mes couvertures. Depuis mon arrivée au Cabonga, les étranges visions de ce garçon qui m'avait hanté l'esprit avaient cessé. Mais cette nuit, suite à la terrible légende qu'Oliver m'avait racontée la veille, son identité venait de m'être révélée : je ne pouvais faire autrement que l'associer à Jayson. Je sautai hors du lit promptement, comme pour secouer mon malaise et revenir à une réalité plus rassurante. Le lit des filles était vide, à ma grande surprise, car elles avaient l'habitude de faire la grasse matinée. Je les rejoignis sur la véranda où elles jouaient au *Skip-Bo*.

– Hey, les filles! s'exclama Marie en pigeant cinq nouvelles cartes de son paquet. Devinez quoi?

– Qu'est-ce qu'il y a encore? soupira Elyssa qui désespérait de son jeu.

– Hier soir, Jim m'a dit qu'ils avaient aménagé récemment à Montréal et il m'a proposé un weekend de ski à leur chalet, cet hiver.

– Ils habitent à Montréal? commenta Elyssa.

– Oui, c'est un peu loin, mais je suis heureuse qu'il tienne à me revoir après les vacances.

Elle sourit, visiblement satisfaite de cette invitation démontrant qu'elle ne le laissait pas indifférent.

– Et toi? rajouta-t-elle en me fusillant du regard. Qu'est-ce qui se passe avec ton fameux Oliver?

– On veut tout savoir, rajouta Jamie, curieuse.

Pour la première fois en entendant son nom, des papillons tourbillonnèrent au creux de mon ventre.

– Il ne se passe rien…

– Arrête un peu, fit Marie, sceptique. Tu as quand même l'air intéressée.

– Je ne peux pas l'être… je ne le connais pas assez.

– C'est ça ton problème, Cassy. Tu répètes toujours le même argument. Eh bien… si tu veux un petit conseil d'amie, apprends à le connaître, et au plus vite!

– Mick ne semble pas trop l'apprécier, ajouta Elyssa.

Je ne pouvais nier le fait qu'il y avait eu un froid entre nous, mais rien d'alarmant, selon moi. Pour faire diversion, je fis mine de m'intéresser au jeu, tout en me remémorant la soirée de la veille. La scène du meurtre à la falaise de la mort me taraudait l'esprit, y compris ces cauchemars que je subissais à une fréquence inquiétante. Y avait-il un lien entre les deux ?

– Hé, Ho! Cassy! Sors de la lune! fit Marie en claquant ses mains devant ma figure.

Heureusement, Alec apparut, ce qui m'évita d'avoir à expliquer mon air absent. Il nous proposa d'aller faire du *wakeboard* sur le lac, au grand ravissement de Jamie, dont c'était le sport favori. L'idée me plut également. Il partit donc réveiller les gars pour qu'ils se joignent à nous. Pendant ce temps, Marie se précipita à la réception pour demander aux jumeaux et à Jackie un bateau pour la journée. En arrivant au quai, Ben et Jim s'affairaient déjà à préparer l'embarcation.

– Wow! C'est un sacré beau bateau! s'exclama Mick.

En effet, il était magnifique: une forme fuselée, un beige éclatant sous les rayons chauds du soleil et, sur le côté, une inscription en lettrage noir scintillant où on pouvait lire : *The Dawsons' Power*.

– Pourquoi *The Dawsons' Power*? m'informai-je, intriguée.

– C'est une idée de Jackie, me répondit Ben. Il a nommé le bateau en l'honneur de notre famille.

Jim prit place au volant tandis que son frère larguait les amarres en nous souhaitant une bonne matinée. L'espace intérieur était confortable : une banquette accueillante à la pointe, pour trois personnes, une autre, à l'arrière, ainsi qu'un siège conducteur et passager. L'eau du lac était encore d'un calme plat. Jamie ne tarda pas à enfiler son *wetsuit* et sauta à l'eau, sans hésitation.

– Regarde bien comment elle s'y prend, insista Alec qui lui avait déjà lancé la planche et la corde.

Jim s'assura qu'elle était prête et redémarra en accélérant la vitesse, ce qui la fit remonter à la surface. Avec agilité, elle maintenait son équilibre, traversant les vagues agitées provoquées par l'embarcation. Jim s'amusait à faire tourner le bateau afin de lui donner la chance de réaliser quelques acrobaties audacieuses. Elle nous éblouit par son habileté remarquable. Après s'en être donné à cœur joie pendant une dizaine de minutes, elle fit signe d'arrêter le moteur et rejoignit l'échelle arrière.

– Tiens, c'est à ton tour maintenant, me dit-elle, essoufflée, en retirant son équipement et ses vêtements glacés.

– Quoi? Non, pas maintenant.

– Allez, c'est super cool. Tu vas t'amuser, je te le promets.

J'enfilai de force l'équipement et sautai à l'eau, peu convaincue de mes chances de succès! Elle m'expliqua comment m'y prendre pour sortir de l'eau facilement et maintenir mon équilibre : attacher mes pieds à la planche, ramener mes genoux vers moi, tenir fortement la corde des deux mains, tirer très fort quand Jim démarrerait le moteur en essayant de sortir de l'eau horizontalement, pour ensuite me replacer verticalement... Beaucoup trop d'informations en si peu de temps. Aussitôt que Jim enclencha le moteur, la tension fut si forte dans mes poignets et mes avant-bras, que tout mon corps bascula vers l'avant, me faisant culbuter maladroitement, tête première sous l'eau.

– Cassy! Ça va? hurla Jamie.

J'étais déjà remontée à la surface, crachant avec dégoût l'eau avalée.

– Ouais, toussotai-je abondamment, tout est sous contrôle.

Tout le monde riait de la situation, y compris moi-même.

– Ce n'est pas grave, me rassura-t-elle, c'est normal. Il te faut plus de pratique. Si tu avais réussi du premier coup, je me serais sincèrement posé des questions.

Mes jambes étaient toujours fixées à la planche rigide. Malgré les conseils de Jamie pour m'aider à remonter à la surface, c'était peine perdue! Chaque fois que Jim démarrait le moteur, mon corps culbutait vers l'avant et je m'enfonçais, tel un poids lourd, dans l'eau. Je finis donc par céder ma place à Mick qui se mourait d'impatience. Évidemment, il réussit du premier coup, tout comme Elyssa, Keven et Marie, dont les compétences me rendirent un peu jalouse. Jim nous dévoila également son prodigieux talent, laissant Alec conduire le bateau puisqu'il savait manipuler ce genre d'embarcation. Un peu avant le coucher du soleil, nous reprîmes la direction du camp, où Ben nous attendait patiemment.

Chacun retourna à son chalet, se préparer pour le souper, car le grand air et ces acrobaties nous avaient ouvert l'appétit. Après une bonne douche vivifiante, je mis au four la lasagne que ma mère nous avait aimablement cuisinée et me rendis à la réception pour chercher quelques bières. J'y trouvai la porte légèrement entrouverte et surprit, à mon grand étonnement, une conversation qui me concernait. Silencieusement, je me penchai vers la porte entrebâillée.

– Oliver n'est pas prudent, chuchota Ben.

– Ben, soupira Jackie, combien de fois dois-je te le répéter? On ne peut rien y faire pour l'instant. Oliver a franchi les limites, et on ne peut plus revenir en arrière. C'est trop tard.

– Mais, on n'a qu'à le raisonner, Jim et moi... Je vais lui parler pour lui faire comprendre que ses agissements ne font qu'aggraver la situation, soupira-t-il avec colère. Jackie, on a le contrôle depuis des années maintenant. Si Oliver pousse les choses avec Cassy, on risque de provoquer le plus grand des dangers.

– Oliver ne voudra rien entendre. Je le connais bien!

– Mais raisonne-le! s'écria Ben en tapant sur le bureau. Raisonne-le un peu!

Jackie semblait garder son calme. De mon côté, je commençais à ressentir la moiteur de mes mains.

– Ben, ce qui est en train de se passer est un phénomène bien plus compliqué qu'on ne le pense. C'est même plutôt rare… Tout ce qu'on peut faire, c'est attendre et voir l'évolution des événements. Lorsqu'il sera temps d'agir, on le fera. Mais d'ici là, je vous assure qu'il n'y a rien d'autre à faire.

– On avait pourtant averti Oliver de se tenir à l'écart et de suivre les règlements du camp. On lui avait clairement mentionné de surveiller ses agissements. Et maintenant, c'est tout le contraire. Il est de plus en plus présent et apparaît quand bon lui semble. Qu'est-ce qu'on va faire si les choses tournent mal?

– C'est une situation très délicate, soupira Jackie. On va discuter tous les deux, car on a une grande confiance l'un envers l'autre.

– On ne peut pas lui faire confiance!

– Tu te trompes! Je vais vous demander de garder l'œil ouvert et, si par malheur un danger devenait imminent, on sera préparés à intervenir.

– Je n'arrive pas à y croire!

– On ne peut pas choisir le destin, Ben. Tu ne pourras rien y changer.

Je ne comprenais absolument rien à cette conversation, mais je me doutais bien qu'elle avait un lien avec la légende des maisons hantées. De toute évidence, je n'étais pas censée l'entendre. Ben semblait s'inquiéter du comportement inapproprié d'Oliver. Hormis son accoutrement provocateur, je ne trouvais pas qu'il représentait une menace pour quiconque. Sans réfléchir davantage, je frappai à la porte. Il y eut un silence avant qu'on me réponde.

– Entrez! s'exclama Jackie d'un ton qu'il voulait naturel.

Je repris contenance, tentant de dissimuler mon malaise, et les saluai, surprise d'y trouver Jim qui ne s'était pas manifesté dans cette conversation. Je demandai une caisse de bières pour la soirée, et Jackie partit la chercher pendant que les jumeaux me fixaient d'un air embarrassé.

– As-tu passé une belle journée? questionna Ben, comme pour briser ce lourd silence.

Il arrivait mal à dissimuler son embarras, tout comme moi qui tentais d'analyser ce que je venais d'entendre.

– Oh… ouais. J'ai été une vraie nulle en planche, mais c'était agréable comme journée.

Jim émit un rire forcé à l'évocation de ma piètre performance.

– La première fois que j'en ai fait, je n'ai pas réussi non plus. Mais, une fois que tu arrives à remonter à la surface et que tu sais comment maîtriser ton équilibre, tu peux le refaire à volonté. C'est de la pratique qu'il te faut.

– Mouais… j'imagine.

Jackie arriva avec la bière, me demandant de lui rapporter les bouteilles vides et de voir à ce qu'il n'y ait pas d'abus pour éviter les accidents. Je lui dis de ne pas s'inquiéter, que je surveillerais tout le monde. Je lui rendis un sourire forcé et sortis avec empressement sans saluer les jumeaux. Que faire de cette conversation entendue à la sauvette? En parler avec Oliver ou tout simplement me taire? Je sentais naître l'inquiétude, mais sans savoir vers qui ni quoi diriger ma peur.

– C'était long! s'impatienta Marie.

– Je parlais avec les jumeaux.

Je déposai la bière sur la table et Keven en ouvrit une immédiatement. Le souper était servi, mais mon appétit était en panne. J'adorais la lasagne de ma mère, mais ce soir, rien ne passait. Jackie et les jumeaux semblaient prendre la protection du camp très au sérieux. Quelque chose ne tournait pas rond ici, et il y avait peut-être une autre raison à l'absence si fréquente d'Oliver à la pourvoirie. Une idée saugrenue me traversa l'esprit subitement.

– On pourrait aller passer la nuit dans les maisons hantées, ce soir?

– Tu parles sérieusement? fit Mick, la bouche à moitié entrouverte.

– Moi, j'aimerais ça! renchérit Elyssa.

Marie et Jamie ne semblaient pas du même avis. Mick repoussa son assiette devant lui.

– Il n'est pas question que vous y alliez toutes seules, alors… je viens avec vous!

– Je viens aussi, marmonna Keven en léchant l'intérieur de son assiette.

Alec s'ajouta aussi. Il ne manquait que Marie et Jamie que je suppliai de se joindre à nous. Jamie invoqua sa crainte d'être attaquée par des loups. Je leur rappelai la promesse de Jackie de nous offrir cent dollars si nous y passions une nuit complète, ce qui fit fléchir Marie. Par crainte de rester seule, Jamie accepta à contrecœur, nous avisant qu'elle hurlerait si quoi que ce soit d'inquiétant survenait.

Nous attendions donc le moment opportun pour nous y rendre sans êtes vus. Quand la tranquillité du camp nous le permit, nous décidâmes de former deux groupes. Mick, Jamie, Alec et moi arrivâmes en premier, puis Marie, qui connaissait déjà le chemin, nous rejoignit avec Elyssa et Keven. Une fois devant la première maison, Jamie paniqua et tenta de faire demi-tour, mais Mick la rattrapa par les épaules, lui disant d'imaginer que c'était une maison comme les autres.

– Tu veux rire? Il n'y a même pas de marches, ni portes, ni fenêtres! Tu appelles ça une maison comme les autres? N'importe quelle bête pourrait se faufiler ici.

Faisant mine de l'ignorer, je m'enfonçai à travers les herbes hautes menant à l'entrée et Mick ne tarda pas à venir me rejoindre. Il s'agrippa facilement au palier et me tendit les mains pour m'aider à me hisser. Il fit de même avec Elyssa, Marie et Jamie, laissant les gars monter seuls en dernier. Mick dirigea le faisceau de sa lampe de poche vers l'escalier que nous montâmes l'un derrière l'autre, en silence, sauf Jamie, qui ponctuait son ascension de petits gémissements de dégoût. Connaissant les lieux, je les avisai de faire attention au trou dans le plancher.

– Je n'y vois rien! se lamenta Jamie. Comment veux-tu que je m'aperçoive qu'il y a un trou! BEURK! Il y a des toiles d'araignées partout.

N'écoutant plus ses lamentations, je les conduisis à l'endroit où Oliver m'avait raconté la légende de la maison l'autre nuit. Mick étala une couverture au sol et nous nous assîmes en cercle sur le plancher grinçant. Je m'installai entre lui et Elyssa, tandis que Jamie en profita pour se blottir dans les bras d'Alec. Mick éteignit la lampe de poche, ce qui nous plongea dans une obscurité totale. Jamie hurla de terreur : elle n'allait décidément pas survivre à cette nuit blanche et elle menaça de partir.

– Si tu ne restes pas toute la nuit, chuchota Keven, Jackie ne nous donnera pas les cent dollars promis.

– Il a raison, confirma Alec en lui flattant les cheveux.

– Je m'en moque de l'argent. Tout ce que je veux, c'est m'en aller.

Nous restâmes ainsi un bon moment à blaguer et à faire peur à Jamie. Craignant que les bruits n'alertent quelqu'un, je leur fis baisser le ton. Je gardais pour moi le véritable motif de ma présence ici. Personne n'était au courant de mes appréhensions ni de la vraie légende des maisons hantées.

– Alors... murmura Keven après un bref silence, qu'est-ce qui est censé se passer?

– Eh bien... logiquement, poursuivit Mick, les fantômes d'Amérindiens sont supposés venir nous torturer, ou quelque chose du genre.

– On aurait dû apporter des chandelles pour faire un genre de rituel, ça aurait été marrant!

Jamie, terrorisée, se boucha les oreilles. Je fis signe aux garçons de cesser leurs mauvaises blagues. Mick en profita pour se rapprocher de moi. L'air frais, pénétrant par la fenêtre, et la peur qui m'habitait me firent apprécier la chaleur de mon ami. Soudain, Keven se leva, attirant notre attention sur un mouvement qu'il venait de percevoir dans la pièce voisine. Marie se recula dans les bras d'Elyssa et nous entendîmes un craquement venant du couloir. Paniqués, nous nous recroquevillâmes dans le fond de la pièce. Jamie hurlait de peur tandis que Marie tremblait de tous ses membres. Moi, j'étais agrippée au corps de Mick, tentant de percevoir quelque chose dans cette obscurité totale. Puis, soudain, après des secondes interminables, Keven émit un rire sonore à nous casser les oreilles.

– Je vous ai bien eus! HAHA! Mais vous êtes vraiment tous des trouillards!

Sincèrement, il méritait de se faire balancer par la fenêtre. Jamie l'injuria, folle de rage. Encouragé par Mick, il continua de se moquer malgré tout. Marie se mit alors à les bousculer, ce qui engendra une mêlée à trois. À travers leurs chamailleries, ce fut à mon tour de percevoir un bruit provenant du premier étage, mais cette fois, ce n'était pas une mauvaise blague.

– SHUT! Écoutez…

Tout le monde figea, le souffle suspendu. Nous entendîmes l'écho de pas résonner au rez-de-chaussée. Marie se tourna vers moi, le visage apeuré.

– Ça, ce n'est pas une blague...

– Oh non, oh non! sanglota Jamie. Je veux partir d'ici!

– Trop tard maintenant, coupa Marie.

Soudain, j'entendis la voix d'un garçon qui gémissait en murmurant des mots incompréhensibles.

– Entendez-vous?

– Il y a quelqu'un en bas, chuchota Keven, on entend des pas.

– Oui… mais, il y a quelqu'un qui pleure, ajoutai-je.

Les paroles du garçon étaient plus claires à présent.

– Rachel… tu ne peux pas t'en aller, j'ai besoin de toi!

Je reconnus immédiatement sa voix.

– Oliver?

Mes amis me regardèrent d'un air inquiet. Je n'avais quand même pas halluciné!

– Cassy… ça va? s'inquiéta Mick.

– Je m'en vais! s'énerva Jamie.

La voix d'Oliver résonnait encore en bas. Mon cœur se mit à battre de plus en plus fort quand j'entendis les pas se diriger vers l'escalier.

– Seigneur! s'affola Marie, il monte...

Jamie tremblait dans les bras d'Alec et, Elyssa, morte de peur aussi, s'agrippait à l'épaule de Keven.

– Je savais qu'il aurait fallu rester au chalet, gémit-elle.

Je ressentis un pincement au fond de la poitrine. Pourquoi Oliver aurait-il prononcé le nom de Rachel, celle qui avait connu une fin tragique dans la légende? Était-il lié à cette histoire? Confuse, je sentis l'urgence d'aller le retrouver. Sans réfléchir, je bondis et me dirigeai à tâtons vers les escaliers.

– Cassy! s'écria Mick en me rejoignant. Qu'est-ce que tu fais?

Il m'agrippa le poignet et avant même d'avoir eu le temps d'atteindre la première marche, Ben et Jim surgirent devant nous.

– Cassy? Qu'est-ce que vous faites ici?

Je restai sans voix, estomaquée par cette apparition inattendue. Les autres se précipitèrent, soulagés de les voir.

– Ben! soupira Mick qui me tenait toujours par le bras.

– Lâche-moi, dis-je en retirant sa main. Où est-il? Où est Oliver?

– Il est parti à la chasse…

Sans répondre, je m'apprêtais à quitter les lieux quand Ben me rattrapa par l'épaule dans l'escalier.

– Laisse-moi!

– Oliver est parti chasser, je t'ai dit. Tu ne le retrouveras pas.

– Tu mens! répliquai-je, les yeux au bord des larmes.

– Cassy! Calme-toi et je te relâche ensuite.

– Vous m'avez menti dès le début… Vous m'avez tous

menti! Je l'ai entendu. Je l'ai entendu pleurer… il appelait Rachel.

– Mais, qu'est-ce que tu racontes? Tu divagues! Oliver est parti chasser cette nuit.

Je ne pouvais rester une minute de plus dans cette maison.

– Je m'en fiche! J'ai besoin de mettre les choses au clair avec lui.

– Cassy, regarde-moi. Tu n'as rien à clarifier avec lui, car il ne s'est rien passé. Tout ce que tu as entendu, ça venait de Jim et moi. On vous a vus traverser le camp en deux groupes pour rejoindre les maisons, alors on est venus voir ce que vous faisiez ici…

Il ne cherchait qu'à détourner le sujet.

– Non… insistai-je, quelqu'un pleurait. Oliver était avec vous… et… et j'ai besoin d'aller lui parler.

– Personne ne pleurait. Écoute… C'est la peur qui t'a fait imaginer tout cela.

Je le fixai sans rien dire, mais son regard immobile ne le trahit pas. Il savait de quoi je parlais. Mick se tenait en haut des escaliers, me dévisageant, l'air ébranlé par la situation.

– Cassy, chuchota Ben en me serrant les épaules de ses mains fermes, arrête de t'en faire. Je te ramène au chalet, d'accord?

Le fusillant du regard, je lui tournai le dos et dévalai le reste de l'escalier. Avant de sauter sur le talus, je l'entendis donner ses ordres à mes amis, restés à l'étage, probablement sidérés par mon comportement.

– Jim! s'écria-t-il, autoritaire, fais redescendre les autres! On sort tous d'ici.

9

Réconfort

– Tu n'as pas l'air en forme?

Encore en pyjama, Elyssa était assise à mes côtés. Je me contentai de hausser les épaules, songeuse.

– Cassy, c'est normal que tu aies eu peur. On a tous eu la frousse.

Je l'écoutais sans rien dire. Comme je ne m'étais confiée à personne, difficile pour elle de comprendre la confusion qui m'habitait. D'autant plus que j'avais été la seule à entendre la voix d'Oliver cette nuit-là.

– L'as-tu revu?

– Qui?

– Eh bien, Oliver…

– Non, bredouillai-je en me levant promptement du canapé.

– Hey… où tu t'en vas comme ça?

– Je vais prendre un peu d'air.

– Veux-tu que je vienne avec toi?

– Non, je préfère être seule…

Aussitôt sortie, je me dirigeai instinctivement vers la réception. N'apercevant que Shadow au bas des marches, je m'abaissai pour caresser son lourd pelage. Il devait se réjouir de la journée plus fraîche qui s'annonçait. Je passai une main légère entre ses longues oreilles pointues, le grattant jusqu'au cou. Il plissa les yeux en signe de contentement. Lui, au moins, ne pouvait ni me juger ni me contrarier. Le laissant à sa sieste, je me rendis à l'extrémité du quai, d'où je contemplai un moment le merveilleux paysage. La fraîcheur venant du lac m'apaisa l'esprit : comme c'était bon de respirer cet air pur plutôt que l'atmosphère viciée de la ville.

– Hey… ça va? s'informa Mick que je n'avais pas entendu arriver.

Comme à son habitude, il portait l'une de ses nombreuses casquettes fétiches, retournée sur sa tête. Ses cheveux encadraient son doux visage, que le soleil des derniers jours avait légèrement bronzé.

– Tu n'étais pas dans le chalet ce matin…

– Bonne déduction!

Je restais distante, sentant qu'il surveillait le moindre de mes gestes, me contentant de balancer mes pieds à la surface de l'eau.

– Je suis allée me promener un peu, me repris-je, honteuse de lui avoir répondu sur un ton sec qu'il ne méritait pas.

Après un court silence inconfortable, il me proposa de l'accompagner en kayak. Cette activité contribuerait peut-être à dissiper toute cette angoisse qui me hantait depuis deux jours. Je succombai donc à son enthousiasme et nous regagnâmes la réception où Jackie nous accueillit amicalement.

– Bonjour vous deux!

Malgré ses nombreuses tâches, son sourire était toujours des plus chaleureux. Son allure d'homme des bois s'accentuait de jour en jour : barbe négligée et longs cheveux bruns emmêlés, remontés en chignon sur sa tête.

– Que puis-je faire pour vous ce matin?

– Ben et Jim m'ont dit que je pouvais emprunter le kayak, s'informa Mick.

– Oui, c'est vrai, les gars m'en ont glissé un mot. Ils sont partis travailler sur le sentier de chasse, et je ne crois pas qu'ils reviendront avant ce soir. Laissez-moi cinq minutes et je vous l'apporte au Cap de roche, ça vous va? N'oubliez pas de prendre deux ceintures de sécurité en passant.

– Parfait!

Nous regagnâmes le bord de l'eau où Jackie devait nous rejoindre.

– As-tu déjà fait du kayak?

Sans lui répondre, je le regardai d'un air maussade.

– Quoi? C'est une question comme les autres, grimaça-t-il.

Je le repoussai gentiment.

– Mais oui, j'en ai déjà fait! Au chalet de mon oncle, quand j'étais plus jeune.

– Alors, tu sais comment pagayer?

– Bien sûr que je sais! Comme n'importe qui!

Il passa un bras autour de mon cou.

– Je te taquine!

– Ouais, c'est ça, dis-je en me dégageant un peu. Je n'ai pas le cœur à rire...

Jackie arriva, traînant le kayak vert lime sur la plateforme arrière de son quatre-roues et il le déposa habilement sur l'eau calme. Il nous avisa de ne pas dépasser une île qu'il pointa du doigt, au loin, et surtout, de revenir avant le coucher du soleil. Il retourna au travail en nous souhaitant de bien nous amuser!

– Pour une fille qui a déjà fait du kayak, franchement, tu n'as pas l'air très habile pour enfiler ta veste de sauvetage! Allez, approche… me chuchota-t-il tendrement.

Je le toisai d'un regard sévère, tout en acceptant son aide.

– Voilà! Tu ne devrais pas couler sous l'eau de cette manière, fit-il en ajustant gentiment la courroie.

Je lui adressai une grimace affectueuse. Prudemment, je me glissai à l'intérieur du kayak avec moins d'équilibre que je l'aurais cru. Mick le stabilisa avant d'y entrer à son tour et me passa une pagaie. Marquant la cadence d'un mouvement harmonieux, nous filâmes sur l'eau miroitante, en direction des montagnes.

– Tu vois l'île, là-bas?

– Celle que Jackie nous a interdit de dépasser?

– Ouais! On pourrait aller y jeter un petit coup d'œil.

– Il nous a interdit d'aller aussi loin, tu ne t'en souviens déjà plus?

– Il nous a dit de ne pas la dépasser… Alors, techniquement, on peut y accoster. Allez, ce n'est pas si loin!

Je finis par consentir, malgré la distance aller-retour qui ne manquerait pas de nous épuiser. Nous accostâmes sur une petite plage sablonneuse ne faisant que quelques mètres de large. L'île était surmontée d'une colline d'où émergeaient d'imposants rochers entourés de sapins. Le soleil n'avait pas encore atteint ce côté de la montagne. Je m'assis sur le sable, contemplant la beauté qui s'offrait si généreusement à nous.

– Cet endroit est si calme… murmurai-je à mi-voix.

– Ouais, je viendrais bien faire du camping sauvage sur cette petite île.

– Mes frères m'envieraient de voir où je suis présentement.

Je fis glisser les grains de sable tiède entre mes doigts : c'était bon de sentir ce contact avec la nature. Me prélasser sur cette plage déserte m'aidait à m'aérer les idées. Je respirai l'air frais, l'odeur des sapins et de la forêt qui me rappelaient les fins de semaine de camping en famille. L'eau glacée du lac me faisait frissonner chaque fois qu'une vague venait caresser la surface de mes pieds nus.

– Cassy…

Les yeux fermés, j'étais perdue dans mes pensées. Je me tournai vers Mick qui semblait vouloir me confier quelque chose d'important. Il paraissait troublé, le regard rivé au sol.

– Hum… Je sais que tu n'as peut-être pas très envie d'en parler, mais… j'ai l'impression que tu es tracassée ces temps-ci.

Je m'attendais à ce qu'il aborde le sujet tôt ou tard. En guise de réponse, je détournai le regard vers le large.

– Tu m'as fait peur hier soir, avoua-t-il d'un ton doux. Tu avais l'air… tourmentée. Tu caches peut-être quelque chose, et je respecterai ton choix, si c'est le cas. Mais… je veux que tu saches que je serai toujours là pour toi.

Il avait le don de détecter mes humeurs : il avait deviné mes états d'âme et mon besoin d'en parler. Mais cela m'était impossible, puisqu'il n'était pas au courant de la légende. J'aurais tant aimé pouvoir lui dire toute la vérité!

– Euh… non, je vais bien.

– Cassy, je suis ton meilleur ami. Je sais reconnaître quand quelque chose t'inquiète.

C'était un soulagement de sentir Mick à mes côtés : il faisait preuve de compréhension, sans me pousser à lui dévoiler mes sentiments.

– Hier, poursuivit-il, quand tu parlais à Ben, je te regardais du haut des escaliers. Je ne saisissais pas trop ce qu'il essayait de te faire comprendre, mais tu semblais…

– J'ai eu peur, c'est tout.

– Tout le monde a eu peur. Il y a autre chose qui te tracasse… Tu voulais revoir Oliver. Je suis sûr qu'il s'est passé quelque chose…

– Je t'assure qu'il ne s'est rien passé… J'ai simplement cru entendre sa voix. J'ai pensé qu'il était là, dans la maison.

– Ce n'était que les jumeaux. Ils nous avaient suivis jusque-là.

– Mouais…

Je voulais lui laisser croire que j'étais de son avis. Contemplant l'eau calme devant moi, je sentis un doux réconfort m'envahir malgré le sable froid. Mick enveloppa tendrement ma main dans la sienne, tout en caressant la surface de mes doigts. Je ne la retirai pas. Ce petit geste rassurant chassa momentanément mes idées sombres. Quelle belle façon il avait de me dire qu'il serait toujours là pour moi.

– Ce sera notre petit coin secret… si jamais tu veux m'en parler, d'accord?

En guise de réponse, je lui rendis un sourire amical qui sembla le rassurer. Il se leva en retirant sa casquette pour libérer sa chevelure châtaine et me proposa d'aller faire une longueur dans le lac. Il enleva son chandail, dévoilant ainsi sa musculature parfaite que je ne pus m'empêcher de contempler : des épaules bien définies, des abdominaux comme tous les gars en rêvent! Je comprenais pourquoi la majorité des filles étaient folles de lui. Il avait tous les charmes, en plus d'être musicien et chanteur d'un groupe rock. Les filles avaient un penchant pour ce genre de critères.

– Qu'est-ce que tu attends pour venir te baigner?

Bien sûr, je ne lui révélai pas les observations flatteuses à son sujet. Je prétextai que je n'avais pas mon maillot et que je préférais relaxer sur la plage. Ne se préoccupant pas de mes remarques, il me saisit de force dans ses bras musclés et avança dans le lac, malgré mes protestations et mes rebuffades amusées. Il faisait la sourde oreille tout en me tenant fermement contre lui. L'eau nous arrivait maintenant jusqu'à la taille. Je m'agrippai à son cou, l'implorant de me ramener sur la plage. Au contraire, il s'éloigna davantage jusqu'à ce nous soyons complètement immergés.

– Oh toi! Je te déteste! hurlai-je, furieuse.

Faisant mine de m'ignorer, il disparut sous l'eau, en nageur habile qu'il était. Je tentai en vain de le suivre, mais je n'arrivais pas à le repérer. Je nageais sur place, attendant qu'il remonte.

– Tu m'enrages… marmonnai-je.

D'un coup sec, il saisit ma cheville, m'entraînant au fond, où je restai quelques secondes avant qu'il se décide à me relâcher.

– Tu cherches vraiment le trouble, dis-je en recrachant l'eau que j'avais avalée.

Il se moqua gentiment, mais voyant mon humeur exécrable, il s'excusa en me prenant dans ses bras. Je me dégageai en le repoussant, mi-fâchée, mi-moqueuse, et regagnai la plage. Essorant mes longs cheveux, je les attachai en tresse sur le côté.

Je fis de même avec ma camisole mouillée. Il se pencha et me lança son long chandail pour se faire pardonner. Ainsi vêtue, j'avais l'air de porter une robe. Me camouflant sous l'épaisseur de ma ceinture de sécurité, je récupérai ma place à l'intérieur du kayak. Le vent fort soufflant à contre sens ralentit notre périple de retour. Exténuée, les muscles de mes avant-bras endoloris par tant d'efforts inhabituels, je soupirai d'aise en apercevant Jackie sur le bout du quai.

– Bon sang, vous avez chaviré ou quoi?

– On a eu envie d'un petit rafraîchissement, avoua Mick, content de son humour que je saluai d'un regard agacé.

– Je vois ça, s'esclaffa-t-il. Et puis, le kayak était bien?

– Il est génial!

– Il est mieux d'être génial, ricana-t-il en prenant nos ceintures. Au prix qu'il m'a coûté!

Laissant Jackie rapporter le kayak à la grange, nous retournâmes au chalet raconter notre excursion à nos amis, leur conseillant même d'aller en faire, un autre jour. Le reste de la journée s'était déroulé dans une atmosphère agréable, les jumeaux s'étant joints à nous pour une partie de volley-ball, malgré la charge de leurs occupations. Par la suite, des conversations légères avec une bonne bière froide avaient précédé la préparation du souper pour nos estomacs affamés. Au menu, de délicieux hotdogs sur la grille, accompagnés d'une bonne musique d'ambiance : que demander de mieux? Lorsque les étoiles se mirent à scintiller, nous nous rendîmes autour du feu commun pour griller nos guimauves, une petite routine que nous aimions bien. Personne n'évoqua l'incident de la maison hantée, comme si elle n'existait plus. Emmitouflés dans nos couvertures, nous parlions de choses et d'autres quand Mick décida, malgré l'heure tardive, de s'accompagner à la guitare acoustique. De sa voix douce, il entonna *Tears in Heaven*, du célèbre guitariste, Eric Clapton, une ballade à la fois apaisante et mélancolique qui nous plongea tous dans un moment de pure détente. Un visiteur inattendu, Tristan, s'était faufilé à mes côtés. Je croisai mes doigts pour que ses parents ne se rendent pas compte de sa petite escapade sans permission. Outre cette inquiétude, il y en avait une autre qui m'importait davantage : l'absence d'Oliver suscitait en moi tant de questionnements inexplicables. Mon envie de le revoir était si intense. J'aurais aimé qu'il se joigne à nous. Assise autour du feu réconfortant, je sentais qu'il y avait une place vide. Pour ne pas relancer le débat, je ne passai, bien sûr, aucun commentaire, mais je ne pus m'empêcher de jeter des regards discrets en direction des maisons hantées, dans l'espoir de peut-être l'apercevoir.

10

Le fantôme du Cabonga

Je les aperçus tous les deux, m'attendant près de la fenêtre brisée du deuxième étage de la maison hantée. Je reconnus parfaitement celui qui était agenouillé et qui me pointait du doigt : c'était Jayson, celui qui m'obsédait depuis quelque temps. Son impressionnante silhouette massive était recouverte d'une cape noire et luisante. À ses côtés, Oliver, toujours aussi élégant, dégageait une chaleur réconfortante. Je m'avançai vers lui, dans l'espoir qu'il saurait me protéger. Lorsque je traversai la pièce pour trouver refuge dans ses bras, le traître hypocrite et menaçant se redressa et m'adressa la parole pour la première fois.

– Oliver ne t'a donc pas dit la vérité, osa-t-il affirmer. Il t'a menti sur notre véritable nature et la puissance de nos pouvoirs.

J'écoutais ses paroles provocantes sans oser le regarder.

– Oliver, j'ai peur, soufflai-je en me réfugiant tout contre lui.

Il déposa sa main derrière ma tête, comme pour me protéger.

– Jayson, tu ferais mieux de disparaître. Laisse-la tranquille.

– Elle est celle qui me délivrera. Je n'abandonnerai jamais… JAMAIS!!!

Il avait crié tellement fort sa rage que j'en avais les tympans endoloris.

– Oliver…

Ce fut le dernier mot que je réussis à prononcer avant d'ouvrir les yeux et d'apercevoir, encore une fois, la chambre familière de notre chalet.

J'en avais marre de me réveiller ainsi, tout en émoi, ressentant les pulsations anormales de mon cœur agité. Tout cela commençait à m'ébranler, et il n'était pas question de laisser cette histoire me torturer ainsi. Il me fallait mettre Oliver au courant de tout ce qui m'était arrivé depuis mon arrivée au Cabonga : la conversation étrange entre Jackie et les jumeaux, cette voix mélancolique, la nuit de notre passage dans la maison hantée, ainsi que ces nombreux cauchemars qui me perturbaient. Je bondis hors du lit avec une telle rapidité, que j'en fus tout étourdie. J'enfilai un short et une camisole et me précipitai hors de la chambre.

– Hey, bon matin, Cassy, s'esclaffa Keven, enjoué.

Plongé dans son bol de céréales au chocolat, je l'ignorai, me dirigeant tout droit vers l'extérieur.

– Qu'est-ce que tu fais? m'interpella Marie, une revue à la main.

Sans m'arrêter, je lui mentionnai que j'allais téléphoner à ma mère et filai directement à la réception. Je ne voulais surtout pas dévoiler à mes amis le plan que j'avais en tête. De toute façon, ils n'y comprendraient rien. Je trouvai Jackie à son bureau, comme à l'habitude, surchargé de paperasse inutile. J'étais toujours un peu mal à l'aise de le déranger dans son travail.

– Salut, Jackie...

– Hey, ça va bien ce matin?

Je ne lui répondis pas. Il délaissa son ordinateur pour se tourner vers moi.

– En quoi puis-je t'aider?

– Euh... Je suis désolée de te déranger, mais... j'aurais besoin de parler à Oliver.

– Oliver est arrivé cette nuit de la chasse, fit-il, hésitant, et il est reparti ce matin, vers 5 h. Je ne crois pas qu'il soit de retour avant la tombée de la nuit.

Ce qu'il me disait n'avait aucun sens : comment une personne normale pouvait-elle chasser pendant plus de douze heures d'affilées?

– D'accord... hum... Tu lui diras que je suis passée le voir.

Je m'apprêtais à sortir lorsqu'il m'interpella.

– Cassy...

– Oui? répondis-je sèchement.

– J'ai préparé le bateau, alors... si vous voulez faire de la planche, Jim pourrait vous accompagner aujourd'hui. Tu n'as qu'à avertir tes amis.

J'approuvai d'un signe de tête. Je me moquais bien de cette journée en bateau. Tout ce que je souhaitais, c'était de comprendre pourquoi Oliver n'était jamais au camp. De toute évidence, Jackie mentait : chasser de nuit comme de jour était humainement impensable. Je regardai l'immensité de la forêt, essayant d'imaginer qu'Oliver se trouvait dans ce labyrinthe faunique. Cette fois-ci, je ne bifurquai pas en direction de mon chalet, mais je décidai plutôt de partir à sa recherche. S'il avait comme mission de surveiller le camp, il ne devait pas être si loin. Sans me faire voir, je me dirigeai vers l'arrière de la réception, jusqu'à l'entrée principale, passai devant le terrain de stationnement et regagnai l'orée de la forêt. Je n'avais aucune idée de la direction à emprunter. Je risquai quelques pas dans cette densité de verdure, tassant délicatement les branches et le feuillage afin d'éclaircir le passage. Étonnamment, je ne trouvai aucun sentier tracé qui aurait pu me mettre sur une piste. Je restai donc très attentive aux moindres bruits et détails. Par moments, je regardais derrière, mais déjà, la forêt se refermait sur moi. Cela aurait dû semer une certaine panique en moi, mais je n'avais absolument aucun remords d'avoir quitté le camp.

– Oliver!

Seul l'écho répondit à mon appel. Soudain, j'aperçus un étroit sentier que je décidai d'emprunter : quelqu'un y passait donc régulièrement. Il s'enfonçait profondément dans la montagne en suivant une pente abrupte. Je m'agrippai aux troncs qui en obstruaient le passage, me facilitant la montée. Je débouchai sur une petite clairière, entourée d'arbres et de sapins volumineux, dont le sol plat me permit de continuer mon ascension normalement. J'avais les jambes molles et engourdies. Il ne fallait absolument pas que je trébuche, de peur de tomber dans le ravin que je longeais, à ma droite. J'essayai de ne pas trop le regarder, par crainte d'avoir le vertige.

– Oliver! S'il te plaît..., suppliai-je, réponds-moi!

Je scrutai chaque parcelle de cet immense décor verdoyant, sans apercevoir aucun indice qui aurait pu me mettre sur une piste. Tout était sombre et de teinte uniforme. Comment m'y retrouver? Cette fuite effrénée m'avait épuisée. Désespérée, sentant naître la peur d'être égarée, je me laissai tomber sur le sol humide. Je n'avais aucune idée de l'endroit où je me trouvais. Je commençais à regretter mon coup de tête et cette envie folle qui m'avait menée jusqu'ici. Je n'avais averti personne : Jackie et les jumeaux s'inquiéteraient de mon absence, et je n'avais aucun moyen de les rejoindre. L'angoisse m'envahissait de plus en plus, faisant ressortir mon côté claustrophobe qui me conseillait de faire demi-tour avant qu'il ne soit trop tard. J'essayai en vain de retrouver mon calme, mais je me sentais prise au piège par tous ces arbres qui semblaient comploter pour m'étouffer. Les jambes tremblantes, je parvins malgré tout à me relever, pressée de rebrousser chemin.

Au même instant, mon attention fut distraite par un craquement derrière moi. Mon sang se glaça dans mes veines quand j'aperçus, à une quinzaine de mètres, une créature massive dont la fourrure brune s'apparentait à l'écorce des arbres : un ours, en chair et en os, errait entre les sapins volumineux. Je savais qu'il m'avait repérée, car il se rapprochait, sans détour ni arrêt. Spontanément, je reculai d'un pas, craignant que ma respiration haletante le rende agressif. Je poursuivis mon retrait en douceur, espérant qu'il se désintéresse de moi. Quand une branche craqua sous mon poids, je sus que je n'avais plus aucune chance de m'enfuir. L'ours figea, avec l'assurance de celui qui sait que la partie est gagnée, et il pénétra son regard menaçant dans le mien. Il émit un terrible grognement, avant d'accélérer le pas dans ma direction. Par instinct de survie, je fis ce qu'il ne fallait pas : sans regarder derrière, je pris mes jambes à mon cou et fonçai comme une déchaînée à travers les arbres et les ronces, n'espérant rien d'autre qu'une fuite salutaire. Mon pied se coinça soudain dans la cavité d'une roche en saillie, freinant net mon avancée. Ma cheville se plia en deux, je perdis l'équilibre et chutai dans le ravin qui m'engloutit aussitôt dans ses bras ouverts. Je dégringolai la pente pendant ce qui me sembla être une éternité, tout en essayant de me protéger la tête à l'aide de mes mains. Je finis par amortir ma chute sur un sol de terre et de feuillage mouillé où je restai étendue, ne sachant trop dans quel état je me trouvais. Je sentais les écorchures douloureuses à mes bras et la douleur atroce à ma cheville. Je relevai machinalement la tête et toussotai violemment, ayant du mal à respirer. Mes bras, trempés par le sol humide, tentaient désespérément de soulever mon corps vidé de ses forces. Je regardai le sommet du ravin et aperçus l'ours qui dévalait la montagne abrupte sans se soucier des obstacles sur son passage. Il avait une assurance et une agilité remarquables, prêt à venir conquérir la proie faible qui s'offrait à lui, impuissante.

– À L'AIDEEEE!!!!!!!

L'animal se rapprochait de plus en plus. Je ne voulais pas être témoin de la suite des événements. Je cachai mon visage entre mes mains écorchées, espérant que l'horreur prochaine serait brève.

– Hey… Cassy!

À l'instant même où j'entendis sa voix, je rouvris les yeux.

– Je suis là…

Oliver m'agrippa par la taille, souleva mes jambes et me prit dans ses bras.

– Oliver?

Le sentir si proche m'apporta un soulagement inexprimable qui fit jaillir mes larmes.

– Comment as-tu fait pour venir jusqu'ici?

– Peu importe, je suis là, répliqua-t-il en posant un regard sur l'état de mes blessures.

J'enroulai mes bras autour de son cou. Je n'arrivais pas à croire qu'il était venu à mon secours.

– Il faut partir d'ici au plus vite, on va se faire attaquer, dis-je d'un ton haletant en apercevant l'ours qui s'approchait dangereusement.

– Écoute-moi, Cassy, écoute-moi bien, m'ordonna-t-il en me serrant fermement, tout en faisant preuve de grande délicatesse. Accroche-toi à moi le plus fort possible. Ne me lâche surtout pas, compris?

Je me contentai d'un hochement de tête en guise de réponse.

– Tu vas ressentir une pression. Ne panique surtout pas et reste bien accrochée à mon corps.

L'ours n'était plus qu'à cinq mètres de nous.

– Oliver… fais quelque chose, criai-je, épouvantée.

D'une main ferme, il me couvrit les yeux. Je ressentis alors la plus étrange des sensations, comme si tout mon corps était paralysé. Une énorme pression, au sommet de mon crâne, me poussait vers le sol, provoquant un bourdonnement assourdissant et continu dans mes tympans, comme un vent déchaîné. Je pouvais sentir mon corps franchir l'air d'un mouvement rapide et ma tête tourbillonner comme dans un état d'apesanteur. Soudain, mes pieds touchèrent une matière tangible et nous atterrîmes brusquement dans le salon de la réception.

– Qu'est-ce qui s'est passé?

Prise de panique, je m'éloignai d'Oliver et courus me réfugier, bouleversée, sur le divan du salon. Il y a deux secondes à peine, nous étions au creux de ce ravin profond, fuyant un ours en furie et je me retrouvais maintenant à l'accueil.

– Oliver… qu'est-ce que tu as fait?

Il me regardait sans m'approcher. Mon corps tremblait de tous ses membres.

– Pourquoi tu ne dis rien?

Je ne pus obtenir de réaction de sa part, car Jackie et les jumeaux entrèrent précipitamment, affolés.

– Cassy! s'écria Jackie en s'agenouillant devant moi, ça fait une heure qu'on te cherche!

Il regarda mes bras ensanglantés.

– Ben! Va chercher Lisette immédiatement, elle est infirmière.

Il fila à sa recherche à la vitesse de l'éclair. Mes écorchures étaient bien la moindre de mes préoccupations pour le moment.

– Jackie, s'impatienta Oliver, il y avait un ours...

– À quelle distance? demanda-t-il, arborant un visage inquiet.

– Moins d'un kilomètre des zones de chasse.

Jackie soupira en passant une main dans ses cheveux ébouriffés. Il ordonna à Jim d'aller retrouver son frère afin de pourchasser l'animal agressif. Nerveux, il déposa sa main contre mon front égratigné.

– Arrête, je vais bien, rouspétai-je. Je n'ai pas besoin d'infirmière, je veux simplement savoir ce qui s'est passé.

– Cassy, pour le moment, il faut te soigner.

Je me retournai vers Oliver qui ne m'avait toujours pas adressé la parole.

– Oli…

Je fus interrompue par un troupeau agité qui fit irruption dans la pièce, Lisette en tête, suivie de mes amis. Elle s'installa à mes côtés, ouvrant sa trousse de premiers soins. Ce fut Mick qui invectiva Oliver le premier.

– Qu'est-ce que tu lui as fait? s'énerva-t-il en le repoussant.

Jackie se leva et se précipita vers eux.

– OLIVER, DÉGAGE! hurla-t-il.

Mick s'immobilisa tandis qu'Oliver fixait Jackie sans broncher. J'étais étonnée du ton brutal qu'il avait employé pour lui ordonner de s'en aller.

– Tu m'as très bien compris… Tu t'en vas immédiatement.

Sans même un regard dans ma direction, il disparut par la porte arrière du chalet.

– OLIVER! NON!

Je me levai instantanément et partis en flèche pour le rattraper, mais Jackie me retint par le poignet, déclenchant une douleur aiguë.

– Laisse-moi!

– Tu ne peux pas, Cassy.

– Pourquoi tu lui as dit de s'en aller? hurlai-je en me dégageant de son étreinte. Tu sais très bien que j'ai besoin de lui parler.

Sans tenir compte de mes paroles, il me ramena au salon et ordonna à tout le monde de sortir, à l'exception de Lisette. Mick ignora l'ordre et vint me serrer dans ses bras. Sa douceur réussit à dissiper quelque peu mon angoisse. J'étais contente qu'il soit resté.

– Qu'est-ce qui s'est passé? C'est Oliver qui t'a fait ça?

– Non… c'est de ma faute.

Mick m'entraîna vers le divan, où Lisette examina l'état de mes blessures. C'était la première fois que je la voyais : la soixantaine vive, elle dégageait une belle simplicité. C'était une amie de Sergio et elle séjournait à la pourvoirie avec son mari, Peter.

– Qu'est-il arrivé? me demanda-t-elle d'une voix douce.

Jackie s'était éclipsé, prétextant que les jumeaux auraient besoin de son aide.

– J'ai voulu m'aventurer dans les bois, lui mentis-je, mais je n'aurais jamais dû… J'ai perdu tout repère et je suis tombée face à face avec un ours. J'ai ensuite basculé dans un ravin… un énorme ravin.

Je savais que j'étais entièrement responsable.

– Tu aurais pu y rester… murmura Mick, l'air défait.

– Non, Oliver est venu me chercher et m'a sauvé la vie.

Ses yeux tourmentés cherchaient les miens. De toute évidence, les pensées se bousculaient dans sa tête. Après cet aveu, il regrettait probablement de s'être emporté contre Oliver. Sans lui, je serais au fin fond de ce précipice, à moitié dévorée.

– Cassy, comment êtes-vous sortis de là? Il y avait un ours…

Voilà la question qui me hantait. Tout s'était passé tellement vite.

– Hum… je ne sais pas… Oliver avait… il avait une arme. L'ours a eu peur et il s'est enfui.

Pendant que j'essayais de trouver une raison plausible, Lisette désinfectait les écorchures de mes bras à l'aide de petites serviettes imbibées d'alcool.

– Je suis désolée, Cassy, je n'ai pas le choix de désinfecter les plaies. Je sais que c'est douloureux…

Elle essuya le sang sur mes deux bras, du haut de l'épaule jusqu'au poignet. Mick suivait l'opération attentivement.

– Je n'ose pas imaginer ce qui serait arrivé si cet ours t'avait attaquée. J'irai m'excuser à Oliver...

Il était sincère. Cependant, comme je ne savais pas moi-même si j'allais le revoir, il était peu probable que Mick ait cette occasion.

– Voilà, Cassy, dit Lisette, satisfaite. Dans peu de temps, tes bras seront complètement guéris. Il est important que tu laisses les pansements pour la nuit. Demain matin, je viendrai désinfecter le tout.

– Merci beaucoup...

Je la gratifiai d'un sourire reconnaissant.

– Si tu as besoin de moi, je ne suis qu'à deux chalets du tien. N'hésite surtout pas.

Je regardai l'état de mes bras recouverts de bandages blancs. Je m'en étais quand même bien tirée, compte tenu des circonstances. Quand je me levai, je fus saisie d'une douleur intense à la cheville. Je perdis momentanément l'équilibre, mais Mick me rattrapa de justesse. Lisette se pencha aussitôt afin de l'examiner.

– Tu t'es déjà blessée récemment?

– Oui, je suis tombée il y a quelques semaines.

Elle soupira.

– Tu es plutôt maladroite, dis donc, me taquina-t-elle.

Elle me massa la cheville quelques secondes et sortit de sa trousse de soins un bandage semblable à celui que la mère d'Elyssa m'avait donné et elle l'enroula autour de mon pied.

– Tiens, voilà! L'idéal serait d'avoir une paire de béquilles, mais j'ai bien peur que Jackie n'en ait pas.

À cet instant, il fit son apparition, le corps perlé de sueur. Quand il aperçut tous mes pansements, il soupira, abasourdi, en relevant la manche de son chandail déchiré.

– Dieu du ciel, Cassy, il ne faudrait surtout pas que ta mère te voie dans un tel état. Je me ferais trancher la tête… Ne me refais plus jamais un truc pareil. M'as-tu bien compris?

Je baissai la tête, confuse. Il me fixait avec insistance pour souligner la gravité de mon erreur. J'étais confuse de lui avoir désobéi involontairement. Puis, il se tourna vers Mick et lui dit qu'il souhaitait me parler, seul à seul. Il lui suggéra de rejoindre les autres au chalet pour les rassurer sur mon état. Il acquiesça d'un signe de tête, tout en me frôlant le bout des doigts. Je sentis la caresse de sa main glisser contre la mienne, et il quitta la pièce. Lisette le suivit, me laissant seule avec Jackie dans cette ambiance plutôt trouble. Laissant le silence planer quelques instants, il vint s'installer à mes côtés, sur le divan. Je le regardais sans me soucier des larmes qui inondaient mes yeux malgré moi. En plus d'être désolée des manquements à son égard, j'étais atrocement bouleversée par la situation.

– Cassy… je… je ne suis pas très doué pour parler de ce genre de choses, mais… il est de mon devoir de te mettre au courant.

Il inspira légèrement comme pour prendre son élan avant de poursuivre.

– Tu n'étais pas censée connaître la vérité. De toute façon, rien de tout cela n'était supposé arriver.

Je gardais le silence, ne saisissant pas trop où il voulait en venir.

– Lorsque tu es arrivée au camp, j'ai su que rien ne serait plus pareil dorénavant. J'ai observé ton attitude, tes gestes, tes paroles, tes questionnements. J'ai analysé méticuleusement ta relation avec Oliver…

–Ses yeux m'apparaissaient soudain empreints d'une sévérité que je ne lui connaissais pas. Il se tut quelques instants, regardant à plusieurs reprises l'état de mes bras.

– Viens avec moi, quelqu'un aimerait te parler.

Étonnée, je ne m'y opposai pas et le suivis au deuxième étage, là où se trouvaient sa chambre et celle des jumeaux. En temps normal, c'était un accès interdit. Jackie s'arrêta devant la dernière porte du couloir et se tourna vers moi.

– Tu n'as qu'à entrer, il est là, dit-il en s'éloignant vers l'escalier.

Je risquai un pas dans la pièce dont le décor ressemblait beaucoup à celui de nos chambres. Oliver s'y trouvait, debout, face à la fenêtre. Doucement, je fis un pas vers lui.

– Pourquoi as-tu risqué ta vie en venant me retrouver dans la forêt? interrogea-t-il le premier.

Il me tournait toujours le dos.

– Oliver… je…

Les mots me manquaient. Je n'étais plus qu'à quelques centimètres de lui maintenant.

– J'avais besoin d'être avec toi…

– Tu n'as même pas idée à quel point la forêt est dangereuse. Le camp est le seul endroit où la protection est assurée. Tu ne devais en franchir les limites sous aucun prétexte. Je croyais que Jackie vous avait avertis.

J'abaissai mon regard.

– Ce n'est pas parce que j'y étais que tu devais venir m'y retrouver.

C'était difficile d'entendre ces reproches. Il semblait fâché et mécontent de me revoir. Je fis alors demi-tour pour quitter la chambre et le laisser seul, mais il me rattrapa aussitôt par la taille.

– Attends…

Je restai figée, dos à lui. Il s'était déplacé si vite...

– Je n'ai pas voulu te blesser. Je… je veux être avec toi, moi aussi…

Je saisis sa main que je resserrai dans la mienne. De son autre bras, il me tourna face à lui et sa beauté m'éblouit de nouveau. Me retrouver en sa présence me sécurisait plus que tout.

– Cassy, tu as failli y rester.

– Non…

– Et si je n'avais pas été là, qui serait venu à ton secours? Tu ne serais jamais sortie de cette forêt.

Je le fixai droit dans les yeux. Les siens pétillaient en me regardant avec intensité.

– Mais… tu étais là, ça fait toute la différence.

Il y eut un léger silence, le temps qu'il caresse mon bras de sa main apaisante. Ce geste tendre démontrait qu'il semblait savourer ma présence à ses côtés. Notre joie de nous retrouver paraissait réciproque.

– Je te dois de nombreuses explications, Cassy.

Tendrement, il m'attira vers le bord lit où je pris place pendant qu'il s'agenouillait à mes pieds. Ses yeux pénétrants se posèrent sur les miens.

– J'aimerais tout te dire, mais pour l'instant, c'est impossible. Il y a tant de choses que tu ignores à mon sujet. Si je te dévoile tout cela maintenant, tu risques de ne pas me croire.

Il déposa une main sur la mienne. Quelle étrange situation! Moi qui croyais le connaître, et voilà qu'il me cachait un grand secret.

– Je n'étais pas censé me montrer lors de ton arrivée au Cabonga. J'avais des règlements à respecter. Cependant, c'était plus fort que moi. Lorsque je t'ai aperçue pour la première fois, quelque chose s'est déclenché en moi. Un phénomène très rare…

Je l'écoutais sans le quitter des yeux.

– Je ne suis pas celui que tu crois. Je projette peut-être l'image d'un être dévoué, aimable et sincère, mais il n'en est rien. Au contraire, je n'ai pas toujours été ce bon garçon, et c'est précisément ce souvenir qu'on doit retenir de moi. Je t'ai menti depuis le début en omettant de te dévoiler ma véritable identité.

Il relâcha délicatement mes mains, continuant de me fixer droit dans les yeux.

– Je n'aime pas la chasse. Je déteste même cette activité au plus haut point. Je fais croire aux gens que je m'occupe de la protection du camp dans l'unique but de disparaître et de m'isoler. Seuls Jackie, Ben et Jim s'occupent de la sécurité. Je n'ai rien à voir avec cela.

Il parlait d'un ton calme et détaché.

– Je ne suis pas l'un des vôtres. Je l'ai été il y a bien longtemps. Maintenant, je ne suis plus qu'une simple apparition qui essaie pitoyablement de se convaincre qu'elle existe réellement.

J'avais de la difficulté à saisir la portée de ses paroles.

– Cassy, je…

Il semblait chercher une façon délicate pour aborder ce qui le tracassait intérieurement.

– Je… je suis comme… une espèce de revenant. Je n'existe pas réellement.

– Que veux-tu dire par *je n'existe pas réellement* ? murmurai-je, renversée.

Il s'empressa de caresser ma main tendrement.

– Mon âme est morte depuis plusieurs… plusieurs années, Cassy. Tout ce qu'il reste de moi maintenant, ce n'est qu'un voile de poussière dérisoire.

Jamais je n'avais ressenti un tel désarroi. J'aurais aimé lui demander qu'il s'explique davantage, mais j'étais incapable de prononcer le moindre mot.

– Je ne m'appelle pas seulement Oliver, soupira-t-il.

Je sentis ses doigts se resserrer autour des miens, mais son regard ne dévia pas.

– Mon nom complet est Oliver Vincent Miller.

À cet instant, une étincelle s'alluma en moi…

– Vincent? Tu… tu veux dire… le garçon de la légende?

Il acquiesça d'un léger hochement de tête. Spontanément, je me relevai et il fit de même, tout en s'éloignant un peu.

– J'aurais préféré te le dire la première fois où je t'ai rencontrée, Cassy, mais tu ne me connaissais pas suffisamment.

– Tu n'es pas…

– Oui, c'est moi, m'interrompit-il, c'est moi, le garçon de l'histoire des maisons hantées. Cette légende… c'est la mienne.

Il voulut déposer une main contre mon bras, mais je m'en éloignai aussitôt.

– Ne t'approche pas de moi, haletai-je, effrayée, en me précipitant vers la porte pour m'enfuir.

– Laisse-moi m'expliquer!

Il s'était déplacé à une telle vitesse que je le vis réapparaître instantanément devant moi, m'empêchant de quitter les lieux. Par je ne sais trop quel pouvoir, la porte derrière lui se referma d'un coup sec, sans qu'il l'ait touchée. Terrorisée, je n'eus d'autre choix que celui de reculer.

– Cassy, n'aie pas peur de moi, je ne suis pas dangereux…

Je ne craignais rien de sa part, mais ce qu'il me racontait était si invraisemblable, tellement démesuré. Moi qui aimais la logique des choses et des gens, je venais de perdre tous mes repères habituels. Voyant ma réaction, au lieu de s'avancer vers moi, il alla s'asseoir sur le bord du lit tout en continuant à me fixer avec un regard maintenant vide d'émotion.

– Laisse-moi parler jusqu'au bout. C'est important pour moi…

Je restai silencieuse et sur mes gardes. Immobile dans le coin de la pièce, j'hésitais à m'avancer vers lui. Il ne représentait peut-être pas un danger, mais toute personne normalement constituée aurait agi de la sorte.

– Viens, Cassy, dit-il en désignant une place à ses côtés.

Je me résignai à lui obéir, tout en restant à l'affût du moindre geste alarmant. Une fois assise, je me sentis plus détendue, prête à entendre ce qu'il avait à me dire.

– Pardonne-moi de t'avoir menti…

Je ne répondis rien, concentrée sur ma respiration qui se calmait peu à peu.

– J'hésite à dévoiler qui je suis réellement, mais il n'y aura jamais de moment parfait pour te l'apprendre.

J'eus soudainement l'impression que mes rêves étranges trouveraient une certaine signification, une logique, dans les révélations qu'il s'apprêtait à me faire. Je fondis alors mon regard dans le sien, sachant avec certitude ce qu'il allait m'annoncer.

– Je me suis enlevé la vie il y a cent soixante et onze ans, me dévoila-t-il calmement. Je réponds « oui » à toutes tes questions. Je suis véritablement le garçon de la légende.

Il fit une courte pause, sans toutefois détourner son regard du mien.

– C'est normal que tu sois ébranlée, et même apeurée. Je ne m'attendais pas à ce que tu réagisses autrement. Mais Cassy, les événements se sont bousculés, m'obligeant à te dévoiler ma véritable identité.

Je soupirai.

– Mais… tu es encore… tu es encore toi-même…

– Je n'ai pas changé depuis toutes ces années. Je suis toujours le même.

Sur quelle planète venais-je d'atterrir? Il était en train de me convaincre qu'il était… qu'il était un fantôme?

– Il faut que je te montre quelque chose…

Il s'éloigna légèrement. Je ne bronchai pas.

– Regarde bien…

Debout, dans une attitude détendue, il ferma les paupières, comme quelqu'un qui médite, et il s'immobilisa étrangement. Je l'observais, impressionnée, respirant à peine. Le phénomène qui survint provoqua un tel vertige intérieur que j'en eus le souffle coupé. Le corps d'Oliver s'estompait graduellement, telle une transparence fluide et mouvante. Il apparaissait comme derrière un voile de poussière, clair, pâle et distant, se fondant presque dans le décor de la chambre. Tout cela était insensé. Lorsqu'il rouvrit les yeux pour me regarder, ma main alla spontanément se poser sur la sienne, mais je ne ressentis que froideur, car elle traversait le vide…

– C'est ce que je suis réellement… Je peux changer de forme n'importe quand et n'importe où. Tu peux me voir et me toucher, tout comme je peux devenir invisible à l'instant même.

Ce qu'il fit en reprenant son apparence normale : celle d'un humain.

– Et... si tu tiens tant à savoir la façon dont je m'y suis pris pour te sortir de la forêt, eh bien… je nous ai téléportés. Tous les fantômes ont ce pouvoir. Par contre, je suis l'un des rares de mon espèce à pouvoir le faire en transportant un humain ou un objet.

Toute cette conversation n'avait ni queue ni tête et me mettait dans un état de confusion totale. Je me levai et me dirigeai vers la fenêtre de la chambre contre laquelle je m'appuyai. Ma respiration embuait la vitre tiède, comme un filtre me séparant du monde réel. J'essayais de trouver un sens à ce qui m'arrivait.

– Cassy, j'aimerais que tu gardes le secret. Personne ne doit être au courant.

Oliver me rejoignit. Je sentis ses deux mains s'appuyer contre mes épaules dénudées. Cette fois, je ne reculai pas. Une force irrésistible m'attirait vers lui.

– Tu n'as rien à craindre de moi.

– Mais, je ne suis pas la seule à être au courant. Jackie et les jumeaux le savent, eux aussi?

– Ils sont comme une famille pour moi; ils n'ont jamais refusé ma place au camp. Tant que je respecte leurs règles et que je ne dérange pas les gens qui y séjournent, je peux y rester.

Je me retournai lentement vers lui. Pour la première fois, son attention se portait ailleurs que sur mon visage. Ses yeux balayaient les bandages de mes bras avec un mélange de tristesse et de tendresse, comme s'il se sentait responsable de l'accident.

– Ça te fait mal?

– Non… pas vraiment. Lisette a bien nettoyé toutes mes écorchures. Ne t'en fais surtout pas, je suis habituée de trébucher.

– Tu veux dire… tu trébuches souvent dans les ravins?

Je ne pus m'empêcher de sourire à sa plaisanterie.

– Non… pas dans les ravins, c'est la première fois.

– Et la dernière, j'espère.

Cet échange amical m'apaisa momentanément jusqu'à ce que mon regard se pose à la base de son cou, là où était sa cicatrice. Ce qu'il m'avait raconté était faux : il ne s'agissait pas d'une chute sur une clôture.

– Une marque de pendaison, murmura-t-il sans émotion. Je ne me suis jamais laissé tomber du haut de la falaise. Cette cicatrice est la seule trace de mon passé qui me rappelle constamment l'être lâche que j'étais auparavant…

– Ne dis pas ça… tu n'es pas un lâche, répliquai-je en caressant son cou.

D'un geste brusque, il retira mes bras et retourna s'asseoir sur le lit.

– Tu ne comprends donc pas? poursuivit-il en me regardant sévèrement. Je me suis enlevé la vie dans le grenier de la grange de mon père. C'est la cabane abandonnée, près des maisons hantées, celle qui sert de rangement d'hiver à Jackie. C'est là que j'ai accroché une corde et que je me suis laissé mourir, me condamnant ainsi à errer éternellement dans ce corps immortel avec, comme seul souvenir de mon passé, cette cicatrice au cou.

Mon cœur eut un léger pincement à l'évocation de la grange dont il parlait. Juste avant d'aller aux maisons hantées, je passais devant sans y porter grande attention.

– Ça ne fait pas de toi une mauvaise personne, Oliver.

– Ne me compare pas à un humain! Je n'existe même pas…

Je restai silencieuse.

– J'ai tué, Cassy. J'ai tué l'un de mes amis et j'ai perdu la seule et unique personne que j'aimais.

Un silence profond nous renvoya chacun à nos pensées. Les seuls mots, *Je suis désolée,* bien inutiles en pareille circonstance, ne réussirent pas à atténuer sa culpabilité.

– Ne me dis pas que tu es désolée, O.K. ? C'est bien la dernière remarque que j'ai besoin d'entendre.

L'atmosphère était lourde. J'aurais aimé le laisser seul quelques instants, mais je restai figée, debout devant la fenêtre, sans parler. Il me tendit un bras pour que je le rejoigne.

– Pardonne-moi, je n'ai pas voulu te brusquer. Le rappel de mon passé a un énorme impact sur mes états d'âme. Ça provoque des réactions parfois incontrôlables.

– Je comprends.

J'entendis soudain des pas pressés dans l'escalier.

– Ce sont les jumeaux… Ils doivent s'inquiéter, murmura-t-il en m'attirant doucement à ses côtés. Je vais devoir partir, mais pas pour longtemps.

Il déposa un tendre baiser sur mon front et plongea une dernière fois son regard hypnotisant dans le mien. Mon cœur battait à tout rompre, mais pour d'autres raisons cette fois.

– Je vais venir te chercher demain, c'est promis.

Il m'accorda un doux sourire avant de disparaître à la vitesse de l'éclair, provoquant un faible mouvement d'air contre mes longs cheveux. Il me laissait seule avec mes pensées agitées, mais il me restait aussi la douceur de son souffle chaud sur mon front pour apaiser mon cœur jusqu'au lendemain.

11

Un monde à l'extérieur du vôtre

Je franchis le seuil de la porte de ma chambre. Avec tout ce qui s'était passé la veille, je n'avais pas très bien dormi. Le piètre état de mes deux bras me confirmait que je n'avais pas rêvé tout cela.

– Comment te sens-tu? s'enquit Mick en me faisant humer un délicieux déjeuner composé d'un œuf, de bacon, de fruits et de rôties au beurre d'arachide.

– Pas si mal, dis-je en frottant mes membres meurtris.

Il m'invita à rejoindre mes amis qui étaient déjà attablés. Visiblement, je les avais tous inquiétés la veille. Elyssa était aux petits soins avec moi, prévenante, telle l'infirmière qu'elle s'apprêtait à devenir.

– Tu nous as tous foutu la frousse hier. On te cherchait partout. Mais l'important, c'est que tu sois saine et sauve.

Je n'émis aucun commentaire, ne sachant comment expliquer ma conduite inappropriée. Keven me fixait, la bouche pleine, impatient de commenter à son tour.

– En tout cas, mâchonna-t-il, ton état est pitoyable. Il ne faudrait surtout pas qu'on te ramène en ville comme ça!

– Arrête, ce n'est pas si mal, rectifia Elyssa en lui jetant un regard réprobateur. Lisette va venir changer ses pansements ce matin.

– En parlant de Lisette, ajouta Marie, la voilà.

En effet, elle arrivait, vêtue coquettement comme la veille, sa trousse de premiers soins à la main. Keven alla lui ouvrir, l'invitant poliment à nous rejoindre. Elle s'excusa d'interrompre notre déjeuner, proposant de revenir plus tard. Je me levai pour la rassurer, car j'avais presque terminé.

– Alors, Cassy, comment vont tes écorchures?

J'avais l'impression qu'on me posait cette question à toutes les cinq minutes.

– C'est un peu sensible, mais endurable…

Nous nous retirâmes au salon où elle déroula mes bandages : les plaies, quoique rougeâtres, n'étaient pas infectées, juste irritées à la surface à cause de l'alcool qui aidait à la cicatrisation. Pendant que Lisette nettoyait mes blessures, j'aperçus une petite tête rondelette à la fenêtre du salon. Un paquet à la main, Tristan attendait patiemment qu'on lui ouvre la porte.

– Bon matin, salua Mick à son intention.

– Salut! Je viens porter des muffins au chocolat pour Cassy, murmura-t-il timidement.

– Entre, elle est sur le divan, là-bas.

Il s'avança d'un pas incertain et vint me rejoindre au salon.

– Ma mère dit que ces muffins vont t'aider à reprendre des forces.

– C'est gentil, Tristan, merci beaucoup. Ils sentent très bon. Tu remercieras ta mère. Et merci à toi aussi.

J'étais touchée par cette délicate attention, et lui, ravi de m'avoir fait plaisir. Il nous salua et repartit aussitôt vers son chalet, fier de sa mission réussie. Lisette confirma que son amie Anna était la championne des muffins. Elyssa répliqua que ceux de sa mère étaient imbattables! J'éclatai de rire, car il est vrai que j'avais un penchant indéniable pour ses muffins. Mais d'après l'arôme qui se dégageait du sac, il y avait une sérieuse odeur de compétition dans l'air.

– Bon, je te laisse la pommade, poursuivit-elle en déposant le tube sur la table. Nettoie tes blessures trois fois par jour en appliquant une très mince couche. Quand tu prends ta douche, essaie d'éviter tout contact avec les savons parfumés.

J'approuvai d'un signe de tête.

– Et pour ta cheville, maintiens le bandage. Avec le temps, elle reprendra des forces.

– Merci pour tout!

– Ça me fait un grand plaisir, c'est mon travail, ajouta-t-elle comme je la reconduisais à l'extérieur.

Déposant mon sac de muffins sur le comptoir, je me hâtai d'en piger un. Mick me surprit en flagrant délit et je lui en donnai une petite bouchée en rigolant. La gang souhaitait passer la journée sur le lac pour refaire du wakeboard. Il proposa de me tenir compagnie, mais je refusai gentiment cette belle preuve de délicatesse.

– Mick, ça ne me dérange pas du tout de rester seule… Je ne suis plus une enfant.

– Hum… parfois, j'ai l'impression que tu nécessites plus de surveillance qu'un enfant, se moqua-t-il en fixant délibérément mes bras.

– Arrête, ça n'a rien à voir, soupirai-je en les cachant derrière mon dos. C'était un accident!

Il passa son bras autour de mon cou et grimaça pour se moquer, ravi qu'Elyssa propose de rester avec moi. Pendant que nos amis s'éloignaient vers le quai, nous les observions préparer l'embarcation, confortablement installées sur le canapé douillet de la véranda.

– On a la paix pour quelques heures au moins!

– Tu es méchante, ricanai-je en la poussant un peu.

Au fond, j'étais plutôt contente de me retrouver seule avec ma meilleure amie.

– Merci d'être restée.

Le silence s'installa pendant quelques instants. Une tranquillité appréciée qui me procurait un grand bien-être.

– Mick t'a parlé un peu? risqua-t-elle, me sortant de ma rêverie.

– À propos de quoi? lui demandai-je, étonnée.

– Oh… hum… Je croyais que vous en aviez discuté.

Elle détourna le regard, cherchant visiblement un moyen de détourner le sujet.

– Elyssa… répliquai-je, insistante.

– En fait, je préfère qu'il aborde la question lui-même, plutôt que de dire n'importe quoi.

– Allez… Tu t'es trop avancée maintenant! Qu'est-ce qu'il t'a dit?

Elle émit un rire embarrassé.

– Non, c'est juste que… il me parle beaucoup de toi ces temps-ci. J'ai l'impression qu'il… qu'il est un peu inquiet.

– Il s'en fait pour moi?

– Oui, et c'est tout à fait normal… tu sais, il a l'air de t'aimer. En tout cas, il t'apprécie énormément. Je ne sais pas ce que tu ressens réellement pour Oliver, mais… Mick est un peu jaloux. Il ne l'aime pas vraiment. Il a l'impression de te perdre peu à peu et de rater les journées qu'il pourrait passer avec toi, ici.

J'étais à la fois surprise et émue par ses aveux.

– Quand est-ce qu'il t'a dit ça?

– Hier matin, avant ta promenade en kayak…

Je soupirai, contrariée. Les choses n'étaient-elles pas assez compliquées déjà?

– Je ne sais pas quoi dire… Mick te parle souvent de moi?

– Assez… quand même. Il est curieux de savoir ce qui se passe entre Oliver et toi.

– Il ne se passe rien, coupai-je, honteuse de lui mentir.

– Cassy, il ne t'en voudrait pas… C'est ton choix, après tout!

Je passai ma main dans mon épaisse chevelure ondulée, un geste machinal que je faisais chaque fois que j'abordais un sujet délicat.

– Écoute, je ne sais plus vraiment où j'en suis. J'ai l'impression d'être divisée en deux en ce qui concerne les sentiments que j'éprouve pour Oliver et pour Mick.

– C'est justement là où je veux en venir. Tu es la seule à pouvoir démêler ce qui se passe en toi. Par contre, tu as toujours eu une relation privilégiée avec Mick. Ça, tu ne peux le nier… tout le monde en est témoin.

Ça tournait à un rythme accéléré dans ma tête. Depuis mon arrivée ici, je n'avais cessé de me questionner sur toutes ces émotions contradictoires qui me bouleversaient.

– Elyssa… je… je n'ai pas l'intention de laisser tomber Mick.

Elle déposa un bras autour de mon épaule et me serra contre elle.

– Alors, tâche de le garder près de toi, me murmura-t-elle à l'oreille.

Je n'ajoutai rien.

– Ne t'en fais pas avec ça, O.K.? Le meilleur des conseils que je pourrais te donner, c'est d'écouter tes sentiments… ils ne te trahiront jamais.

Je lui rendis un sourire de soulagement. Les sages conseils de ma meilleure amie me réconfortaient bien souvent quand je n'avais pas les idées claires. Après avoir laissé la conversation s'éteindre, Elyssa changea complètement de ton en agitant ses doigts devant mon nez et en me proposant une séance de vernissage. Je m'étonnai, moqueuse, qu'elle ait apporté son kit de manucure dans un endroit pareil, mais ne boudai pas ce petit bonheur entre filles. L'après-midi s'était écoulé si rapidement, que le retour de nos amis nous prit par surprise. Ils étaient morts de fatigue, en plus d'Alec qui était affligé d'un vilain coup de soleil sur les épaules. Incapable de supporter le frôlement d'un chandail, il laissait à découvert le rouge homard de ses épaules endolories.

– C'était une belle journée pour la planche? demandai-je à Mick qui s'était étendu sur le divan du salon. Toi aussi, tu as pris des couleurs!

– Au moins, je n'ai pas calciné.

– Une chance! J'aurais été obligée d'entendre tes lamentations pour le reste des vacances, ricanai-je.

– Moi? Me plaindre? rétorqua-t-il en se levant pour venir se chamailler un peu.

Je plaquai machinalement mes deux mains contre son torse ferme, l'empêchant d'avancer.

– C'est quoi ça? demanda-t-il en fixant drôlement le bout de mes doigts. C'est noir?

– Tu connais bien tes couleurs!

– Depuis quand tu peins tes ongles en noir?

– Mmmm… je ne sais pas, depuis… aujourd'hui!

Il semblait contrarié, secouant légèrement la tête dont les cheveux dégoulinaient sur le sol.

– Pourvu que tu ne deviennes pas aussi… gothique disons, qu'Oliver. Ça fait un peu… un peu peur!

Je restai froide suite à son commentaire désobligeant qui me remémora ma conversation avec Elyssa plus tôt dans l'avant-midi. Sans enthousiasme, je passai le reste de la journée à paresser avec les filles dans notre chambre désordonnée. L'heure du souper s'acheva également dans la même atmosphère, personne ne proposant rien de génial pour égayer notre soirée. Mick fila téléphoner à ses parents et revint m'annoncer, l'air contrarié, que quelqu'un m'attendait à la porte. J'eus l'agréable pressentiment qu'il s'agissait d'Oliver. Vêtu de son long manteau noir, il était appuyé à la porte, m'attendant avec son calme habituel. Je fus de nouveau séduite par son look gothique, ce côté sombre qui m'attirait beaucoup.

– Viendrais-tu avec moi? On dit que les couchers de soleil sont les plus beaux ici.

Il m'était impossible de refuser une telle invitation. Même si l'aveu de son secret m'avait terrifiée, je n'avais qu'une seule envie : me retrouver avec lui. Embarrassée, j'avertis mes amis que je m'absentais pour la soirée. À l'instant où nous sortîmes, il m'attrapa par la main et m'entraîna à l'orée du bois.

– Où m'amènes-tu? lui demandai-je, perplexe.

Il s'arrêta, mi-moqueur mi-sérieux.

– Ce serait plus vite si l'on s'y rendait d'une autre manière.

– Hum… tu veux dire…

– En se téléportant, acheva-t-il à ma place.

Même si je n'avais vécu cette expérience qu'une seule fois et que cela relevait du pur mystère pour moi, je fis acte de foi et enroulai mes bras autour de sa taille. Sans avoir eu le temps d'anticiper la suite des événements, je ressentis la même sensation étrange s'emparer de tout mon corps. J'avais l'impression de tourbillonner dans l'œil d'une tornade. L'ascension fut si rapide, qu'en moins d'une seconde, mes pieds touchèrent le sol. Prise d'un étourdissement, je vacillai un peu devant le paysage grandiose qui s'offrait à nous, du haut de la montagne où nous nous trouvions : une vraie carte postale des Rocheuses. Les arbres et les sapins dispersés nous permettaient d'avancer facilement dans ce décor spectaculaire où le ciel orangé s'étendait à perte de vue. Oliver entrelaça ses doigts dans les miens et me fit asseoir près du bord escarpé du rocher d'où nous pouvions admirer les couleurs dorées du ciel qui illuminaient nos visages éblouis.

– Comment trouves-tu ce spectacle?

Je cherchais mes mots pour décrire la beauté du paysage qui s'offrait à moi.

– C'est… totalement magnifique!

– Le Cabonga est réputé pour ses couchers de soleil majestueux. Tu n'en trouveras nulle part ailleurs d'aussi magiques.

Je n'avais aucun mal à le croire. Ils étaient beaucoup plus lumineux que ceux de Kingston. Perdue dans ma contemplation, je ramenai mes genoux contre ma poitrine, les enroulant de mes bras, et soupirai…

– Cassy, je tiens vraiment à m'excuser pour hier. Je m'en veux de t'avoir caché qui j'étais et de te l'avoir révélé de cette manière.

Je l'écoutais, tout en fixant le paysage féerique. Même si je ne comprenais rien à l'enchaînement de tous ces événements, à toutes ces révélations insolites, je me sentais bien en sa présence. Oliver m'attirait.

– Tu sais, je vis dans une autre dimension, parallèle à celle de votre monde, celle des fantômes, la plus intrigante de toutes. Des études poussées sur notre espèce, que la science rejette bien sûr, ne cessent d'évoluer, sans toutefois apporter de conclusion sur notre existence réelle. On est des êtres isolés et fuyants, qui se montrent rarement aux humains…

Je ne pus m'empêcher de poser mon regard sur lui.

– Mais… si votre espèce tient tant à se cacher, pourquoi alors as-tu révélé ta présence à Jackie et aux jumeaux? Pourquoi t'es-tu montré à moi, et même à tous mes amis?

– Mon cas est différent. Jackie a travaillé très fort pour arriver au point où j'en suis présentement. Je suis l'un des rares de mon espèce à être parvenu à s'adapter tant bien que mal à votre mode de vie. Je ne vis pas en société, j'habite cette forêt en permanence. Je ne vais jamais à la ville, et pour être franc, c'est la première fois que je me montre aux gens qui séjournent au Cabonga.

Il se tut un moment et je ne passai aucun commentaire, de peur d'interrompre ses explications. J'avais encore tant de choses à apprendre à son sujet.

– J'apprécie difficilement la façon dont je dois vivre maintenant. Jackie a tenté de me convaincre que je dois accepter les erreurs du passé si je veux cesser d'être prisonnier de mon destin. Sauf que je ne peux oublier le meurtre que j'ai commis, la mort de Rachel et mon suicide. Cela met un frein à mon évolution. J'ai besoin de disparaître pour me retrouver seul avec moi-même. Les fantômes vivent ainsi, emmurés dans une solitude et un désespoir constants dont ils sont captifs, même si c'est ce qu'ils recherchent. C'est la raison pour laquelle notre vrai monde se trouve sous Terre et non ici, avec les humains.

J'avais du mal à le regarder. Il semblait véritablement souffrir de cet emprisonnement dont il ne pouvait se défaire.

– Je ne fais pas partie du monde des vivants et c'est un état que Jackie et les jumeaux semblent oublier parfois. Ils me considèrent comme leur frère parce qu'ils m'aident depuis tant d'années à me faire oublier mon passé.

Il tourna son visage vers le mien et s'empara de ma main d'un geste délicat, la déposant sur son cœur. Je devinai aussitôt ce qu'il voulait me faire comprendre.

– Je ne respire pas, Cassy. J'ai simulé dans le seul but de mieux paraître devant vous. Depuis cent soixante et onze ans, aucune bouffée d'air n'est entrée dans mes poumons.

Mes yeux fixèrent son torse immobile qu'aucun mouvement respiratoire ne soulevait. Étonnamment, cela me sembla aller de soi.

– Combien de fantômes y a-t-il sur Terre?

– On est plusieurs milliards... le décompte est impossible. Pour te donner un aperçu, en ce moment même, on est entourés d'entités qui ne se manifestent pas, car elles sont endormies. Une grande majorité des spectres ignore même notre présence. Toutefois, il existe des centaines de types de fantômes et autant de caractéristiques différentes.

– Tu dis... qu'il y a des types de fantômes?

– Oui, mais... la liste serait trop longue à énumérer et, de toute façon, tu n'en retiendrais même pas la moitié. Le plus important, c'est de savoir qu'il y a de bons et de mauvais fantômes : c'est la distinction primordiale de notre espèce. Dans notre monde, il existe l'entité consciente et l'entité résiduelle, les deux principaux types de spectres.

– Les quoi?

– Je t'explique… Moi, je suis une entité consciente, ce qui signifie que j'ai la capacité de me transformer et d'entrer facilement en contact avec le monde des vivants. Contrairement aux entités résiduelles, j'ai une conscience qui me permet de communiquer avec les humains. Bien sûr, il s'agit de la catégorie de fantômes que les humains craignent le plus, car on le sait, l'inconnu fait peur. Quant à l'entité résiduelle, elle ne peut se percevoir en tant qu'image, son, ou même odeur. C'est la majorité des fantômes qui hantent notre planète. L'être humain peut les percevoir, mais le spectre n'a aucune conscience du monde des vivants. L'esprit n'est pas présent, seule l'énergie subsiste en lui. Chaque entité résiduelle poursuit la même routine tous les jours, sans savoir s'ils existent ou non. Ils se croient toujours dans leur vie passée, comme si rien n'avait jamais évolué.

Même si les termes qu'il employait ne m'étaient pas du tout familiers, je pouvais toutefois comprendre et faire la différence entre ces deux types de fantômes.

– Les apparitions historiques et récurrentes sont de type résiduel. Il y a aussi les fantômes familiaux et les apparitions de crise, qui n'apparaissent qu'une seule fois après le décès d'un proche. Quant aux porteurs de messages, ils viennent et repartent une fois le message livré. Les fantômes de la mer existent aussi, tout comme le gardien des cimetières. Bref, il y en a une panoplie, chacun ayant sa propre histoire.

J'étais vraiment captivée par ce qu'il me racontait. Avant de poursuivre, il plongea son regard vers le ciel et les montagnes devant nous.

– Chaque fantôme a un devoir à accomplir, une sorte de mission qui peut prendre des années à se réaliser, le temps nécessaire pour réparer l'erreur de son passé. Autrement dit, pour un fantôme de mon espèce, c'est-à-dire une entité consciente, il lui faut trouver une façon de traverser dans le monde des vivants. Dans mon cas, les erreurs à réparer sont multiples : mon incapacité à sauver Rachel, le meurtre de Jayson et mon suicide. Ma mort a été si soudaine et si violente, que mon âme a refusé de quitter le Cabonga. Je n'étais pas prêt à délaisser ce monde où notre vie, à Rachel et moi, commençait à peine.

J'évitai de l'interrompre avec un propos qui aurait pu l'incommoder.

– Les missions varient selon chaque fantôme. Certains n'apparaissent que pour livrer un message à un descendant ou à un ami; d'autres, pour protéger ou se venger. C'est là qu'interviennent les spectres aux intentions bonnes ou mauvaises. Normalement, notre espèce ne recherche pas les conflits avec les humains; elle n'est là que pour accomplir sa mission. Cependant, il y a des exceptions en tout, et la bande de Jayson en fait partie, ne souhaitant rien d'autre que le mal et la vengeance.

– Jayson…

– Oui, Jayson. Bien qu'il soit exactement du même type de fantômes que moi, sa mission diffère totalement de la mienne. Chaque entité consciente reflète la même personnalité que lorsqu'elle était vivante. À l'époque, Jayson n'était rien d'autre qu'un être maléfique, rempli de mauvaises intentions, tout comme il l'est encore aujourd'hui et qu'il le restera pour toujours.

– Jayson est ici? Au Cabonga?

– Rares sont les fantômes qui quittent le lieu où s'est déroulé l'accident qui a causé leur mort. Tant et aussi longtemps que notre mission n'a pas été accomplie, une puissance invisible nous retient à l'endroit du drame.

Il insinuait que Jayson y était aussi, cette entité dont le seul but était la vengeance. Un frisson me parcourut quand se superposa dans mon esprit l'image de l'individu étrange aperçu près du campus quelques semaines plus tôt et qui avait hanté mes rêves. Sans en être sûre, la supposition était plausible. Puisqu'il pouvait me voir et communiquer avec moi, j'avais certainement aperçu l'entité consciente de Jayson...

– Tu n'as rien à craindre. Le camp est très bien protégé, alors lui et sa bande n'oseront pas s'approcher.

Même si ses propos se faisaient rassurants, je tentai de dévier un peu le sujet.

– Oliver... comment fait-on pour vous reconnaître? Je veux dire... jamais je ne me serais doutée que tu étais... tu sais ce que je veux dire.

– Il y a plusieurs manières de reconnaître la présence d'un fantôme. Cependant, comme la science rejette complètement notre existence, quand un humain nous aperçoit, il repousse catégoriquement cette vision et refuse d'y croire. On peut apparaître sous diverses formes. La transparence et l'apparence voilée sont les plus impressionnantes, celles que l'humain craint le plus parce que le monde de l'invisible fait peur, vois-tu. Il y a aussi l'ombrage, la poussière, ou tout simplement l'aspect normal. Toutefois, notre apparence normale se caractérise par plusieurs anomalies assez évidentes à repérer : nos vêtements peuvent paraître étranges ou démodés, comme mon style vestimentaire plutôt particulier qui attire l'attention. Une autre particularité répandue est la couleur rare de nos iris, les miens sont presque blancs, la pigmentation de notre peau, souvent grisâtre comme la mienne, et celle de nos cheveux, dont la couleur et la brillance sont intenses. On donne souvent l'impression d'être un mort vivant. Mais le plus évident, selon moi, c'est notre comportement. Je suis conscient à tout moment de ma nature de fantôme et du fait que je ne pourrai jamais être normal.

J'aurais aimé lui dire qu'il l'était à mes yeux, mais je craignais qu'il le prenne comme une insulte. Je restai donc silencieuse et plus fascinée que jamais.

– Notre plus grande force réside dans les pouvoirs qu'on détient. On peut presque tout faire : traverser les murs, marcher dans le vide, soulever des objets avec nos pensées, ou tout simplement nous évaporer. On est presque invincibles.

Puis, s'inclinant légèrement vers le sol, Oliver cueillit un pissenlit, qu'il plaça devant lui et sur lequel il se concentra. Je suivais attentivement chacun de ses mouvements. Peu à peu, de légers flocons se formèrent sur la tige puis recouvrirent totalement la plante, la transformant complètement. J'étais impressionnée, comme devant un tour de magie incompréhensible.

– Tu vois cette plante?

Le pissenlit ne tarda pas à fondre, dégoulinant au sol en fines gouttelettes. Puis, par une métamorphose inexplicable, la plante s'enflamma.

– Comment as-tu fait ça?

Il tourna le regard vers moi, tout en faisant disparaître en poussière les quelques grains qu'il restait du pissenlit.

– Tout ce qu'on touche, on peut le transformer. J'ai la capacité de contrôler les quatre éléments essentiels à la vie : la terre, l'air, l'eau et le feu.

– C'est insensé…

– Notre champ de vision est anormalement élargi. On arrive à voir tout ce qui se passe jusqu'à deux kilomètres de l'endroit où on est décédé. Notre sens de l'orientation est incroyablement développé. Si l'envie te prend un jour de jouer à la cachette avec moi, je pourrai te repérer en moins de deux. On ressent les choses d'une façon différente.

– Alors… tu m'as donc vue tomber dans le ravin?

– Oui, j'ai réussi à me téléporter à l'endroit où tu étais.

Je ne savais plus trop quelle question lui poser. C'était déjà assez difficile pour moi de comprendre tout ce qu'il me disait. Il me parlait de son monde comme si j'étais familière avec tous ces mystères depuis toujours.

– Tu ne dois donc plus rien craindre de la vie?

Il se retourna brusquement vers moi.

– Je ne dois plus rien craindre de la vie?

Je n'osai reformuler ma question de peur de le vexer.

– Tu te trompes! Ce n'est pas parce que j'ai tous ces pouvoirs que je n'ai plus peur de rien. On a des ennemis aussi, des ennemis terribles.

– Des ennemis?

– Le plus redoutable est le chasseur de fantômes. Une catégorie d'humains dotés de pouvoirs extrêmement puissants à l'égard de notre espèce. On essaie de les fuir le plus possible, mais ils nous pourchassent continuellement. Il y en a dans tous les pays du monde et ils sont beaucoup plus nombreux qu'on ne le pense. Ils détiennent tous les sortilèges, les connaissances et une variété d'outils afin de nous supprimer. Leur but est notre extermination.

Je n'osais imaginer un seul instant que quelqu'un pourrait détruire l'âme d'Oliver.

– Mais… ce ne sont pas tous les chasseurs de fantômes qui cherchent à nous anéantir. Quelques-uns tentent plutôt de nous comprendre, ou tout simplement de nous étudier. Chaque chasseur de fantômes est en quelque sorte spécialisé dans son domaine. Certains inspectent les cimetières, d'autres apprivoisent les maisons hantées, les granges, et même les châteaux d'époque. Le problème, c'est qu'on ne connaît jamais leur véritable intention, d'où notre manque de confiance. C'est la raison pour laquelle il faut se tenir loin d'eux et les fuir constamment.

Son univers me fascinait et me décontenançait tout à la fois.

– Il y a aussi l'ange gardien, enchaîna-t-il, qui est cependant considéré comme un adversaire pacifique.

– Tu veux dire, les anges gardiens porte-bonheur?

– Dans ce genre-là, oui. C'est le fantôme le plus snob qui existe. Il déteste au plus haut point qu'on le qualifie de fantôme. On ne le craint pas, même s'il possède des pouvoirs qui résistent aux nôtres. Il porte très bien son statut d'ange gardien, car il est très protecteur.

– En as-tu déjà vu un?

– Non, mais on dit par contre que ces fantômes sont célestes et lumineux. Contrairement à notre espèce, ils ne souhaitent que la paix dans le monde. Ils sont bien dans leur peau.

Je sentis soudain son épaule toucher la mienne et il entrecroisa ses doigts dans les miens. Ce contact me fit frissonner de bonheur.

– Mis à part l'ange gardien, les fantômes sont terriblement instables. Bien que la majorité ne recherche pas les conflits avec les vivants, on a une personnalité bipolaire. Bon ou mauvais, aucun fantôme n'échappe à cette déficience. On perd très facilement notre stabilité.

– Que veux-tu dire?

– La moindre insulte, la moindre provocation, ou tout simplement le moindre détail pouvant affecter notre humeur, et c'est parti! Il ne faut jamais nous provoquer, car les conséquences peuvent être désastreuses.

Je repensai à notre première apparition au chalet, lorsque Mick s'était élancé sur Oliver.

– C'est la raison pour laquelle Jackie t'a ordonné de partir l'autre jour?

– Oui... Mick s'apprêtait à franchir mes limites.

– Et si Jackie n'était pas intervenu?

– J'aurais représenté une grande menace pour tout le monde présent.

– Non... Je suis certaine que tu n'aurais attaqué personne.

– Oui, je l'aurais fait. Je suis très bien placé pour le savoir, crois-moi.

– Tu ne ferais jamais de mal à qui que ce soit...

– J'ai mes limites et j'ai passé très près de perdre ma stabilité. Il aurait pu y avoir des blessés.

Je ne le croyais pas et le lui exprimai en resserrant sa main dans la mienne. Le soleil s'éteignait peu à peu, ne laissant qu'une forme floue dans le ciel.

– Qu'est-ce qui va arriver maintenant?

La boule d'émotion au fond de mon ventre refit surface de façon inattendue.

– J'ai l'impression... j'ai l'impression que quelque chose va finir par nous séparer...

En disant cela, il serra son bras autour de mes épaules et m'attira contre lui.

– Je n'ai pas l'intention de partir.

Je me rapprochai davantage, caressant entre mes doigts l'un de ses nombreux bracelets. Il saisit alors ma main et observa la couleur de mes ongles. Sans passer le moindre commentaire, il eut toutefois un petit sourire amusé.

– Les fantômes peuvent persévérer pendant plusieurs siècles afin d'accomplir leur mission, venant et repartant. Malgré tout, certains ne réussiront jamais à la réaliser. C'est une tâche très difficile qui exige de la volonté, une qualité que les fantômes n'ont généralement pas.

– Comment comptes-tu réparer l'erreur de ton passé? osai-je lui demander.

– Cette liaison que j'entretiens avec toi, c'est ce qui me permettra d'accomplir ma mission. Ta protection est ma priorité.

– J'ai besoin d'être protégée?

– Oui. Ma mission est de retrouver la paix de ma vie d'autrefois, qui s'annonçait si parfaite avec Rachel, mais je n'ai pas su la protéger. Aujourd'hui, elle n'a plus la même importance pour moi. Tu es entrée dans ma vie de façon si particulière et je refuse de t'exposer à un danger aussi tragique que le sien. Tu es très spéciale pour moi. Dès que je t'ai aperçue, tout a changé.

Sa voix était si sincère. J'étais donc celle qui lui permettrait d'accomplir sa mission, celle qui le délivrait de ses souffrances.

– Oliver… tu refuses de m'exposer à un danger. De quoi s'agit-il?

– Celui de mon monde. La bande de Jayson sera éventuellement au courant de ton existence dans ma vie. Il sera extrêmement jaloux, tout comme par le passé. Je refuse cette fois qu'il gâche ma vie comme il l'a fait.

– Jayson voudrait me faire du mal?

– Tant que je serai avec toi, jamais il n'osera t'approcher.

Je réfléchissais à l'importance de ses révélations et essayai de ne pas paraître trop ébranlée. Ma confiance en Oliver était telle qu'elle atténuait la crainte qui aurait dû s'emparer de moi. Sans rien ajouter, nous restâmes silencieux, contemplant la beauté du paysage apaisant. L'immensité du ciel me faisait sentir étrangement petite, tout comme ces arbres en bas de la montagne.

– Il est peut-être temps que je te ramène au chalet, soupira-t-il, le regard perdu dans la ligne d'horizon.

La noirceur ne tarderait pas à nous envelopper, car le soleil s'était caché entre les montagnes. Il y avait cependant une dernière question qui me tracassait encore. C'était pourtant une partie très importante de son histoire.

– Oliver… qu'est-ce qui est arrivé à l'âme de Rachel?

Il me fixa un instant, comme s'il n'avait aucune réponse adéquate à me fournir.

– Je ne l'ai jamais revue… et je n'ai aucune idée de ce qu'elle est devenue.

Je n'osai élaborer davantage, par crainte de réveiller une tristesse encore plus profonde. J'acquiesçai d'un léger signe de tête et me contentai de me relever face à lui. Il m'entoura aussitôt de ses bras massifs, ce qui m'obligea à me serrer contre son corps. Je pouvais respirer l'odeur suave de ses vêtements. Je fermai les yeux, m'accrochant fermement à lui, et à l'instant même où je les rouvris, je me retrouvai devant l'entrée du chalet.

12

Capture

– As-tu passé une belle soirée hier? me demanda Elyssa en se servant un verre de lait.

– C'était bien, on a regardé le coucher du soleil.

– Ah oui! C'était de toute beauté, le ciel. Les rayons pénétraient jusque dans le salon!

– Qu'est-ce que vous avez fait pendant mon absence? demandai-je en croquant dans ma rôtie tartinée avec de la confiture de fraises.

– Pas grand-chose. Les gars ont allumé un feu et on a joué aux cartes toute la soirée. Marie s'est endormie sur le canapé et Mick l'a traînée dans ses bras jusque dans son lit.

Pour que Marie se soit endormie avant tout le monde, elle devait être morte de fatigue.

– Alors, comme ça, une superbe soirée avec Oliver?

Elle avait une façon bien à elle de chercher à connaître toutes mes histoires de cœur. Pour sceller notre amitié, il y a quelques années, nous nous étions fait la promesse de ne rien nous cacher et nous avions tenu parole, jusqu'à ce jour...

– Tu n'as toujours pas répondu à ma question.

Nous poursuivîmes notre déjeuner sur la véranda. La journée s'annonçait grisâtre.

– Oh… euh… oui, ouais ça va.

Elle me regarda d'un drôle d'air, devinant mon embarras inhabituel.

– Tu n'as pas l'air certaine…

Elle me connaissait tellement bien! Je lui cachai à regret qu'Oliver était un fantôme doté de tous les pouvoirs du monde. Puisque je ne pouvais lui en parler, je contournai le sujet en lui posant une question qui expliquerait peut-être mon malaise.

– Elyssa, comment tu as… tu as su que toi et Keven… vous étiez faits l'un pour l'autre?

Elle semblait réfléchir au véritable sens de ma question.

– Hum…

– C'est peut-être étrange ce que je te demande, mais… je voulais savoir si tu croyais au coup de foudre.

– Eh bien… Dès que je l'ai vu, j'ai tout de suite été attirée. Le physique n'est pas tout ce qui compte, bien sûr, mais… comment t'expliquer ça… Je sentais une forte chimie entre nous… et des papillons dans la poitrine, qui sont toujours là d'ailleurs.

– Alors, tu crois au coup de foudre?

– Oui, j'y crois.

Cela m'aidait à confirmer certaines choses, mais il me fallait tout de même lui avouer ce que j'en pensais.

– Pourquoi tu me demandes tout ça?

– Hum… je… j'étais curieuse de connaître ton opinion.

Elle me regarda avec de grands yeux interrogateurs. C'était plus fort que moi, je ne pouvais laisser ma meilleure amie à l'écart de tout ce que je vivais. Je m'assurai que personne ne venait avant de me lancer dans mes confidences, le cœur en émoi.

– Tu es la seule à qui je peux me confier.

– Hey… murmura-t-elle en me prenant la main, qu'est-ce qui ne va pas?

– Non, tout va bien, c'est que…

J'avais de la difficulté à mettre des mots sur ce que je vivais.

– Cassy, on s'est toujours tout raconté.

Je serrai sa main. Probablement qu'elle ressentit la moiteur de la mienne et ma nervosité.

– Tu vas peut-être trouver ça insensé, mais je…

J'inspirai profondément.

– Je crois que je suis amoureuse aussi…

J'avais prononcé ces mots de façon calme et réfléchie. C'était la première fois que je ressentais cela pour un garçon.

– Je sais que je ne le connais pas depuis très longtemps. J'ai encore beaucoup à apprendre sur lui, mais je n'ai jamais été aussi persuadée de mes sentiments pour quelqu'un.

Je baissai mon regard vers nos mains enlacées.

– J'ai envie de passer tout mon temps avec lui…

Il y eut un bref silence, le temps qu'elle digère ma déclaration.

– Seigneur! s'exclama-t-elle. Alors… c'est du sérieux, tu l'aimes vraiment? Penses-tu le dire à Mick?

– Non. Je crois qu'il s'en fait déjà assez pour moi. Il finira par le remarquer lui-même. Il a toujours été là pour moi, alors il comprendra.

– Ouais… Que comptes-tu faire maintenant?

– J'aime mieux ne pas y penser.

Elle allait ajouter quelque chose quand Mick surgit précipitamment, maugréant d'un ton sec qu'il se rendait voir Jackie à la réception. Il disparut si vite que j'eus peur qu'il ait entendu notre conversation. Tout en le regardant s'éloigner du chalet, Elyssa me rassura en disant qu'il venait tout juste de se réveiller.

– D'une manière ou d'une autre, il finira par s'en apercevoir…

– Hey, pour l'instant, ne pense pas à ça, O.K.? Viens, on va réveiller les filles.

Cette diversion ne me déplaisait pas. J'agrippai fermement les mains qu'elle me tendait et nous nous précipitâmes vers leur chambre. Marie et Jamie dormaient encore : c'était l'occasion idéale pour bondir dans leur lit.

– Vous êtes complètement folles! maugréa Marie en s'enfonçant la tête sous son oreiller. Qu'est-ce qui vous prend?

– Vous êtes les filles les plus paresseuses que je connaisse! s'écria Elyssa en retirant l'oreiller de sur sa tête.

Elle se redressa d'un bond. Je ne pus m'empêcher de rire en la voyant ainsi échevelée. Un petit coup de brosse ne lui ferait pas de tort. Jamie fit voler un oreiller moelleux sur la tête d'Elyssa pour se venger de l'avoir réveillée. Je fis de même en lui en relançant un plus gros. Il n'en fallait pas plus pour que la bagarre éclate : le chaos total dans un enchevêtrement d'oreillers et de couvertures.

– Il faudrait peut-être se décider à mettre un peu d'ordre dans notre chambre, se découragea Jamie. On vient juste de la rendre un peu plus bordélique!

Elle ramassa sa chevelure blonde et bouclée en un chignon bien serré sur sa tête avant de se mettre à l'ouvrage.

– J'approuve! s'esclaffa Elyssa, la tête au sol à la recherche de son t-shirt des *Jonas Brothers*. Merde, ma sœur va m'étriper.

– Mais, c'est quoi cette phobie du ménage? rouspéta Marie. On est en vacances, le moment rêvé pour tout laisser traîner, et aucun parent pour nous en faire la remarque en plus.

Je partageais son avis, même si je ne trouvais pratiquement plus rien.

– La température est moche aujourd'hui, déclara Elyssa en repliant son chandail retrouvé. On pourrait aller pêcher? Ça me semble le temps idéal.

– Ouais, c'est une bonne idée, répliqua Jamie pendant qu'elle enfilait un short de basketball.

Marie se retourna vers moi.

– Et toi, tu dois rapporter du poisson à ton père. Tu lui as promis.

– Je sais, mais... je ne suis pas une pro dans le domaine, alors... il risque d'être déçu.

– Sois positive, tu n'as pas le choix de lui en rapporter.

Elle enfila un jeans et une chemise à carreaux. Heureuse, elle gambada retrouver Jim à la réception pour lui exposer le plan de la journée. Les gars rassemblèrent les cannes à pêche, tandis que je regagnais le quai en compagnie d'Elyssa et de Jamie. Une fois le tout installé dans les chaloupes, Mick fit signe à Keven de se placer à l'avant et nous démarrâmes les moteurs, prêts pour une première pêche. Comme Jackie nous l'avait dit l'autre jour, la température, cette fois-ci, convenait bien pour attirer les poissons : un temps grisâtre pas trop chaud et aucune percée de soleil, ce serait l'idéal!

– Tu sais où te diriger? criai-je à Keven qui était à quelques mètres de notre barque.

Nous le suivions depuis une demi-heure déjà, lorsqu'il décida d'emprunter un étroit passage entre les montagnes. Calme et silencieuse, la forêt nous entourait de chaque côté.

– Ouais! Jim m'a indiqué un endroit sur la carte où la pêche est bonne.

Je frottai mes mains contre mes épaules frissonnantes. La mauvaise température et le brouillard accentuaient l'atmosphère sombre des lieux.

– Je n'ai pas l'impression que c'est le meilleur endroit pour pêcher, fit Jamie, sceptique.

Je n'étais pas très convaincue non plus. Mais comme je n'y connaissais rien à la pêche, il valait mieux s'en remettre aux pêcheurs expérimentés.

– Je crois que c'est ici!

Le chemin étroit dans lequel nous naviguions depuis une dizaine de minutes s'élargissait soudain en un grand marécage dont l'eau était calme et limpide. Les arbres moins rapprochés nous donnaient l'impression de pouvoir respirer plus librement, dissipant l'aspect lugubre ressenti précédemment.

– Ouais, c'est exactement l'endroit indiqué par Jim. Ce n'était pas trop loin, finalement.

Nous immobilisâmes les chaloupes non loin l'une de l'autre. Mick prit la boîte de vers pour appâter les hameçons et me tendit l'une des cannes. Marie prépara la sienne. Quant aux autres, ils avaient déjà mis la leur à l'eau. Je me concentrai à maintenir la mienne fermement sur le côté, tout en lui donnant un léger élan afin de faire balancer mon fil dans le lac miroitant.

– On pourrait peut-être mettre de la musique? proposa Elyssa. Qui a apporté son iPod?

– Tu es sérieuse? chiala Keven en la regardant, découragé. On ne réussira jamais à attraper un poisson s'il y a de la musique!

– J'ai le mien! lui répondit Marie en lui montrant de loin.

– Range ça, intervint immédiatement Mick. Keven a raison, si on met de la musique, les poissons ne mordront jamais.

Elle le rangea d'un air maussade.

– Vous êtes nuls! C'est ennuyant à mort sinon.

Mick roula les yeux au ciel.

– OH!!!!! ÇA TIRE!!!!! s'écria Jamie en se levant dans la chaloupe.

Alec se précipita sur sa canne.

– Tu n'as pas de chance, ricana-t-il, ta corde est prise au fond de l'eau.

– Encore! Ce n'est pas vrai…

– Tu as toujours le même problème. Ne la laisse pas descendre trop profondément, sinon, ton hameçon reste coincé entre les rochers.

En parlant d'hameçon coincé, le mien l'était aussi. Mick déposa aussitôt sa canne pour venir m'aider. En donnant un bon coup, il réussit à déprendre mon fil facilement et je le relançai dans une autre direction. S'il me fallait trouver un seul terme pour décrire ce sport, c'était assurément le mot « patience » et ce n'était pas la qualité qui me définissait le mieux. Quel drôle de tableau si un peintre nous avait surpris ainsi, l'air pitoyable, dans l'attente que quelque chose se produise. Je commençais à apprécier de plus en plus la tranquillité et le silence qui nous enveloppaient. Mon esprit se mit à vagabonder au-delà des arbres et je me demandai, pour la première fois, si Oliver pouvait m'apercevoir. Je sentais un peu de sa présence dans cette nature pure et calme. Ma réflexion fut interrompue par Marie qui se plaignait de son inactivité.

– C'est ça la pêche, chuchota Keven. Tu dois être patiente. Respire, décompresse et fais le vide dans ton esprit!

– Ouais… il y a longtemps que tu l'as fait, toi, le vide dans ton esprit, se moqua-t-elle. J'avais remarqué!

Tout le monde échangea un sourire moqueur. Ces deux-là aimaient se taquiner. Je fis danser ma corde à la surface de l'eau dans l'espoir qu'un poisson s'y accrocherait bientôt. Quand Mick cria à Keven de lui lancer une canette de liqueur, le mouvement de la barque me fit craindre de basculer.

– Avez-vous fini de bouger comme ça? Les poissons ne viendront jamais! maugréa Jamie en fusillant Mick du regard.

– Elle a raison! répliqua Marie sur un ton sarcastique.

– Calmez-vous, les filles.

– CASSY!!! s'écria Mick, ta corde a bougé!

– Quoi? C'est vrai?

Je remontai automatiquement ma ligne et, à ma grande déception, je vis qu'il s'était payé ma tête. Keven riait de l'autre côté.

– Ferme-la, toi! Tu n'as rien attrapé encore, tu n'es pas mieux.

Il continuait de rire en se tapant sur les cuisses, et Mick, devant ce bon public, en rajouta aussi. Ils se moquaient vraiment de moi. Je déposai ma canne sur le banc et saisis ma bouteille d'eau à mes pieds.

– Voyons voir si ton visage est aussi marrant que le mien, rouspétai-je.

Avant que Mick ait eu le temps de réagir, je lui lançai tout le contenu de la bouteille sur la tête. Keven cessa instantanément ses bouffonneries et figea sur place, la bouche ouverte. Elyssa éclata de rire, et Marie ne put s'empêcher de m'applaudir, fière de mon coup.

– Tiens, ça t'apprendra à te moquer de moi! La prochaine fois, tu y penseras deux fois.

Il me fixait, pendant que l'eau froide dégoulinait sur son visage figé.

– Cassy… tu n'as même pas idée à quel point tu vas le regretter, dit-il en s'approchant de moi calmement.

– Tu m'as cherchée, me défendis-je.

– Tu serais gentille de me dire à quelle température est le lac aujourd'hui, me nargua-t-il en me saisissant dans ses bras.

– MICK!!!!! LÂCHE-MOI!!!!! MARIE!!!!! Je t'en supplie, aide-moi!

Elle se leva sans trop savoir comment réagir.

– Ne me lance pas dans l'eau! MICK, NOOONNNNNN!!!!!

Je n'eus que le temps de retenir mon souffle avant de sentir mon corps plonger dans l'eau glaciale. Je remontai rapidement à la surface, détestant sentir la texture de la vase gluante entre mes orteils.

– MICK!

Il avait sauté lui aussi.

– Je te déteste! Ça fait deux fois que tu me lances à l'eau depuis les vacances.

Je nageai jusqu'à lui afin de le submerger à son tour. Puisque mes amis se permettaient de rire et de se moquer, je m'approchai de leur chaloupe afin de les rafraîchir un peu, ce qui n'eut pas l'air de leur plaire. Mick en profita pour s'agripper à l'embarcation, se plaignant à Marie que quelque chose le piquait dans le cou. Se penchant pour regarder de quoi il s'agissait, il la saisit par le bras et la fit basculer à son tour. Elle cria tellement fort que l'écho résonna tout autour. Lorsqu'elle émergea en crachant l'eau de ses poumons, elle hurla :

– Crétin! tu vas me le payer! C'est dégoûtant! Il y a plein d'algues ici.

Voulant se racheter, il nous aida à nous hisser à bord, non sans recevoir quelques bonnes ruades de notre part.

– Ça rafraîchit, pas vrai? se moqua-t-il en secouant sa crinière dégoulinante sur une Marie furieuse qu'il fit semblant d'ignorer.

Pendant qu'il retirait son chandail, privilège que Marie et moi n'avions pas, je me résignai à enfiler un ver gluant qui se tortilla au bout de ma canne. La relançant à l'eau, je remis ma patience en mode actif, ce qui sembla faire une trêve dans nos ébats. Nous n'avions encore rien pris et il ne fallait pas revenir bredouilles une autre fois. Jamie avait déjà démissionné en se branchant sur ses écouteurs. Elyssa était penchée sur le bord de la barque, affichant un air pitoyable. Quant à moi, inconfortable dans mon chandail mouillé et lasse de cette activité ennuyeuse, je décidai de remonter ma ligne. À l'instant où j'activais la manivelle pour rembobiner le tout, je sentis mordre à l'hameçon.

– J'AI UN POISSON!

Je tirai maladroitement ma canne vers l'intérieur du bateau. Cette fois, ce n'était pas un simple blocage entre deux roches.

– Remonte ta corde! hurla Mick en venant à ma rescousse.

– J'essaie!!!!! Je n'y arrive pas!

J'allais lâcher prise quand Mick agrippa ma canne de justesse. La force avec laquelle le poisson tirait était étonnante.

– Bon sang! Cassy! Quel monstre tu as attrapé!

Ma canne était si arquée que je craignais qu'elle casse en deux. Marie s'empara du filet et moi, de la chaudière. Mick redonna un bon coup et nous vîmes l'eau s'agiter à la surface du marais.

– WOW! Il est immense! s'étonna Keven.

Marie déploya le filet sous le poisson qui y entrait à peine, tellement il était énorme.

– Cassy, approche la chaudière! s'impatienta Mick.

Dans son combat pour rester en vie, le poisson se débattait dans l'amas de cordages. Mick arriva à le stabiliser rapidement, lui enleva l'hameçon qui était bien accroché dans sa gueule et déposa ma capture dans le seau.

– Il doit peser au moins trois kilos! déclara-t-il, admiratif.

Nous étions tous impatients de redémarrer les moteurs pour aller exhiber notre monstre marin au camp. Fière de moi, je surveillais ses soubresauts dans la chaudière, me demandant ce que Sergio penserait de ce trophée. Il en mourrait probablement de jalousie! Arrivés au quai, nous aperçûmes Jackie qui dévalait la colline à toute vitesse.

– La pêche était bonne? s'informa-t-il sur un ton joyeux.

Roulant les manches de sa chemise délavée, il se pencha pour examiner la prise qui dépassait de la chaudière.

– Ça, c'est ce que j'appelle du vrai poisson!

Marie courut chercher sa caméra pendant que Jackie s'emparait du monstre d'une main expérimentée. La pauvre bête agonisante semblait résignée à se retrouver dans notre assiette sous peu. Je ne détestais pas la pêche, mais j'éprouvais certains remords à laisser mourir un animal à petit feu. S'il n'en tenait qu'à moi, j'aurais bien remis tous les poissons à l'eau.

– Venez, proposa Jackie, enthousiaste.

Nous le suivîmes jusqu'à la cabine située au centre du terrain, une structure improvisée qui ne donnait pas l'impression d'une grande solidité.

– On a capturé une belle grosse truite, les gars! commenta Jackie dans son interphone. Venez voir ça!

Marie revint en courant, heureuse d'apprendre que Jim se joindrait à nous pour la préparation du poisson.

– Cassy, prends-le dans tes mains pour que j'immortalise ce moment de ta carrière de pêcheuse!

– Euh... non, il n'est pas question que je touche à ça.

Jackie sortit le poisson inerte du seau. Il avait cessé de se débattre, étalant sa chair verdâtre et tendre en prévision de notre souper.

– Qui a pêché cette magnifique truite? demanda Jackie qui ne s'en était pas soucié jusque-là, trop excité qu'il était.

Marie me pointa du doigt.

– C'est toi qui as pêché ce poisson? Félicitations!!!

Le tenant fermement entre ses mains, il s'approcha pour que je le prenne, mais je reculai instantanément.

– N'aie pas peur, il est mort. Regarde, tu le saisis sous les branchies, et de ton autre main, tu maintiens le reste du corps jusqu'à la queue.

– Allez, Cassy! insista Marie, impatiente de me prendre en photo.

Les jambes légèrement fléchies, elle était déjà en position pour me photographier.

– Bon, d'accord...

D'un air dégoûté, je suivis les instructions de Jackie. Quelle sensation déplaisante! C'était froid et gluant. Jackie me tendit l'extrémité du corps pour que je le tienne fermement pendant la photo. Malgré mon inconfort, il exigea un autre cliché avec moi, en plus d'une photo de groupe. Suite à cette séance trop longue à mon goût, il nous invita à entrer dans la cabine pour assister à la préparation de notre capture. La pièce exiguë était toutefois bien équipée pour ce genre d'opération : au centre, une large table métallique était reliée à un gros lavabo rectangulaire au-dessus duquel étaient suspendus une dizaine de couteaux, de grandeurs différentes, aux lames bien acérées.

– Voyons son poids... intervint Jackie en suspendant le poisson sur un crochet relié à une balance. 3.1 kilos!

– J'y étais presque, s'excita Mick. J'avais dit sept livres!

– Dieu du ciel, Cassy, comment as-tu fait pour le sortir de l'eau?

– Hum... disons que... j'ai eu un peu d'aide.

Avisés de notre prise spectaculaire, Sergio, Anna, Tristan, Lisette, son mari Peter ainsi que les jumeaux accoururent dans l'espace restreint de la maisonnette, nous obligeant à nous serrer les uns contre les autres.

– Incroyable! s'étonna Ben en touchant la queue du poisson.

Sergio s'approcha afin de l'examiner.

– J'ai déjà pêché un poisson semblable à celui-là, l'été passé.

Personne ne releva sa remarque désobligeante. Il tenait vraiment à nous voler notre seul moment de gloire.

– Approche, Cassy, je vais te montrer comment on s'y prend pour nettoyer le poisson, proposa Jackie.

Il s'empara d'un couteau et inséra avec précision la lame tranchante sur le côté de la tête. Il trancha le reste du corps avec la même dextérité, l'ouvrant en deux parties égales. Découpant la chair, il nettoya ensuite les morceaux, à gros jets dans le lavabo.

– Alors, qui veut manger de la délicieuse truite fraîche?

– Je dois en rapporter à mon père, je lui ai promis.

– Bien sûr, c'est ton poisson, quand même! Je faisais des blagues, il est entièrement à toi!

Je proposai de le partager entre nous. Jim suggéra d'utiliser les restes pour faire une dégustation le soir même, avec une délicieuse recette de Jackie.

– Tiens, Cassy. À toi l'honneur de choisir la quantité que tu veux.

Jackie avait soigneusement découpé la chair du poisson et l'avait emballée dans une dizaine de sacs en plastique. J'en pris quatre, laissant les autres à mes amis. Comme Tristan n'avait pas osé se servir, je lui en remis un qu'il accepta volontiers.

– J'ai eu droit aux délicieux muffins de ta mère, alors… en échange, je te fais goûter à mon poisson.

– Merci, Cassy, dit-il en me souriant timidement.

Une fois tout le monde à l'extérieur, Jackie en profita pour jeter la carcasse malodorante et nettoyer la surface du comptoir. Nous regagnâmes le chalet, heureux de notre expérience de pêche. Nous étions surpris qu'un seul poisson puisse nourrir autant de personnes. Je m'empressai de congeler deux paquets pour les offrir à mon père, réservant les deux autres pour le souper. Les gars s'étaient empressés d'éplucher quelques pommes de terre et des oignons pour préparer le *shore lunch* dont Jackie s'était fait un plaisir de nous dévoiler le secret, une recette maison bien spéciale, que la majorité des pêcheurs cuisinaient : il suffisait de faire cuire le poisson et les légumes dans une poêle chauffée sur un feu de camp, le tout immergé dans de l'huile avec quelques épices goûteuses. Les jumeaux arrivèrent quand nous étions assis autour du feu pour surveiller la cuisson. Je les contemplai tous les deux pour la première fois. Même s'ils étaient des jumeaux identiques, quelques détails les différenciaient toutefois : Ben était un peu plus grand que son frère et sa personnalité plus forte lui donnait une allure plus assurée. Autrement, leur ressemblance était stupéfiante : mêmes traits délicats, mêmes yeux bleu ciel, même chevelure blonde et lisse. J'aimais leur compagnie agréable qui rendait notre séjour au Cabonga encore plus mémorable.

– Ça sent le *shore lunch* par ici! s'exclama Jim en humant l'odeur exquise qui se dégageait de la marmite.

Cependant, le fait de les voir arriver seuls me remémora plus cruellement l'absence d'Oliver. Je savais parfaitement qu'il ne pouvait se permettre d'être toujours présent à cause de l'instabilité de son comportement en présence des gens. Pour la première fois depuis ma rencontre avec lui, je ressentis sa véritable nature : il était bel et bien un fantôme.

13

Wonderwall

– Qu'est-ce que tu lis? s'informa Elyssa, tout en remplissant sa tasse de café.

– Rien d'intéressant, une revue à potins comme Marie les aime.

Nous étions seules à la cuisine, chacun ayant décidé de passer une soirée tranquille à relaxer dans sa chambre. Elyssa s'empara un moment du magazine pour y jeter un coup d'œil, mais la brise fraîche provenant de la véranda l'obligea à aller chercher un lainage pour se couvrir. Je continuai à feuilleter machinalement les pages de la revue. À vrai dire, je me foutais royalement de ce que les vedettes pouvaient faire de leur vie. Les voir en bikini ou en train de flirter avec le copain d'une autre, cela me passait dix pieds par-dessus la tête. Mais cette activité convenait parfaitement au vide que je ressentais. J'entendis soudain, à peine perceptible, le son doux et mélodieux d'une guitare acoustique. Je me levai, curieuse, pour jeter un coup d'œil à travers la porte moustiquaire. Mick était assis près du feu et jouait une mélodie émouvante, empreinte à la fois de douceur et de tristesse. Je l'observais, attendrie, hésitant à le rejoindre de peur d'interrompre sa composition.

– Tu devrais aller t'asseoir avec lui, me chuchota Elyssa à l'oreille.

– Tu crois? J'ai peur de le déranger.

– Cassy, c'est quand la dernière fois que tu l'as dérangé?

– Hum… eh bien…

– Bon, c'est ça! Alors, arrête de dire des bêtises et va le rejoindre… Je vais me coucher, je suis fatiguée.

Elle m'accorda un sourire réconfortant et fit demi-tour vers la chambre. De mon côté, je restai immobile sur la véranda, à l'observer. Je n'étais pas fatiguée et je ressentais une envie irrésistible d'être à ses côtés pour profiter de la nuit étoilée. La porte grinça légèrement sur ses pentures rouillées et je descendis doucement les trois marches de la galerie, avançant à pas feutrés sur la pelouse sombre, les mains bien au chaud dans les poches douillettes de mon gilet. Je contemplais la voûte céleste qui était d'une beauté incomparable : les étoiles scintillaient comme des pierres précieuses à travers cette toile immense. Ressentant la chaleur réconfortante du feu, je m'assis au sol, à ses côtés. Il était si concentré dans son univers musical, qu'il semblait ne pas me voir. J'en profitai pour savourer le rythme apaisant de sa guitare. Il chantait l'une de ses chansons préférées, *Wonderwall* de Oasis. Il faisait danser ses doigts sur les cordes de l'instrument, brandissant de doux accords qu'il accompagnait de sa voix riche et sensible, comme si les mots lui étaient destinés.

Today is gonna be the day that they're gonna throw it back to you.

By now you should have somehow realized what you got to do.

I don't believe that anybody feels the way I do about you now.

Il reprit le rythme de sa guitare avec plus d'intensité. C'était mieux réussi que la chanson originale!

Back beat the world is on the street that the fire in your heart is out.

I'm sure you've heard it all before but you never really had a doubt.

I don't believe that anybody feels the way I do about you now.

Par moments, il prenait de courtes pauses et poursuivait en transformant la mélodie à sa manière.

Today was gonna be the day but they'll never throw it back to you.

I don't believe that anybody feels the way I do about you now.

En fredonnant ces dernières paroles, il fit résonner une dernière fois chacune des cordes de sa guitare, et tourna pour la première fois son regard radieux vers le mien.

– Tu sais que tu as du talent, affirmai-je.

Son visage illuminé par les flammes vacillantes me sourit tendrement.

– Merci bien.

Il déposa sa guitare au sol.

– Comptes-tu l'interpréter dans tes prochains concerts?

– Cette chanson-là? Non, ce n'est que pour mon plaisir personnel.

– Je préfère ta version à celle du chanteur.

Il sembla flatté.

– En parlant de concert, j'espère te voir à tous mes spectacles cet été. On en a plusieurs de planifiés.

– Tu es sérieux? C'est génial, ça!

– Ouais, on a trois concerts prévus dans un bar du centre-ville et un spectacle organisé par l'association étudiante sur le campus. Ça va être fou!

– Tu peux compter sur moi, je serai ton admiratrice numéro un!

Il sourit à cette promesse et un silence s'installa. Même si le feu s'éteignait peu à peu, les braises fumantes dégageaient encore une chaleur réconfortante.

– As-tu vu Oliver aujourd'hui? Je ne l'ai pas aperçu de la journée.

Ce n'était pas le meilleur sujet pour combler ce moment de tranquillité. En fait, j'étais étonnée qu'il aborde la question, sachant ce que je représentais à ses yeux, selon les dires d'Elyssa.

– Non, je ne l'ai pas vu. J'imagine qu'il chassait.

Je savais au plus profond de moi-même que Mick se moquait totalement de son absence. Pour mon plus grand malheur, il me posa la seule question à laquelle je n'avais aucune envie de répondre.

– Tu ressens quelque chose pour lui, hein?

En guise de réponse, je ne sus faire autrement que de le fixer, embarrassée.

– Quoi? Ne me regarde pas comme ça... Je déteste quand tu me fais ces yeux-là!

Il aurait aimé connaître la vérité, même s'il la redoutait plus que tout. J'avais la conviction qu'il n'était vraiment pas la bonne personne à qui dévoiler les sentiments que je ressentais pour Oliver.

– Hum... c'est un peu difficile de répondre... à ta question.

– Pourtant, ça paraît simple.

– Qu'est-ce que tu en sais?

– Eh bien, c'est évident. Sincèrement, ce Oliver, je crois qu'il te plaît beaucoup...

Me sentant prise au piège, il fallait que je trouve le moyen de m'expliquer sans avoir l'air mal à l'aise.

– Hey, je rigole, Cassy. Ne t'en fais pas, je ne suis pas si curieux.

Il me rassura en prenant ma main dans la sienne et, sans forcer les choses, nos doigts s'entrecroisèrent naturellement. Avec Mick, j'ignorais pourquoi, nous pouvions nous permettre ce genre d'intimité. J'étais bien à ses côtés, tout simplement.

– Que comptes-tu faire pendant le reste des vacances d'été?

J'étais soulagée qu'il oriente la conversation sur un autre sujet.

– Je ne sais pas trop. Chaque année, mes frères supplient mes parents pour aller faire du camping, alors je les accompagnerai peut-être. Et toi?

– Le groupe de musique occupera une grande partie de mon horaire : les pratiques et les spectacles, c'est beaucoup de préparation.

En effet, Mick pratiquait environ cinq soirs par semaine. Son groupe et lui avaient droit à un local à l'université, du lundi au jeudi après les cours, en plus du garage de Christopher, auquel ils avaient accès en tout temps.

– Sinon, mes parents passent leur vie au chalet. J'irai probablement faire un tour avec les gars, une fin de semaine.

Nous restâmes ainsi, main dans la main, à observer le feu s'éteindre. Qu'arriverait-il de notre belle amitié si je lui dévoilais mes sentiments pour Oliver? S'éteindrait-elle à son tour dans un amas de cendres? Je repensais à la question qu'il m'avait posée et j'avais de la difficulté à sonder les profondeurs de mon cœur. Toutefois, je me sentais soulagée de sa réaction: iI semblait se douter de quelque chose entre Oliver et moi, mais il n'avait pas l'air d'en être trop affecté.

– Cassy?

J'eus peur qu'il ait lu dans mes pensées et m'efforçai de dissiper mon inquiétude.

– Qu'est-ce qu'il y a?

– Tu crois que les choses vont changer quand on se verra moins à l'université?

– Qu'est-ce que tu veux dire?

– Je veux dire qu'on aura des horaires différents. Toi, tu auras tes stages, et moi, je partirai peut-être en tournée avec mon groupe.

Il s'attendait peut-être à ce que j'ajoute autre chose. Je me contentai de le regarder, hésitante.

– C'est vrai, tu choisiras peut-être un hôpital dans une autre ville, et si les choses se passent bien de mon côté, je pourrais aller faire des spectacles aux États-Unis. L'oncle de Tom a de très bons contacts à New York. Avec un peu de chance, il pourrait nous mettre en première partie d'à-peu-près n'importe quel groupe populaire. Si on a l'opportunité de réussir là-bas, c'est certain qu'on acceptera.

– Wow…

Je me réjouissais à l'idée de les voir percer le marché américain. Avec son talent, je n'étais pas inquiète pour son avenir en tant qu'auteur-interprète. Mais d'un autre côté, je n'avais pas envie qu'il s'expatrie trop loin ni trop longtemps.

– Tu ne comptes pas déménager là-bas, j'espère?

– Mais non. Ce n'est pas quelque chose d'officiel encore.

– C'est une idée qui te plairait d'aller vivre ailleurs un jour?

– Si j'en ai la chance, oui. J'aimerais bien la Californie. Le temps chaud, la plage, le surf et les spectacles. C'est la place rêvée là-bas.

Je détournai mon regard vers le feu, soupirant à l'avenir incertain qui nous attendait.

– Non, c'est trop loin.

– Bah, tu n'as qu'à venir habiter avec moi et travailler là-bas. Je suis sûr qu'il y a de beaux surfeurs malades qui seraient ravis de se faire soigner par une si jolie infirmière.

– Quoi?

Je me retournai promptement vers lui, le sourire aux lèvres.

– Tu n'aimerais pas?

– Non, ce n'est pas ça, c'est que... j'ai ma famille ici et je compte bien continuer à habiter en Ontario.

– Mais, tu n'as qu'à venir les visiter régulièrement.

– O.K. Tu sais quoi? Reste ici, ce sera bien moins compliqué.

Il étouffa un petit rire amusé.

– J'aimerais rester ici, c'est certain, à cause de ma famille et de mes amis, mais je dois réfléchir à mon avenir avec mon groupe. Si on a la chance d'avoir de bons contacts, on aura peut-être aussi l'occasion de réaliser quelque chose d'encore plus grand ailleurs. C'est mon avenir la musique, tu vois.

– Je sais... et je te souhaite tout le succès que tu mérites. Ton talent te suivra partout où tu iras. Que ce soit à Kingston ou n'importe où ailleurs dans le monde.

Il détacha sa main de la mienne pour déposer son bras autour de mon cou. Ce geste tendre m'obligea à me rapprocher davantage.

– Écoute, si je dois partir un jour, ce ne sera pas une raison pour que nos vies s'éloignent... compris?

– Bien sûr que non, répondis-je sans hésiter.

Évidemment que notre amitié était importante pour moi! Mick avait été si présent durant les premières années où nous nous étions rencontrés. Même aujourd'hui, je le sentais toujours aussi proche de moi, prêt à m'aider quelles que soient les circonstances. Je m'étais toujours sentie en sécurité avec lui, et c'était un privilège de pouvoir partager son amitié et de savoir qu'il se battrait toujours pour la préserver.

– Je n'ai pas envie de te voir partir, reste ici!

Je me surpris à le serrer contre moi.

– Dis donc, je me sens plus important tout d'un coup! s'émerveilla-t-il.

Son regard paisible s'immobilisa sur les dernières flammes qui combattaient pour ne pas s'éteindre. Il s'assombrit soudain : il savait, tout comme moi, que nos chemins seraient tôt ou tard forcés de prendre des voies différentes. C'était le cours normal de la vie et personne n'échappait à ce destin. Pour briser ce moment nostalgique, j'optai pour l'humour : cela nous avait toujours rapprochés, dans toutes sortes de circonstances.

– D'un autre côté… eh bien… je pourrai me consoler en me vantant d'être la meilleure amie d'une future *rockstar*! blaguai-je en lui donnant un coup d'épaule.

– Oh, toi! rigola-t-il. Tu m'exploites selon ton bon plaisir!

Il me bouscula gentiment et cela dégénéra, comme d'habitude, en chamaille. Morte de rire, je le suppliai d'arrêter, par peur d'alerter tout le voisinage. Il relâcha son étreinte, vainqueur comme à son habitude, se releva et agrippa le manche de sa guitare. Je restai étendue sur la pelouse, le bras tendu, attendant qu'il me propose son aide.

– Plus paresseuse que toi, impossible, confirma-t-il catégoriquement.

Je m'esclaffai, tout en lui présentant mes deux bras.

– Micka, minaudai-je en lui faisant les yeux doux.

– Hey, je déteste quand tu m'appelles comme ça!

J'aimais bien l'embêter quelquefois en lui remémorant que son vrai nom, c'était Micka. Malgré ma taquinerie, il me ramena en moins de deux jusqu'à lui.

– Allez, ma groupie! On rentre.

Je lui dédiai la plus belle de mes grimaces. J'étais contente de cette soirée en sa compagnie, car notre conversation m'éclairait sur certaines choses. Si ce qu'Elyssa m'avait dit à son sujet était exact, eh bien, il ne le laissait pas paraître. Le feu mourant nous plongea dans une noirceur profonde pour retourner au chalet. Mick referma la porte de la véranda et déposa doucement sa guitare sur le canapé pour ne pas réveiller la maisonnée. J'avais les yeux lourds de sommeil et un grand besoin de repos. Il avait déjà retiré son chandail et se dirigeait vers sa chambre quand nous nous souhaitâmes une bonne nuit. Il me décrocha un clin d'œil charmeur avant de se retirer. Seule dans le noir, j'éprouvai le besoin de sourire du coin des lèvres, soulagée que mes soucis à son égard soient enfin dissipés. Je n'aurais voulu, pour rien au monde, ternir notre belle amitié. Je me sentais rassurée de savoir que rien n'avait changé entre nous. Je pouvais dormir en paix.

14

Une balade inattendue

J'entendis un bruit de moteur au loin qui me tira de mon sommeil douillet. J'allongeai le bras pour vérifier l'heure à ma montre : 7 h 35. Les filles dormaient encore profondément, nullement dérangées par ce ronronnement incessant dont l'écho se répercutait dans tout le camp. Qui osait ainsi troubler nos heures de sommeil si précieuses? Curieuse, je me rendis sur la véranda. Le soleil aveuglant plombait déjà sur le lac telle une vitre éblouissante. Mes yeux balayant l'horizon jusqu'aux montagnes, j'avais une vue parfaite du vaste terrain gazonneux qui se jetait dans le lac. Étonnée, je vis Jackie et les jumeaux essayer de faire démarrer un hydravion accosté au quai. Mais, quand j'aperçus Oliver à leurs côtés, cela me réveilla tout à fait! En moins de deux, je laçai mes *Converse* pour filer vers eux. À la seconde où je redressai la tête, Oliver était déjà à mes côtés, si proche que je sursautai.

– Oliver! Tu m'as fait peur…

Il s'approcha aussitôt pour me serrer dans ses bras fermes et chauds. Si c'était sa façon de me dire bonjour, j'en étais ravie. Malgré la chaleur qui s'annonçait, il portait toujours son long manteau noir qui s'harmonisait si bien avec tout ce qu'il était et dont je connaissais maintenant les secrets. Comme il était beau dans cette lumière matinale qui faisait ressortir le noir intense de sa chevelure et l'éclat perlé de ses yeux.

– C'est imprudent d'apparaître de cette façon. Quelqu'un pourrait t'apercevoir.

– Ne t'inquiète pas, ils dorment tous.

Je vérifiai à l'intérieur pour m'assurer qu'il avait raison.

– Tu sais que tu es très jolie ce matin, murmura-t-il de sa voix chaude.

Je ne pus m'empêcher de retenir un sourire intimidé et attirai son attention ailleurs.

– Hum… Qu'est-ce que vous fabriquez près du quai?

Il savait que son compliment m'avait embarrassée, ça se voyait dans son sourire amusé.

– On essaie de réparer l'hydravion. C'est un vieil appareil qui appartenait à Jackie, mais qui n'a pas fonctionné depuis des années. J'ai proposé aux gars un petit coup de main afin de le remettre en état.

– Ce n'est pas en restant ici que tu les aideras en tout cas, rigolai-je.

– Je sais, mais franchement… quand je t'ai entendue descendre de ton lit, murmura-t-il en m'attirant vers lui, … je n'ai pu résister à l'envie de venir te chercher.

– Lorsque tu m'as entendue descendre de mon lit? répliquai-je, interloquée.

– Je suis au courant de tout ce qui se passe ici, tu as déjà oublié?

Je le repoussai de façon enjouée. Je n'avais pas pris conscience qu'il pouvait à ce point me suivre partout.

– Alors, viens-tu faire un tour au quai? proposa-t-il en me tendant la main.

– Oliver, combien de fois je vais devoir te le répéter, je ne suis pas seule ici. Si tu tiens tant à garder ton…

Il ne me laissa pas terminer ma phrase, s'empressant de déposer un doigt sur ma bouche.

– Ne t'inquiète pas, ils dorment. Même s'ils étaient réveillés, on serait disparus tellement vite que personne ne s'en serait aperçu.

Il fit glisser sa main le long de ma joue jusqu'à mon épaule qu'il serra. Il me tendit l'autre main en guise d'invitation à le suivre. Ma main se posa instinctivement dans la sienne. À ce contact, je ressentis aussitôt l'étrange sensation d'étourdissement qui m'était devenue familière. Tout tourbillonna rapidement autour de moi, ne me permettant pas d'identifier dans quelle dimension de la vie je me trouvais. Quand mes pieds touchèrent le sol, je me sentis embarrassée de me retrouver sur le quai avec Jackie et les jumeaux. Ils me saluèrent normalement, ne semblant aucunement ébranlés par ma soudaine apparition.

– Jim! s'esclaffa Ben, de l'intérieur de l'appareil. Viens donc ramasser tous tes machins explosifs! Ils sont dans mon chemin.

Le drôle de style qu'arborait Jim me fit sourire : un bandeau noir et blanc retenait ses cheveux sur le front, évoquant le style hippie. Il s'approcha nonchalamment de la porte de l'hydravion où son frère lui remit quatre énormes tubes cylindriques qu'il déposa sur le quai. Sur le côté, nous pouvions lire l'inscription *Feux d'artifice*, en gros caractères.

– Comment avance le travail? demanda Oliver à Jackie, qui était presque couché à l'arrière de l'engin.

Je n'avais jamais vu d'hydravion auparavant. Celui-ci était assez massif, en largeur et en hauteur. La partie inférieure était peinte en deux tons de bleu, et celle du haut était entièrement blanche.

– L'aileron droit avait un léger problème que j'ai réussi à réparer, dit-il en se relevant. Je n'ai pas piloté depuis des années, alors mes connaissances seront mises à l'épreuve.

– On devrait peut-être le peinturer, fit remarquer Jim en grattant la peinture blanche qui s'écaillait.

– Je retourne en ville la semaine prochaine, alors j'irai acheter de la peinture : il aura l'air d'un neuf!

Jackie s'interrompit pour saluer Sergio qui arrivait avec Tristan.

– C'est quoi tout ça? s'étonna-t-il, intrigué à son tour à la vue de l'engin.

– Mon ancien meilleur ami! Un DHC-2 Beaver!

– Tu veux rire de moi?

Jackie paraissait fier de l'effet produit.

– Il est fait de métal pur et détient le meilleur record pour le décollage et l'atterrissage sur courte distance. Il n'en existe que 1500 de ce modèle.

– Incroyable!

– Ça fait déjà deux heures qu'on essaie de remettre en état cette vieille carcasse, enchaîna-t-il.

Sergio nous salua distraitement, contrairement à Tristan qui s'arrêta devant moi, l'air ravi, s'informant de la guérison de mes blessures. Je le rassurai, lui disant que c'était sûrement grâce aux succulents muffins de sa mère que je m'étais remise aussi vite. En effet, je n'avais plus mes pansements, seulement quelques cicatrices rougeâtres. Lisette avait vu juste concernant le processus de ma guérison.

– Ben! Tu peux tourner la clé maintenant, ordonna Jackie, fais un essai.

Aussitôt le moteur en marche, l'hydravion émit des gémissements dont j'ignorais s'ils étaient normaux ou non.

– SUPER! Ça a marché du premier coup!

Jim se précipita à côté de son frère, excité à l'idée de faire un tour. Avant de donner son accord, Jackie fit une dernière fois le tour de l'engin, scruta le moteur, l'hélice ainsi que les deux ailerons.

– Ouais, d'accord. Ne va pas trop loin. Fais en sorte de rester dans mon champ de vision.

Je questionnai Oliver du regard.

– Ne t'en fais pas, Ben sait conduire tout ce qui possède un moteur.

– Tu es sûr qu'il peut s'envoler avec ça?

– Penses-tu sincèrement que Jackie le laisserait partir s'il n'avait jamais conduit un hydravion de sa vie? se moqua-t-il en m'entourant les épaules de son bras.

C'était logique! Jackie ne lui aurait jamais permis de faire un décollage sans le minimum d'expérience. Je me retournai vers les jumeaux qui, tels deux gamins ne tenant plus en place, avaient déjà bouclé leur ceinture. Jackie fit des signes à Ben pour l'aider à manœuvrer vers le large. Il s'éloigna peu à peu du quai, traçant une piste imaginaire pour faciliter son décollage. Nous retenions tous notre souffle en voyant l'engin démarrer à une vitesse étonnante jusqu'à prendre son envol. Jackie hurlait de joie, applaudissant ce décollage parfait. Tristan regardait le spectacle, ébahi, suppliant son père de lui laisser faire un tour, ce qu'il refusa, bien entendu. Je comprenais sa décision, car je ferais de même s'ils me le proposaient.

– Est-il en mesure de bien amerrir? questionna Sergio en les suivant du regard dans le ciel.

– Bien sûr que si, confirma Jackie, Ben est un bon pilote. Je lui ai donné quelques leçons de base et il a également réussi un cours pour obtenir son permis.

Même si Jackie leur avait dit de ne pas trop s'éloigner, l'appareil était maintenant un point minuscule dans le ciel.

– Petits idiots! Ils ne m'écoutent jamais!

Je ne pus m'empêcher d'éclater de rire. Ben et Jim n'en faisaient toujours qu'à leur tête.

– Ah oui! J'allais complètement oublier, poursuivit Jackie en se retournant vers nous. Demain, la météo n'est pas en notre faveur. On attend des averses et des vents violents. Comme le lac sera très agité, la sortie en bateau est strictement interdite. La pêche et la baignade aussi.

– Alors, pas de pêche demain matin? questionna Sergio.

– Non, malheureusement. L'intensité de la tempête risque de créer une épaisse couche de brouillard. On n'y verra absolument plus rien.

Sergio ne répliqua pas.

– Cassy, tu passeras le message à tes amis. Dis-leur que… que c'est une journée idéale pour jouer aux cartes!

J'avais l'impression que c'était notre activité principale dans nos temps libres ici.

– Hey! s'esclaffa Tristan, regardez, ils reviennent!

– En effet, le ronronnement se rapprochait de plus en plus, mais à une vitesse que Jackie semblait trouver excessive à en juger par les signaux qu'il faisait à Ben pour le faire ralentir. L'engin poursuivit sa descente avec précision, se posant sur le lac en créant une immense traînée de vagues moussantes. Ben accosta l'hydravion à sa place initiale, fier de voir qu'il n'avait pas perdu la main. Jackie retint la portière pour maîtriser l'appareil et les jumeaux sortirent en vainqueurs, accueillis par nos applaudissements.

– Je te félicite, Ben, l'encouragea Jackie tout en lui tapant sur l'épaule. C'était super comme amerrissage. Tout s'est bien passé là-haut?

– Ouais! J'ai pris de l'altitude très facilement. Le moteur avait un son parfait et l'aileron droit était assez stable.

Je m'approchai de l'hydravion. Je n'étais pas une grande adepte de tout ce qui pouvait s'envoler, préférant garder les pieds sur terre, sauf, bien sûr, quand je m'envolais dans les bras d'Oliver.

– Si je te demandais de faire un tour avec moi, viendrais-tu? osa me proposer Oliver.

Je me tournai vers lui, déconcertée.

– Arrête de dire des bêtises.

– Je suis sérieux.

– Tu peux conduire un hydravion?

– Laisse-moi te surprendre.

Jackie déposa un bras autour de ses épaules.

– Es-tu en train de remettre en question les talents de pilote d'Oliver aussi?

– Euh… non, absolument pas. Ce n'est pas ça... c'est que… je n'aime pas ces engins volants.

– Vas-y! m'encouragea Ben. Il n'y a aucun danger.

Je me savais en confiance avec Oliver, là n'était pas la question. C'était plutôt l'aspect délabré et douteux de l'hydravion qui m'inquiétait.

– Allez, on y va! insista Oliver en me prenant de force.

– NON! J'ai peur de ces machins-là.

Bouclant ma ceinture comme à un bébé, il se mit aux commandes et, en moins de deux, le moteur vrombissait déjà.

– N'aie pas peur, hurla Jackie par-dessus le bruit, après avoir décollé, tu ne voudras plus jamais redescendre.

Je ne pouvais pas croire que je m'apprêtais à tourbillonner dans le ciel. Sergio et Tristan s'approchèrent afin d'observer ce deuxième décollage. Le petit agita sa main en me souriant, comme pour me donner du courage. Je lui rendis un sourire forcé, car je ne me sentais pas trop dans mon élément. Pendant que l'hydravion s'éloignait du quai, la main d'Oliver vint délicatement serrer la mienne.

– Tu as la frousse?

– Non, je suis totalement calme et indifférente au fait qu'on va s'envoler dans le ciel, rétorquai-je sur un ton sarcastique.

– Je dois accélérer bientôt, car il faut prendre de la vitesse pour le décollage. Prépare-toi!

Tout en tenant ma main, il actionna un bouton vert et une manivelle. La pression de plus en plus forte m'enfonça dans mon siège, m'obligeant à prendre une grande inspiration. Décidément, je préférais les effets de la téléportation! Je sentis bientôt une certaine légèreté, comme en apesanteur. La surface de l'eau avait cessé de frapper contre l'engin. Le décollage se déroulait normalement, avec la sensation habituelle au niveau des oreilles. Je jetai un coup d'œil par le hublot : l'altitude atteinte me donna un léger vertige. Dans mon rétroviseur, le camp n'était déjà qu'un point minuscule dans l'immensité environnante.

– Pas si mal? me siffla-t-il en me caressant la main.

– Hum... Je ne sais pas trop, soupirai-je. Tu ne m'as jamais dit que tu pouvais piloter des avions.

– C'est grâce à Jackie. À l'époque où j'étais humain, les avions n'existaient pas, alors je lui ai demandé de m'apprendre à les piloter. Mon père était un grand passionné des oiseaux : il s'intéressait à toutes les espèces et son plus grand rêve était de voler avec eux. Il aurait voulu inventer une machine pour s'envoler et partir étudier ailleurs que dans notre petit village. Hélas, il n'avait pas la fortune nécessaire pour réaliser un tel projet.

Cette diversion intéressante avait quelque peu atténué mes craintes.

– J'ai alors demandé à Jackie s'il pouvait me donner un cours de base en pilotage. En réalité, j'ai voulu réaliser le rêve de mon père.

– Il serait fier de toi.

Il restait silencieux. J'eus peur que l'évocation de ces souvenirs l'aient rendu nostalgique.

– Veux-tu faire une visite guidée du Cabonga? me proposa-t-il spontanément.

– Ouais, ça me plairait bien d'en voir toute l'étendue.

– Je vais te montrer les endroits les plus merveilleux du monde et la flore la plus exceptionnelle.

Il fit tourner l'avion en angle vers la gauche, tout en survolant la chaîne de montagnes qui s'étendait à l'infini. Il me pointait parfois des refuges où il aimait se rendre, à peine perceptibles dans cette forêt si dense. La vue s'offrant à nous était tout à fait spectaculaire : le lac scintillait de mille feux, reflétant la verdure des arbres et des sapins qui s'y miraient. J'étais privilégiée de pouvoir contempler une telle beauté à cette altitude. Il ne pouvait exister plus belle vue du Cabonga que celle qu'Oliver m'offrait présentement.

– Ici, c'est le secteur où Jackie et les jumeaux chassent. Ils ont érigé eux-mêmes tous les obstacles et les cachettes pouvant faciliter la capture de leur gibier. Juste là, c'est l'endroit où je t'ai amenée admirer le coucher du soleil l'autre soir.

Je pouvais effectivement apercevoir la clairière au sommet de la montagne, ainsi que la falaise.

– Il y a aussi un autre endroit que j'aimerais bien te montrer.

Nous survolâmes la forêt pendant une dizaine de minutes encore. Je n'arrivais plus à m'orienter par rapport aux chalets. Où pouvait-il bien me conduire? Cette fois-ci, il dirigea l'appareil vers la droite, diminuant graduellement l'altitude.

– On va amerrir ici?

– Oui, et ensuite je vais accoster dans une petite baie, en bordure du bois.

Je n'avais rien à craindre avec Oliver comme pilote : son assurance était remarquable. Il ne lui manquait que l'uniforme! Il accosta habilement près d'un énorme rocher. Aussitôt les clés retirées, il se téléporta de mon côté pour m'ouvrir la porte galamment et me prit dans ses bras pour m'aider à descendre. Une forêt dense nous entourait dont le silence n'était interrompu que par le jaillissement des vagues sur le rocher. Il m'agrippa par la main sans me donner le moindre indice de l'endroit où il me conduisait, et nous nous enfonçâmes dans la forêt.

– Ce n'est pas très loin d'ici. Si tu te demandes pourquoi je n'utilise pas la manière rapide de nous déplacer, tu comprendras bientôt.

Nous progressions difficilement à travers ce labyrinthe d'arbres et de ronces lorsqu'il s'arrêta soudainement et se retourna vers moi, me demandant de fermer les yeux. Comme il insistait devant mon hésitation, je cédai à sa demande pour lui faire plaisir. Il me prit la main pour me guider. J'étais à la fois curieuse et impatiente de voir la surprise qui m'attendait. Jusque-là, je n'avais pas été déçue dans mes sorties avec lui! Il me demanda de respecter le plus grand silence et de marcher le plus délicatement possible. Ce que je fis, m'efforçant même de retenir ma respiration haletante que cette avancée inhabituelle provoquait.

– Avant d'ouvrir les yeux, je veux que tu m'écoutes très attentivement, ordonna-t-il en s'arrêtant.

J'approuvai d'un signe de tête, mystifiée par tout ce cérémonial intrigant.

– Reste silencieuse, et lorsque je te dirai d'avancer, tu pourras le faire. M'as-tu bien compris?

– Oui, chuchotai-je, obéissante.

– C'est bien… Ouvre les yeux maintenant.

Je vis le spectacle le plus impressionnant de ma vie : un groupe de quatre majestueux orignaux broutait les branches d'un arbuste près d'un ruisseau que nous aurions pu franchir facilement. Le courant provenait d'une chute qui tombait en cascades de la montagne : une vraie scène de spectacle illuminée par les projecteurs du soleil scintillant, comme on en voit dans les films. La tranquillité des lieux accentuait la beauté de ce décor enchanteur. C'était un paradis unique.

– Je te présente les rois de la forêt, annonça-t-il, solennel.

L'une des bêtes, le mâle, mesurait environ deux mètres de hauteur, sans compter l'immensité des bois qui ornaient sa tête. Il nous fixa un moment avant de s'abreuver dans l'eau limpide. Derrière lui, deux femelles et un petit attendaient probablement qu'il leur fasse signe de s'approcher à leur tour. J'étais sans voix pour décrire ce spectacle émouvant. À ma grande surprise, Oliver s'avança doucement dans le courant, s'approchant d'eux sans qu'ils soient effrayés par sa présence. Il s'arrêta au milieu du ruisseau, me faisant signe de le rejoindre. Je compris alors pourquoi il n'avait pas voulu utiliser de déplacement rapide. Je fis un premier pas dans l'eau glacée qui pénétra dans mes souliers, les rendant lourds et inconfortables. Il me tendit la main pour assurer mon équilibre. J'émis un cri involontaire lorsque le mâle le fixa. Il me rassura en serrant ma main, et nous nous retrouvâmes de l'autre côté de la rive, à quelques pas des quatre orignaux. Cela dépassait de loin toutes les expériences que je m'attendais à vivre au Cabonga.

– Les femelles ne sont pas dangereuses et le petit non plus. Le mâle est bien armé, comme tu peux le remarquer, mais il ne représente aucune menace. Ce sont des animaux excessivement craintifs. La seule et unique raison qui pourrait les effrayer, c'est une présence humaine.

– Mais… je suis humaine, balbutiai-je, craintive.

– Mais moi, non… Reste ici, me souffla-t-il.

Il s'avança doucement en direction du mâle. Il devait savoir ce qu'il faisait, car, après tout, il s'agissait du territoire où il passait la majorité de son temps. Arrivé à la hauteur de l'animal, il souleva sa main dans un geste lent et la lui présenta. L'orignal la renifla longuement, comme pour vérifier qu'il s'agissait bien du vieil ami qu'il n'avait pas vu depuis longtemps, puis, rassuré, il pencha sa tête pour s'abreuver au ruisseau. Oliver flatta sa nuque tout en me faisant signe d'approcher, avec sa main libre. Les autres bêtes semblaient ignorer notre présence.

– Avance doucement.

Je me déplaçai d'un pas calme et constant, passant devant l'une des femelles que je fis mine d'ignorer.

– C'est bien, chuchota-t-il.

Le contact avec les doigts d'Oliver me rassura quand je me retrouvai près de l'énorme bête qui me dépassait en hauteur. Jamais je n'avais admiré un animal si impressionnant dans son environnement naturel. Quand Oliver leva nos mains, je savais ce qu'il s'apprêtait à faire. Il me fit flatter le poil rude de son dos puis retira la sienne, tout doucement, me laissant continuer seule.

– C'est incroyable, murmurai-je, épatée.

L'orignal me fixa un court instant et se détourna pour brouter l'herbe aux alentours. Les trois autres bêtes se joignirent à lui.

– Peux-tu croire que Jackie et les jumeaux tuent de si belles créatures?

– C'est atroce…

– C'est la raison pour laquelle je refuse de pratiquer la chasse. Je ne vois pas la satisfaction et la fierté qu'on peut en retirer.

Les orignaux se déplacèrent lentement en bordure du ruisseau.

– Ils sont partout dans la forêt du Cabonga, sur toute la région couvrant le Canada et l'Alaska. Les montagnes Rocheuses sont également peuplées de ces bêtes magnifiques.

– Je croyais les orignaux plus craintifs.

– Normalement, oui. Jackie et les jumeaux n'auraient pas réussi à les approcher ainsi, car pour eux, l'humain représente un prédateur.

Le mâle s'avança à l'orée de la forêt, suivi des femelles et du petit. Ils s'immobilisèrent soudain pour nous jeter un dernier regard. Comme en signe de reconnaissance, le mâle inclina son cou, pour nous adresser sa révérence avant de disparaître dans les bois avec les siens. Je compris pourquoi Oliver le qualifiait de *roi de la forêt*. Sa prestance et sa stature lui conféraient, sans contredit, un statut supérieur.

– Est-ce que… est-ce qu'il vient de nous saluer? bafouillai-je, stupéfaite.

– Je crois bien que oui.

L'émotion me figeait sur place, incapable de détacher mes yeux de l'endroit où ils venaient de disparaître.

– C'est la plus belle expérience de ma vie.

Je sentis la main d'Oliver se poser sur mon épaule et je me retournai.

– Même si j'observe leur comportement depuis très longtemps, je ne me lasse jamais de ce spectacle. Ce sont des bêtes si intelligentes et sensibles.

Nous étions maintenant seuls au cœur de la forêt avec, comme unique bruit, la musique de la chute qui cascadait dans le ruisseau. Oliver me regardait avec intensité, mais pour la première fois, la gêne qui s'emparait de moi habituellement semblait s'être atténuée, ne laissant que les doux pincements qui me rappelaient à quel point je me sentais bien avec lui. Je n'avais aucune envie de repartir vers le camp, juste le goût de me laisser éblouir par l'intensité de son regard. Après quelques minutes pourtant, je baissai les yeux vers le sol, incapable de soutenir plus longtemps l'éclat lumineux de ses yeux blancs… ses yeux qui voyaient bien au-delà de notre monde réel. Devinant mon malaise, ses doigts effleurèrent ma joue, son corps se rapprocha du mien, m'obligeant à plaquer mes mains contre son torse ferme et robuste. Sans que j'aie eu le temps de faire ou de dire quoi que ce soit, il abaissa son visage et m'embrassa tendrement. Quel émoi de savourer la douceur incroyable de ses lèvres chaudes et de sentir naître les frissons sous sa main qui caressait ma nuque. Nous nous embrassâmes éperdument, sans autre souci que le bonheur d'être ensemble. Je m'abandonnais enfin à la chaleur réconfortante de sa bouche et de son corps, comme transportée dans un autre monde. Après un moment qui me parut empreint d'éternité, nous desserrâmes lentement notre étreinte tout en maintenant nos visages l'un contre l'autre, nos yeux buvant à la même source. Nous échangeâmes un sourire qui venait sceller le moment unique que nous venions de vivre.

15

La tempête

Tout le monde était sur le quai pour assister à notre arrivée et nous aider à accoster. Marie fut la première à se précipiter vers nous.

– Es-tu tombée sur la tête d'avoir accepté d'aller en hydravion!

– Du calme, répliqua Ben, il fonctionne parfaitement, et Oliver sait très bien comment le piloter.

– Marie, c'est génial là-haut. On voit toutes les montagnes du Cabonga. Tu devrais demander à Jim qu'il t'amène.

Mick vint me rejoindre en compagnie d'Elyssa, de Jamie et d'Alec.

– C'était un bel amerrissage! Tu as suivi des cours de pilotage? questionna Mick, curieux.

– Hum... un petit cours général. C'est Jackie qui m'a enseigné à piloter.

– Mick! s'écria Keven, la tête sotie par le hublot de l'appareil. Viens voir, je crois qu'on peut y aller aussi.

Mick s'excusa et partit retrouver les gars dans l'appareil. Ben les autorisa à s'asseoir à l'intérieur et leur expliqua quelques notions de base en pilotage. Me retournant, je vis

Oliver s'éloigner en direction des chalets. Ignorant les autres, je courus le rejoindre.

– Hey! Tu t'en vas?

Il ne se retournait pas.

– Oliver! Attends, dis-je en reprenant mon souffle.

Il s'arrêta brusquement et se retourna vers moi.

– Qu'est-ce qu'il y a? répliqua-t-il d'un ton ferme.

Je restai saisie par sa façon inhabituelle de répondre.

– C'est moi qui devrais te poser cette question.

– Cassy, rappelle-toi ce que je t'ai dit l'autre jour. J'essaie de m'adapter à votre rythme de vie. Il y a trop de monde ici. Je dois partir… je ne peux pas rester.

– Mais…

Il m'attira contre lui. Il ne m'en fallait pas plus pour me remémorer le moment magique que je venais de vivre avec lui dans la forêt.

– Si tu savais à quel point j'aimerais passer tout mon temps avec toi…

Je ne répondis rien.

– J'ai vécu la plus belle journée aujourd'hui… Ça ne m'était pas arrivé depuis bien longtemps.

– Oliver, reste s'il te plaît…

– Je reviens demain, je te le promets. Mais pour le moment, il faut que tu me laisses partir.

Il me regarda intensément et poursuivit son chemin. Il m'arrivait d'oublier sa nature profonde pour le considérer comme un humain, car à mes yeux, il l'était tout à fait.

– Cassy, ça va? Qu'est-ce qui se passe? s'informa Elyssa qui arrivait, essoufflée.

Par réflexe, je croisai les bras derrière mon dos.

– Hum… rien! Oliver… il… il avait des trucs à faire.

– D'accord… Les gars vont faire un tour d'hydravion. Viens-tu les voir?

– Mouais… O.K.

Nous redescendîmes la colline en silence. Je me sentais affectée par le départ subit d'Oliver. J'aurais voulu prolonger mon bonheur d'être avec lui. En arrivant au lac, l'hydravion avait déjà amorcé ses manœuvres de départ. J'étais contente que les gars puissent vivre cette expérience exaltante. Je m'efforçai de ne pas paraître trop distraite avec les filles, mais ma tête était ailleurs : le baiser d'Oliver me donnait l'impression de flotter sur un nuage. Assise sur le bord du quai, les pieds dans l'eau, je sentais mon cœur battre dans ma poitrine et remplir tout mon corps d'un bien-être nouveau. Pour la première fois de ma vie, je sentais l'ivresse d'être amoureuse. Quand les gars revinrent de leur vol, euphoriques, je fis semblant de partager leur joie, mais mon sourire était le reflet de tout autre chose. Prétextant la fatigue, je me retirai tôt, en soirée, pour être seule avec mon bonheur.

Encore un réveil trop matinal dû à un grincement provenant du salon, cette fois. Comme d'habitude, je semblais la seule à l'avoir entendu et, n'ayant pas l'intention de l'ignorer en refermant les yeux, je sautai hors du lit, saisie par la fraîcheur ambiante qui contrastait avec la chaleur de mon lit douillet. Arrivée sur la véranda, je constatai que Jackie avait vu juste dans ses prévisions météo : une pluie abondante et des vents violents agitaient les branches des arbres au-dessus de la maison, et le brouillard enveloppant empêchait d'apercevoir le lac. Le bruit persistant provenait du *walkie-talkie* de Jackie, posé sur le canapé. Je trouvai étrange que quelqu'un essaie de communiquer si tôt dans la journée et dans de telles conditions.

– Aide… quel… un… chercher…

De toute évidence, il se passait quelque chose d'anormal et j'étais la seule à pouvoir réagir. Peut-être ne s'agissait-il que d'une défectuosité de l'appareil?

– Secours… Tris…

Il n'y avait plus de doute possible! Je montai le volume pour mieux comprendre, mais le contact fut interrompu. J'enjambai aussitôt le divan pour tenter de capter le réseau de nouveau.

– Allo? dis-je, espérant être entendue.

Le grincement diminua, mais la tempête qui sévissait n'arrangerait pas les choses.

– Allo? Il y a quelqu'un?

– CASSY!!!

C'était la voix affolée de Sergio.

– Sergio?

– CASSY!!! Il faut que tu nous aides… Tristan est tombé à l'eau! On est coincés sur le lac!

Comme je m'apprêtais à lui répondre, la communication fut de nouveau interrompue. En secouant l'appareil, l'appel de détresse de Sergio revint, quelques secondes, avant d'être coupé définitivement. Je me précipitai à la fenêtre de leur chalet où je n'aperçus pas le moindre signe d'une présence. Il ne restait plus qu'à alerter mes amis au plus vite. Je fis irruption en panique dans la chambre des gars.

– MICK! Réveillez-vous! Sergio est sur le lac et Tristan est tombé à l'eau!

Comme aucun ne réagissait, je me précipitai sur leur lit pour les secouer. Encore tout endormi, Mick se redressa, me regardant sans trop comprendre.

– Ils sont partis en chaloupe? Mais… Jackie nous avait avertis, hier…

– Dépêche-toi! Il faut filer à la réception pour avertir Jackie.

Elyssa avait probablement entendu tout le vacarme et voulait savoir ce qui se passait. Je lui dis d'aller réveiller les filles pendant que je me rendais à la réception.

– Quoi? s'énerva-t-elle, mais… pourquoi? Qu'est-ce qui arrive?

J'avais déjà franchi le seuil, m'élançant sous la pluie diluvienne qui me trempa instantanément, comme sous une douche géante. Tant bien que mal, je courus jusqu'à l'accueil, manquant trébucher sur la pelouse glissante.

– JACKIE!!!

J'inspectai le premier étage : personne dans le bureau ni dans le salon.

– BEN! JIM!

Je me rendis dans la cuisine: vide aussi. Je courus au deuxième étage : personne non plus. Ma vision commençait à s'embrouiller. Je ne pouvais croire qu'ils étaient sortis travailler par une telle température. Sergio avait besoin de notre aide, et Tristan allait se noyer si nous n'agissions pas rapidement. Je redescendis, impuissante. Mick m'attendait dans l'entrée, le corps dégoulinant sur le plancher de bois, l'air tout aussi ébranlé que moi de trouver la maison vide.

– Ne panique pas… On va les retrouver.

– Tu ne comprends pas, on n'a pas le temps de les chercher. Tristan est tombé de la chaloupe et il va se noyer si on n'intervient pas immédiatement.

Je faisais les cent pas dans le salon, à la recherche d'une solution appropriée.

– Merde! s'énerva Mick en donnant un coup de poing dans le vide. Où sont-ils lorsqu'on a besoin d'eux!

– Où sont Alec et Keven? m'impatientai-je.

– Je leur ai dit d'aller avertir Lisette et Peter.

Je ne répondis rien.

– As-tu une idée au moins de l'endroit où ils peuvent être sur le lac?

– Non, la communication a été coupée avant que je le sache…

– Comment on va faire alors?

– Je ne le sais pas plus que toi!

– Hey… chuchota-t-il en m'entourant de ses bras pour me rassurer, on va trouver un moyen.

J'enfouis mon visage contre son torse, dans son chandail froid et humide. J'ignorais par quels moyens nous pourrions les retrouver : sans réseau ni indice concernant l'endroit où ils pouvaient se trouver sous un déluge pareil. Je scrutai la pièce, à la recherche d'un élément qui aurait pu nous aider. Je m'approchai du bureau de Jackie où j'aperçus une série de clés qui paraissaient identiques.

– N'y pense même pas! trancha Mick sur un ton autoritaire.

J'ignorai son interdiction et continuai de chercher celle qui permettrait de démarrer l'hydravion.

– Cassy, à quoi tu joues?

– Mick! C'est notre seule solution. Alors, aide-moi à chercher, je t'en prie!

Dans mon empressement, j'en fis tomber la moitié au sol. Mick se résigna à m'aider.

– Que comptes-tu faire après l'avoir trouvée?

–Je ne sais pas. Pour l'instant, cherchons-la.

– Si tu penses que je vais te laisser t'envoler avec cet engin, tu te trompes!

La plupart des clés portaient une étiquette numérotée, à quatre chiffres. Mais comment reconnaître la bonne? Je demandai à Mick de continuer les recherches pendant que j'essayais de trouver des cordages.

– Attends, j'ai une idée, dit-il en se dirigeant vers la véranda. On va apporter toutes les clés dans cette chaudière et les essayer une à une. C'est la seule façon d'y arriver.

Je cédai à sa proposition. Avant de nous engouffrer sous la pluie, j'accrochai au passage le manteau de Jackie, suspendu près de la porte. Mon attention fut attirée par un objet qui dépassait de la poche: c'était un trousseau muni d'une étiquette blanche où étaient dessinés deux minuscules ailerons d'avion.

– Mick, regarde! hurlai-je en brandissant le trousseau. Je crois que je les ai trouvées!

Sans perdre de temps, nous sortîmes sous la pluie qui tombait toujours à torrent. Avant de dévaler la colline, je regardai une dernière fois au loin dans l'espoir d'apercevoir Jackie ou les jumeaux. J'avais l'impression d'être seule au monde. Même Oliver ne semblait pas au courant de la situation, lui qui voyait tout!

– Oliver…

Instinctivement, je partis en flèche dans l'autre direction, celle de la forêt. Oliver était le seul à pouvoir se rendre sur le lac sans être obligé d'emprunter un quelconque moyen de navigation. Il fallait absolument que je le retrouve.

– HEY! Où tu t'en vas? hurla Mick.

– OLIVER!

Je courais à grandes enjambées sous la pluie glaciale en criant son nom. Par mégarde, je glissai sur le gazon boueux, et Mick, qui me suivait, m'aida à me relever en moins de deux.

– Tu n'as rien?

Je frottai ma cheville droite qui avait encore encaissé le coup.

– Veux-tu me dire pourquoi tu t'enfuis vers la forêt quand c'est la direction du lac qu'il faut prendre?

– Oliver peut nous aider. Il pourra aller les chercher.

– Il est dans les bois, Cassy! Le temps que tu le retrouves, Tristan risque de se noyer.

– Je sais… mais personne ne peut conduire l'hydravion. Comment on va faire pour aller les chercher?

– Écoute, on va démarrer l'hydravion, et peut-être que le bruit du moteur servira de signal S.O.S.

Son idée me parut une solution beaucoup plus réaliste. Nous descendîmes la colline en courant jusqu'au quai. Arrivée à l'hydravion, je déverrouillai la portière aussitôt. L'adrénaline activait une présence d'esprit comme je n'en avais jamais eue. Ma seule préoccupation était de démarrer l'engin et de partir à leur recherche en manœuvrant l'appareil comme un bateau.

– Cassy, tu n'as jamais conduit un truc pareil!

– J'ai vu comment Oliver s'y prenait.

– Tu te crois capable de le diriger sur l'eau malgré le brouillard, la pluie et le vent? Bon sang, Cassy, sois logique!

J'hésitai quelques instants, mais l'image de Tristan, prisonnier de la tempête, était plus forte que tout. Je refusais de discuter une minute de plus. Il fallait agir au plus vite. Au moment où je me préparais à monter à bord, Mick me retint par la taille pour m'en empêcher. Comme je tentais de me déprendre, il déposa une main sur l'hydravion, à la hauteur de ma tête.

– Cassy, écoute, si jamais il t'arrivait quelque chose, je m'en voudrais pour le restant de ma vie. Je comprends ton désir de leur venir en aide et je serais de tout cœur avec toi si l'un de nous deux savait manœuvrer cet appareil. Mais, ce n'est pas le cas, alors je ne te laisserai pas partir…

Je le fixais sans broncher, sur le point d'éclater en sanglots, sachant qu'il avait entièrement raison. Son visage triste, qui m'implorait, me paralysait. Je savais à quel point tout cela était risqué. Soudain, n'osant y croire, j'aperçus Oliver qui dévalait la colline à toute allure. Repoussant Mick, je courus vers lui et lui sautai dans les bras, le serrant tout contre moi.

– Calme-toi, chuchota-t-il, ce n'est rien… on va aller les chercher.

– Aide-nous, il faut aller les retrouver.

Il prit mon visage entre ses mains pour apaiser ma panique.

– On va les retrouver, ça va aller.

Je hochai la tête. Il me prit par la main, et nous courûmes jusqu'à l'hydravion où Mick n'avait pas bougé d'un centimètre.

– Mais où étais-tu? s'impatienta-t-il. Et où sont Jackie et les jumeaux?

– Ils étaient à la chasse, tôt ce matin. Ils arrivent.

– Ils chassent par un temps pareil?

Oliver l'ignora, me prit dans ses bras, m'aidant à me hisser à bord.

– Hey! hurla Mick à travers les rafales de vent, il n'est pas question que tu l'amènes. C'est trop dangereux.

– Mick… il va avoir besoin de mon aide. Je dois l'accompagner.

– Laisse-moi y aller à ta place.

– Non, je veux que tu restes ici avec les autres. J'ai déjà réussi à contacter Sergio, je tiens à les retrouver.

Il réfléchit quelques secondes.

– Sois logique, Cassy. Comment allez-vous faire pour les retrouver sous cette pluie?

– Ne t'inquiète pas, répondit Oliver à ma place, je connais le lac et je sais très bien comment m'orienter. Avec cette température, ils n'ont pas pu se rendre bien loin.

Mick se rapprocha de la portière et monta sur le marchepied pour être à ma hauteur.

– Je suis complètement cinglé de te laisser partir par un temps pareil…

– Mick, ne t'inquiète pas. Oliver sait piloter, et Tristan a besoin de moi.

– Merde… D'accord, concéda-t-il difficilement. Je ne veux surtout pas qu'il t'arrive quoi que ce soit. Sois extrêmement prudente et ne fais rien d'irréfléchi, compris?

Je lui fis une accolade. Ses lèvres tièdes vinrent se poser sur ma nuque. Je sentais qu'il ne voulait pas me quitter.

– Reviens vite!

Il descendit, laissant la place à Oliver.

– Surveille-la.

– Elle est en sécurité avec moi. Va rejoindre tes amis, ils ont besoin de savoir ce qui se passe.

Mick lui lança un dernier regard avant de faire demi-tour en courant. Je savais qu'il regrettait de m'avoir laissée monter à bord, mais il savait que c'était la seule solution pour les secourir. En moins de deux, les hélices tournèrent, balayant la pluie qui gicla sur le pare-brise.

– Comment tu vas t'y prendre pour les retrouver? demandai-je, nerveuse.

– C'est facile de les localiser. Ce n'est pas ça le problème.

– C'est quoi alors?

Nous avancions malgré le brouillard et le vent qui faisait vibrer la carlingue.

– Je ne crois pas pouvoir arriver à temps. Je n'ai pas le choix de m'y rendre en hydravion, Cassy. Je pourrais bien me téléporter et aller les rescaper un à un, mais c'est strictement interdit, j'ai des règles à respecter. Si j'allais les sauver de cette façon, ils découvriraient qui je suis réellement.

Je le fixai sévèrement.

– C'est la vie de Tristan qui est en jeu…

– Je vais faire mon possible, d'accord? Je sais où ils sont. Accroche-toi…

Je sentis l'appareil décoller, balloté de gauche à droite sous les rafales. Le brouillard m'empêchait de voir à plus de deux mètres devant moi. J'avais beau essuyer la buée avec ma main, je n'y voyais absolument rien. Heureusement que les capacités d'orientation d'Oliver se situaient au-delà de la vue.

– Tu les sens quelque part? demandai-je, inquiète.

– On n'est pas très loin, dit-il en couvrant ma main tremblante de la sienne. Je vais avoir besoin de ton aide.

– Dis-moi ce que je dois faire.

– Aussitôt qu'on se posera, je vais tenter de secourir le petit. Pendant ce temps, tu devras aller fouiller dans le coffre arrière pour prendre tout le nécessaire de secours… même les ceintures de sauvetage. Tu rapportes tout ce que tu peux trouver à l'avant.

– D'accord… et pour Sergio et Anna?

– On ira les chercher en dernier. Je vais les faire entrer par la portière d'urgence, sur le côté.

Quel cauchemar éveillé! Je devais garder mon sang-froid pour accomplir ce qu'Oliver me demandait. L'engin se posa en piquant un peu de l'aile, à cause des bourrasques de vent et de pluie, mais il manœuvra avec une impassibilité et une dextérité hors du commun.

– Sois forte et concentre-toi sur ce que tu dois faire. Tristan risque d'être… il risque d'être très affaibli.

J'essayai d'encaisser ses paroles, tentant de me préparer mentalement.

– J'y vais maintenant.

Il m'embrassa avant de disparaître dans le brouillard, me laissant seule avec mon désarroi. Je sentais les muscles de mon corps comme paralysés. Je me remémorai les recommandations d'Oliver : *Concentre-toi sur ce que tu dois faire.* Sans perdre une seconde, je me précipitai dans la soute arrière pour en extraire tout ce qui pourrait servir : trousse de secours, gigantesque lampe de poche, rouleau de ficelle, boîte de pansements, serviettes et bouée de secours. Prise d'un étourdissement, je m'arrêtai un instant pour respirer profondément. Ce n'était vraiment pas le moment de perdre mes moyens. Malgré le vent et la pluie qui me transperçaient, je ramenai péniblement vers l'avant tout le matériel trouvé. J'étendis une serviette sur le sol de la cabine et libérai le plus d'espace possible afin qu'Oliver puisse y coucher le petit. Il ne me restait plus qu'à attendre leur retour. Me recroquevillant dans un coin, je fermai les yeux et priai pour qu'Oliver revienne avec Tristan.

– Dépêche-toi, Oliver… dis-je à voix haute pour briser ce silence insoutenable. Mais, qu'est-ce que tu fais…

L'inquiétude me rongeait. S'il n'arrivait pas bientôt, je sortirais pour hurler son nom dans le brouillard. Comme s'il avait lu dans mes pensées, il apparut directement au centre de la serviette que j'avais étendue, tenant Tristan inerte dans ses bras. Il lui retira rapidement son gilet de sauvetage et déchira son blouson.

– Cassy! Viens vite…

Je m'installai tant bien que mal à côté du petit corps inanimé : les yeux ainsi fermés, il semblait dormir d'un sommeil profond.

– Dis-moi qu'il va s'en sortir, explosai-je, paniquée.

Il exécutait avec précision les gestes de réanimation.

– Allez, Tristan… s'énerva-t-il en poursuivant ses manipulations acharnées.

Le corps flasque du petit ne réagissait pas et ses lèvres bleutées annonçaient le pire.

– Poursuis la réanimation, Cassy! Je dois retourner aux commandes pour partir à la recherche de Sergio et de sa femme.

Sans répliquer, je m'installai au-dessus de lui en répétant les gestes d'Oliver. Tout en pressant délicatement son nez, je m'approchai de sa bouche glacée pour y souffler le don de vie espéré. À maintes reprises, j'exécutai ce mouvement répétitif, mais en vain. Il ne réagissait pas.

– Tristan! Pour l'amour du ciel, réveille-toi!

Je poussai les mèches qui retombaient sur son visage et déposai ma main contre son front.

– S'il te plaît… Tristan.

J'aurais voulu le secouer davantage afin qu'il s'anime, mais la vue de son petit corps fragile m'en empêcha.

– J'aperçois la chaloupe! cria Oliver.

Je sentis la secousse de l'amerrissage. Aussitôt l'engin stabilisé, Oliver vint me retrouver à l'arrière et s'empressa de dérouler une manivelle.

– Je vais ouvrir les portes. Prends une couverture et recouvre-le, car le vent risque de faire entrer la pluie à l'intérieur.

Je pris les deux serviettes qu'il me restait, en recouvris le corps de Tristan et le serrai fort contre moi. Quand Oliver ouvrit les portes de secours, le grondement de la tempête et la pluie s'engouffrèrent furieusement jusqu'à nous. Il s'empara de la bouée que j'avais trouvée, prit le cordage qui le reliait à la manivelle et sauta dans le néant. Mon souhait le plus cher : qu'il ramène ses parents sains et saufs et que nous regagnions le camp au plus vite.

– Tiens bon, Tristan, lui chuchotai-je à travers la couverture.

Je resserrai mon étreinte autour de son corps. Toute cette eau m'empêchait de maintenir mes yeux ouverts. Si j'avais pu me téléporter aussi, je l'aurais fait dans un hôpital. Nous avions grand besoin d'un médecin.

– On y est presque! s'écria Oliver.

Il les avait retrouvés. J'entendais leurs cris désespérés et le nom de Tristan qui revenait sans cesse. Sans avoir utilisé ses pouvoirs, Oliver monta à bord, se hâtant de tourner la manivelle pour faire remonter Sergio et Anna. Attachés à l'épais cordage et à la bouée, ils se hissèrent à bout de forces à l'intérieur. Oliver se précipita aussitôt aux commandes et décolla.

– TRISTAN! hurla Anna en se jetant, désespérée, sur son garçon.

– Il va s'en sortir, lui dis-je en lui rendant son enfant.

Ses parents tentèrent de le réanimer à leur tour, mais sans y parvenir non plus.

– Chéri, fais quelque chose! gémit-elle en implorant Sergio.

– Courage, mon garçon, tiens bon.

Il continua de lui faire le bouche-à-bouche, sans succès.

– Pourquoi ne réagit-il pas? hurla Anna en martelant mon bras.

Je la serrai contre moi pour la calmer.

– Oliver nous ramène au camp, et Lisette nous attend là-bas.

Elle éclata en sanglots sur le corps de son fils. Me sentant inutile et impuissante à soulager un tel chagrin, je rejoignis Oliver dans le cockpit. Le brouillard s'était dissipé et la pluie avait diminué d'intensité.

– Dis-moi qu'on arrive bientôt!

– Dans deux minutes. Dis-leur d'approcher Tristan près de la portière d'urgence. Je vois Jackie qui nous attend sur le quai.

– Les ambulances sont là? balbutia Anna à travers ses larmes.

– Non, je ne crois pas... on est trop loin de la ville. Mais Jackie est là. Il transportera Tristan au chalet principal, et Lisette lui apportera tous les soins.

Sergio pleurait en silence, à croire qu'il se doutait de l'état irréversible de son fils. Il le tenait dans ses bras, bien emmailloté, lui couvrant le front de ses baisers, se tenant prêt à sortir, aussitôt le signal donné. Je ne pouvais supporter davantage ce spectacle déchirant.

– On y est! Sergio, poursuivit Oliver d'un ton ferme, quand Jackie ouvrira la porte, vous lui donnerez le petit. Après cela, vous attendrez que je sorte le premier, et je viendrai tous vous aider à descendre.

Ces consignes claires nous aidèrent à garder notre sang-froid pour éviter tout mouvement de panique. Jackie ouvrit la porte d'un coup sec, prêt à recevoir le corps de Tristan dans ses bras.

– Donnez-le-moi! s'écria-t-il sous la pluie.

Sergio lui confia le corps inanimé de son fils et Jackie le déposa délicatement à l'arrière du quatre-roues. Ben fila immédiatement vers le haut de la colline, pendant qu'Oliver s'empressait de faire descendre Sergio et Anna qui filèrent précipitamment vers la réception. Oliver, le cœur en lambeaux, me prit dans ses bras pour me déposer à ses côtés.

– J'ai fait de mon mieux…

J'avais été témoin de son courage et je ne voulais surtout pas qu'il se sente coupable de quoi que ce soit. Sans lui, toute la famille serait encore prisonnière de cette tempête.

– Je sais…

Je soupirai d'impuissance à mon tour, sentant couler la pluie qui se mêlait à mes larmes. La lisière de sable qui longeait le territoire du camp était ensevelie par la montée des eaux du lac. Oliver et moi, nous montâmes la colline main dans la main pour rejoindre l'accueil, où tout le monde nous attendait sur le perron. Mick s'élança vers moi en criant mon nom, soulagé de me savoir saine et sauve. Son appel résonna dans le vide, car je me dirigeai comme une somnambule à l'intérieur du chalet. Oliver avait déjà disparu, fuyant, comme à son habitude, ce genre de rassemblement. Je sentais toutefois sa présence parmi nous. Aussitôt, j'aperçus le corps de Tristan allongé sur la table du salon. Lisette, Peter, Sergio, Anna, Jackie et les jumeaux formaient un cercle autour de lui. Je me précipitai à son chevet, bousculant les autres.

– Tristan…

Lisette essayait à son tour de le réanimer, le contenu de sa trousse répandu sur le sol. Dans cette panique générale, seul Jackie eut la présence de venir me consoler en m'expliquant brièvement la situation.

– Il va survivre, n'est-ce pas?

Mick avait déjà poussé la porte et se précipitait dans mes bras. Je ne pouvais le repousser, sachant qu'il voulait être là pour moi, tout comme je ressentais le besoin de l'être pour lui aussi.

– Jackie, il faut appeler l'ambulance pour le transporter à l'hôpital, intervint-il.

– Il n'y a rien à faire. Aucune ambulance n'aurait le temps de venir jusqu'ici avec cette température. Lisette est notre seul espoir.

Notre seul espoir, répétai-je dans ma tête.

– Cassy, insista Jackie, j'aimerais que toi et Mick vous sortiez du salon. Lisette a besoin de concentration.

Mick me tira vers la véranda. Je le suivis malgré mon désir de rester. Les jumeaux nous imitèrent à leur tour, et nous retrouvâmes nos amis, assis sur le sol, traumatisés par la tournure des événements. Même Shadow, sensible à l'humeur inhabituelle de son maître, jappait instinctivement en levant la tête au ciel. Quand j'aperçus Elyssa, nous nous effondrâmes en sanglots dans les bras l'une de l'autre. Le silence régnait, lourd et palpable. Mick s'était réfugié dans un coin, respectant ce moment d'intimité avec Elyssa. Je finis par me laisser tomber au sol, impuissante et dépassée par les événements. La scène de l'hydravion tournait en boucle dans mon esprit, faisant défiler tour à tour le brouillard intense, le corps glacé de Tristan ainsi que les hurlements douloureux de sa mère. J'enfouis mon visage dans mes mains, imaginant le pire. Personne n'avait osé briser ce silence étouffant. Seule l'atmosphère angoissante chuchotait à voix feutrée les mots que nous refusions d'entendre. Chacun, immobile et pensif dans son coin, attendait la suite. Le vide qui s'était emparé de mon esprit m'empêchait de réfléchir avec logique. Je fixai un point, dans l'espoir de peut-être me réveiller de ce cauchemar.

– Jackie vient vers nous, déclara Mick en se levant du divan.

Je me levai instinctivement, lisant sur les traits de son visage l'expression d'une tristesse infinie. Il nous regarda à tour de rôle puis posa son regard affligé sur moi.

– C'est fini.

16

Les funérailles – partie 1

Des préparatifs émouvants

– C'est fini, Cassy... Il n'y a plus rien à faire.

Ce fut comme si l'on m'avait planté un couteau tranchant droit dans le cœur. Je m'élançai dans les bras de Jackie, pleurant contre son chandail humide. Je ne savais plus vers qui déverser ma peine. Je refusais de croire que je ne reverrais plus le sourire de Tristan. Jackie me serrait contre lui, solidaire de mon énorme chagrin.

– On a tenté l'impossible... Tu n'as rien à te reprocher.

Je me dégageai doucement de ses bras massifs et le considérai tristement. J'aurais aimé le réconforter aussi, mais j'étais sans voix. Tout comme moi, chacun vivait la tragédie, retiré en lui-même. Je me précipitai hors du chalet, n'ayant qu'une idée en tête : regagner les maisons hantées. Jackie tenta de me retenir, mais j'accélérai le pas sous la pluie froide qui reflétait l'état de mon cœur. Il me rejoignit et me saisit le bras, ce qui m'obligea à lui faire face.

– Écoute-moi! Les parents de Tristan vous sont très reconnaissants à toi et à Oliver. Non seulement vous avez risqué votre vie pour celle de leur garçon, mais grâce à vous, ils ont eu la vie sauve. C'est normal de pleurer, c'est même essentiel...

Jackie m'avait déjà confié qu'il n'était pas très à l'aise pour consoler les gens. Cependant, je percevais en lui quelque chose de plus grand que j'avais du mal à expliquer. C'était un homme ouvert et compréhensif, à qui je me serais confiée avec une certaine liberté.

– Tu veux rejoindre Oliver, c'est ça?

– Oui…

– N'essaie pas de le retrouver. Tu sais ce qui peut arriver quand la tension est trop forte, comme présentement.

Il avait raison. J'agissais de façon égoïste en voulant forcer les choses. Je savais parfaitement qu'Oliver fuyait toute situation impliquant un trop grand nombre de personnes. D'autant plus qu'il était gravement perturbé par l'accident.

– On va retourner à la réception, d'accord?

J'hésitai. Je ne voulais pas voir dans quel état se trouvaient les parents de Tristan. Ce devait être pénible.

– Ça ne sert à rien de fuir, Cassy… Tôt ou tard, tu devras faire face.

J'inspirai profondément. Il passa son bras autour de mes épaules et je fis de même autour de sa taille. C'est ainsi enlacés que nous regagnâmes l'accueil où tous mes amis étaient regroupés sur la véranda.

– Écoutez-moi bien, précisa Jackie. J'aimerais que vous retourniez dans votre chalet. Ben, Jim, vous y allez aussi. Les parents de Tristan ont une décision très importante à prendre concernant le corps de leur fils. Une fois que tout sera réglé, je viendrai vous informer concernant la suite des événements.

Il y eut un silence résigné. Ben fut le premier à se lever. Je le suivis, par égard pour Jackie, et le reste du groupe sortit à son tour.

– As-tu une idée de ce qui va arriver, Ben? questionna Mick.

Épuisée, vidée de toute mon énergie, je m'étais laissée retomber sur le divan. Ben le fixa d'un regard vide. Tout le monde semblait en attente de sa réponse.

– Vraiment, je n'en ai aucune idée. C'est la première fois qu'un tel accident arrive au Cabonga.

– Mais… le corps sera sûrement transporté ailleurs?

– J'ignore si les parents de Tristan décideront d'enterrer le corps ici ou chez eux, à Ottawa, mais une chose est sûre, s'ils décident de le faire transporter, ce sera un hélicoptère qui viendra les chercher.

– Je n'arrive pas à y croire… soupira Marie pour la première fois. Pourquoi est-ce que ses parents sont partis pêcher par un temps pareil? Jackie avait dû les mettre en garde contre la tempête, eux aussi?

– Oui, ils avaient été avertis… mais ils ont dû partir très tôt, avant que les orages éclatent.

Je les écoutais sans dire un mot. De toute façon, que pouvais-je ajouter! Nous ne pouvions plus rien changer au drame qui était arrivé. Toutes ces analyses et suppositions ne faisaient que raviver mon chagrin. Dans les circonstances, il valait mieux que je me retire de cette atmosphère de tristesse pour vivre seule ces moments de recueillement.

– Cassy? intervint Elyssa. Où vas-tu?

Je prétextai le besoin de mettre des vêtements secs. Une fois la porte de la chambre refermée, je laissai éclater mes sanglots sans retenue, libérant enfin la douleur restée prisonnière. Retirant mon chandail mouillé, je pris le premier qui me tomba sous la main en ouvrant la penderie et l'enfilai. J'étais à ce point pétrifiée de froid que mes membres étaient engourdis. Néanmoins, cela ne m'empêcha pas de ressentir un effleurement dans le dos. Je me retournai aussitôt et l'aperçus. Oliver se tenait tout près, calme et impassible. Je me jetai aussitôt contre son corps chaud et réconfortant.

– Ne repars pas, je t'en prie! J'ai besoin de toi…

Il me serra plus fort.

– Il faut que tu restes, je t'en supplie!

Il caressa tendrement ma joue et déposa ses lèvres contre les miennes. J'étais totalement hypnotisée par sa façon d'agir avec moi : sa délicatesse, sa présence rassurante, son odeur, tout son être m'enivrait, me procurant des frissons incontrôlables. C'était bon de le retrouver quelques instants. Détachant ses lèvres avec douceur, il posa son regard perlé sur le mien.

– Je ne peux pas rester…

– Pourquoi?

– Jackie viendra vous informer, d'une minute à l'autre. Tu devras rejoindre tes amis au salon.

– Tu reviendras bientôt?

Il me fixa longuement, comme pour étirer le temps avant de m'accorder une réponse.

– Oui…

Il abaissa son front contre le mien et resserra délicatement l'étreinte de ma main. C'était difficile de profiter de sa présence, sachant qu'elle serait de courte durée. Savourant ces derniers moments, j'inspirai l'odeur enivrante de son corps. Puis, la seconde suivante, il n'était déjà plus là. J'avais toutefois l'agréable impression qu'il n'était pas très loin. Peu après, j'entendis quelqu'un entrer dans le salon. Oliver avait dit vrai, c'était Jackie. Sans plus tarder, je sortis retrouver mes amis.

– Qu'est-ce qui va se passer avec Tristan? demandai-je d'une voix mélancolique.

– Ses parents ont décidé de le ramener à Ottawa, là où ils habitent. Une fois le rapport des enquêteurs finalisé, les médias ne tarderont pas à annoncer l'accident. Je crois que le mieux serait que chacun d'entre vous prévienne ses parents pour les rassurer. En ce qui concerne la famille de Tristan, les autorités du district enverront un hélicoptère les chercher tous les trois ce soir. Avant de partir, Sergio et Anna veulent toutefois faire une petite cérémonie en mémoire de leur fils. Comme le temps presse, il faudrait se mettre au travail le plus tôt possible.

– Quel genre de cérémonie? s'informa Mick.

– Ils veulent faire des funérailles. Au pied de l'arbre, près du cap de roche, on va y planter une croix.

Il se tourna vers les jumeaux.

– Ben, Jim, vous serez responsables de sa construction. Je veux qu'elle soit assez grande pour que l'on puisse tous y inscrire un mot ou une signature.

– On pourrait vous aider? proposa amicalement Keven.

– Ce n'est pas de refus, approuva Jackie. Les gars, vous serez responsables de creuser un trou assez profond pour y déposer la croix. J'irai préparer du ciment frais qui permettra de bien la fixer au sol.

Puis, il se tourna vers les filles et moi.

– J'ai du travail pour vous aussi. J'aimerais que vous alliez cueillir une grande quantité de fleurs sauvages près des chalets. Je sais que la température n'est pas idéale pour la cueillette, et que la terre sera très mouillée, mais faites de votre mieux. Je vais vous donner des chaudières vides pour les déposer.

– Qui s'occupera de Tristan et de ses parents? questionnai-je.

– Malheureusement, ils doivent préparer leurs valises et vider le chalet avant ce soir. Lisette et Peter les aideront.

Il soupira devant tout le travail qui les attendait.

– Et… en ce qui concerne Tristan, il reposera sur la table du salon jusqu'à l'arrivée de l'hélicoptère.

Personne n'osa ajouter quoi que ce soit. Cette phrase suffisait à faire comprendre qu'il était interdit d'entrer à l'accueil. Je retins difficilement mes sanglots une seconde fois. Jackie, ému tout comme nous, regarda sa montre pour se donner contenance et enchaîna avec ses directives.

– Bon, alors… il est 9h30. On va se mettre au travail dès maintenant pour que tout soit prêt en début d'après-midi. Après les funérailles, on devra faire nos adieux aux parents de Tristan. L'hélicoptère doit arriver vers 19h.

Obéissant aux ordres de Jackie, nous nous levâmes, prêts à exécuter nos tâches respectives. Nous le suivîmes jusqu'à la réception qui m'apparut soudain comme une vieille maison décrépie et abandonnée, vidée de l'accueil chaleureux qui y régnait habituellement. Shadow était couché au pied des marches, le regard abattu, comme s'il savait ce qui était arrivé à Tristan.

– Les filles, voici les chaudières, dit Jackie en pointant quatre seaux rouges de grosseur moyenne, alignés sur les marches de la galerie. Ne vous éloignez pas trop du camp. Cueillez le plus grand nombre de fleurs, et on fera le tri par la suite.

Se retournant vers les gars, il leur remit trois pelles et les invita à le suivre jusqu'au cap pour leur préciser l'endroit où ils devaient creuser. Il demanda aux jumeaux de commencer à construire la croix en attendant qu'il revienne. Il nous donna rendez-vous à la réception pour midi. De notre côté, Marie proposa de faire deux équipes : Jamie et elle feraient la cueillette à l'arrière des chalets alors qu'Elyssa et moi irions près de la lisière du bois.

– Tu crois vraiment qu'on va trouver de belles fleurs ici? s'inquiéta Elyssa en s'immobilisant dans les hautes tiges des herbages.

À part les pissenlits et les marguerites blanches, les fleurs se faisaient rares. De plus, le sol trempé et le temps nuageux ne favorisaient pas leur éclat.

– Je vais ramasser les marguerites, dit-elle en se penchant, et toi, les pissenlits, si tu veux bien.

Je fis de mon mieux pour cueillir les plus beaux, un à un, comme si je tricotais le gazon. Tête baissée, je m'arrêtais parfois, traversée par l'image de Tristan, qui me serrait le cœur. Je ne pouvais croire à la réalité de ce drame, comme si tout cela n'était qu'un cauchemar dont je me réveillerais, soulagée. Je ne pouvais imaginer ces fleurs que je déposerais bientôt au pied de sa croix. J'avais fait la connaissance de ce petit garçon attentionné il y a quelques jours à peine, et voilà que la vie me l'enlevait. Ces réflexions me plongèrent de nouveau dans une tristesse profonde.

– Hey… Cassy, je sais à quel point c'est difficile pour toi, devina Elyssa en déposant son seau et en s'assoyant à mes côtés.

– Je m'en veux…

– Oh, Cassy, il ne faut pas.

– Je m'en veux tellement d'avoir mal jugé les parents de Tristan, d'avoir dit des choses à leur sujet que je ne pensais pas vraiment, hoquetai-je à travers mes sanglots.

– Mais, ce sont des réactions normales qu'on a parfois avec certaines personnes. L'important, c'est d'avoir trouvé Tristan attachant et de lui avoir exprimé l'intérêt que tu lui portais.

D'un geste spontané, elle me serra dans ses bras.

– Tu sais que Sergio et Anna te sont infiniment reconnaissants. Tu leur as sauvé la vie. Tu dois arrêter de te blâmer, tu as fait tout ce que tu pouvais.

M'abandonnant contre son épaule, je savourai cette amitié si précieuse.

– Je sais que ce sera un souvenir impossible à oublier, mais… je serai là pour toi, je ne te laisserai jamais tomber. Écoute-moi bien, dit-elle en plaçant ses mains contre mes épaules, m'obligeant à lui faire face. Cesse de te torturer. Tu n'es pas responsable de ce qui est arrivé. Compris?

J'acquiesçai d'un mouvement de tête. Son ton persuasif me soulageait momentanément d'un poids énorme. J'aurais sûrement besoin de me répéter souvent ses paroles réconfortantes.

– Il faut cueillir des fleurs maintenant, poursuivit-elle en se levant. Faisons-le en pensant à Tristan, et à ses parents aussi.

Je me levai péniblement à mon tour. Je savais qu'elle avait raison et que cette cueillette était ce que nous pouvions faire de mieux pour l'instant. Ses propos rassurants me donnèrent l'énergie nécessaire pour partir à la recherche des plus belles fleurs, qui garderaient vivante la mémoire de mon petit Tristan. J'aurais aimé trouver un rosier sauvage pour enrichir notre pauvre récolte. Marie et Jamie avaient probablement trouvé les mêmes variétés que nous.

– Si on continue comme ça, remarqua Elyssa, il ne restera plus aucune fleur sur ce terrain!

– On devrait peut-être y aller. Il est presque midi, fis-je observer en secouant mon pantalon trempé par la pelouse.

Nous arrivâmes les premières à l'accueil avec nos seaux débordant de fleurs. Elyssa s'assit sur les marches pour flatter Shadow. Presque au même instant, les filles apparurent, les mains chargées, elles aussi, mais sans avoir trouvé autre chose que des graminées, des quenouilles et quelques marguerites jaunes et blanches. Peu de temps après, Jackie se pointa, suivi de Jim et de Ben, qui tenait la croix dans ses mains. Elle était tout à fait sublime, tant par son originalité que par la finesse de son exécution : rien en commun avec les croix conventionnelles des cimetières. Mesurant un mètre de hauteur, la base torsadée était habilement sculptée dans un bois blond qu'on devinait finement poli. Les bras inégaux ajoutaient un charme unique à cette œuvre splendide.

– Elle est de toute beauté! m'exclamai-je en caressant sa surface lisse.

Je me réjouis en pensant qu'elle ferait honneur à Tristan. Jackie lança un coup d'œil satisfait sur nos récoltes, ce qui me rassura.

– Les filles, je vais charger le quatre-roues de tout le matériel dont on a besoin pour planter la croix. Les gars doivent probablement avoir fini de creuser le trou, alors vous pouvez les rejoindre avec vos bacs de fleurs. Suivez-moi, dit-il en se tournant vers les jumeaux.

Quand nous arrivâmes au cap de roche, les trois gars étaient assis au pied d'un arbre, leur chandail taché de terre portant à croire que le travail était terminé.

– Vous avez ramassé quatre chaudières de fleurs? s'étonna Keven.

– Eh bien... lui répondit Elyssa, on les a triées pour mieux les agencer.

Je m'approchai pour observer la profondeur du trou. Tentant d'imaginer le résultat final, je me réjouis de la célébration unique que nous allions offrir aux parents de Tristan et cela me consola un peu. Quand Jackie et les jumeaux nous rejoignîmes en exhibant leur chef-d'œuvre, les gars s'exclamèrent d'admiration pour l'impressionnante qualité de leur travail. Aussitôt la croix mise en terre, Jim arriva avec deux bacs remplis de ciment frais que Mick déversa tout autour de la sculpture. Une fois le coulis égalisé, Jackie y inscrivit le nom de Tristan ainsi que la date de son décès. Une commémoration simple, mais remplie d'une grande signification qui resterait gravée pour toujours au Cabonga. Voyant notre émotion, Jackie fit diversion en nous proposant de disposer les fleurs à notre guise, selon notre créativité. Malgré le peu de variétés, tout le monde semblait prendre plaisir à agencer en bouquets celles que nous avions cueillies. La nature s'était soudainement décidée à collaborer avec nous : la pluie avait complètement cessé et le vent s'était calmé, comme pour s'harmoniser à la cérémonie à venir.

Jackie, qui s'était retiré quelque temps, revint avec des sandwiches et des jus pour nous ravitailler, car nous n'avions rien mangé depuis la tragédie. Cette pause tombait à point, nous permettant de retrouver un peu d'énergie. Après quoi, nous attachâmes nos fleurs autour de la sculpture, ce qui donna un résultat étonnant : les couleurs des fleurs étaient joliment réparties, et les quenouilles étaient regroupées à l'arrière de la croix, créant un autre palier. Les marguerites et les pissenlits tapissaient le sol, entrelacés avec les herbages qui s'agitaient autour de la sculpture.

– C'est encore plus beau que je ne l'aurais cru, commenta Jackie, émerveillé.

– Je suis content du résultat, soupira Keven.

– Sergio et Anna seront contents de voir ce qu'on a fait, ajouta Ben.

J'admirais cette explosion de fleurs et de couleurs, heureuse d'avoir participé à la réalisation de ce projet.

– Cassy… murmura Jackie en déposant une main sur mon épaule, les parents de Tristan aimeraient te dire un mot. Quand tu te sens prête, tu peux aller les rejoindre dans leur chalet. Ils t'attendent.

Malgré mon chagrin, j'avais besoin de leur parler, même si je savais cette démarche difficile, surtout pour eux. Essayant de faire le vide dans mon esprit, je me dirigeai vers leur chalet en respirant profondément à plusieurs reprises. Un silence lourd régnait à l'approche de la véranda où plus rien ne jonchait le sol: ni cannes à pêche, ni ballons, ni jeux, comme à l'habitude. Le cœur gros, je m'arrêtai devant la porte, sans trouver le courage de frapper. Étonnée, je la vis s'ouvrir doucement, laissant place à Anna qui me regardait tristement.

– Entre, ma belle…

Trois valises reposaient sur le plancher du salon. Mon regard ne put faire autrement que de s'attarder sur la plus petite : une minuscule valise de *Spider-Man* sur roulettes. Passant devant, Anna me conduisit jusqu'à leur chambre où Sergio ramassait quelques objets personnels. Aussitôt qu'il m'aperçut, il s'arrêta et s'assit sur le lit, m'invitant à ses côtés.

– Cassy, je… je ne pourrai jamais assez te remercier…

Il déposa une main contre la mienne. Son visage avait les traits tirés d'un homme démoli par la souffrance.

– Tu ne peux imaginer la douleur qu'on vit en ce moment, ma femme et moi. La perte de notre seul et unique petit garçon nous déchire. Je n'arriverai jamais à me pardonner ce qui est arrivé…

Je baissai le regard, retenant difficilement mes larmes.

– On ne pourra pas le ramener à la vie, ce qui a été fait est fait. Ma seule consolation, c'est d'avoir eu ton aide, et surtout celle d'Oliver. Jackie m'a parlé de lui un peu. Je ne le connaissais pas puisque c'est la première année, je crois, qu'il travaille au camp pour son oncle. Je me sens privilégié d'avoir eu son aide, en plus de ton incroyable soutien. Tu ne nous as pas lâchés une seconde, et on t'en est très reconnaissants.

Par le passé, Jackie avait toujours réussi à camoufler la présence d'Oliver au Cabonga. Nous étions les seuls à connaître son identité, et moi, la seule à connaître sa véritable nature.

– Sans vous, on ne s'en serait jamais sortis vivants.

Réfugiée dans un coin de la chambre, Anna sanglotait dans un papier mouchoir, tout en s'épongeant les yeux du bout des doigts.

– J'ai demandé à Jackie que tu passes nous voir, car je tenais à te faire mes excuses pour mon attitude lors de notre première rencontre, entre autres. Je t'ai présenté un côté quelque peu déplaisant de ma personnalité, je l'admets. Mon caractère est parfois sarcastique, mais je n'ai jamais eu l'intention de te blesser.

– Je m'excuse aussi…

J'essuyai mes larmes. Les émotions prenaient le dessus, mais j'étais contente qu'on puisse se parler ainsi.

– On t'aime énormément, soupira-t-il en me serrant contre lui. Tu n'as aucune responsabilité dans tout cela. Tristan t'aimait beaucoup, dès le premier jour où il t'a rencontrée.

Je le revis, emmitouflé dans son gilet de sauvetage, piochant sur une roche avec son pied. C'était la journée où Jackie nous avait surprises, Marie et moi, flânant dans les maisons hantées.

– J'ai quelque chose pour toi.

Il ouvrit son porte-monnaie et en sortit une photo de Tristan, prise à l'école probablement, à en juger par le crayon qu'il tenait à la main. Il était vêtu d'un joli polo blanc et ses boucles brunes, recouvrant presque tout son visage, lui donnaient un air de petite peste.

– Elle est pour toi.

Je fixai le souvenir si réel que cette photo évoquait. Sa joie de vivre, figée maintenant pour l'éternité, me fit sourire. C'est ce bonheur de petit garçon heureux qu'il me faudrait garder tout au fond de moi.

– Merci, sanglotai-je en acceptant la photo.

J'appréciais ce présent, même si je ne pouvais le démontrer davantage. Trop d'émotions se bousculaient en moi. Si j'avais osé parler, cela n'aurait été qu'un déluge de sanglots sans fin. Serrant la photo sur mon cœur, je me retirai pour les laisser à leur intimité et à leurs derniers préparatifs. Ils me raccompagnèrent jusqu'à la porte.

– On te retrouve au cap de roche plus tard, murmura Anna d'une voix étouffée. Jackie nous a dit que vous aviez fait du beau travail.

– C'est vrai, admis-je avec fierté.

Elle m'embrassa chaleureusement sur la joue et je regagnai le chalet, émue par ce moment intime partagé avec eux. Je traversai la véranda sans parler à personne, me réfugiant dans ma chambre dont je fermai la porte derrière moi. Il me fallait un peu de solitude pour faire le vide en moi. Je contemplai de nouveau la photo de Tristan et l'insérai dans mon porte-monnaie, sachant qu'elle y resterait pour toujours. Je m'allongeai sur mon lit, tentant de combattre la fatigue des dernières heures, mais je sombrai bien malgré moi dans un sommeil profond.

Les funérailles — partie 2

Une cérémonie inoubliable

J'avais totalement perdu la notion du temps, ne sachant plus combien d'heures j'avais pu dormir. Elyssa était assise à mon chevet, me chuchotant des mots que j'avais du mal à saisir.

– Cassy, réveille-toi. On t'attend pour se rendre au cap de roche. Jackie est venu nous chercher.

J'avais les idées confuses. Je secouai la tête comme pour dissiper la dure réalité qui revenait me hanter. Je passai la main dans mes longs cheveux emmêlés par l'humidité des dernières heures.

– Il est quelle heure?

– 6 heures et demie.

– Quoi? 6 heures et demie? Tu aurais dû me réveiller avant.

Je sautai hors du lit rapidement, ce qui provoqua un étourdissement immédiat, comme à chaque fois que je m'empressais de faire les choses trop vite.

– Non, tu avais besoin de repos.

J'enfilai rapidement une veste et nous nous dirigeâmes vers le cap. Du haut de la colline, nous pouvions apercevoir tous les autres déjà réunis autour de la croix érigée en mémoire de Tristan. Tout en longeant le bord de l'eau, je me disais que cette cérémonie serait sûrement difficile. À notre arrivée, je ressentis douloureusement l'ambiance triste chargée d'un lourd silence. Jackie nous fit signe d'approcher. Les parents de Tristan contemplaient le monument improvisé en se soutenant mutuellement. S'éclaircissant la gorge, Jackie prit la parole.

– Je ne suis pas le meilleur pour faire des discours, mais… mais ces paroles viennent du plus profond de mon cœur.

Il fit une pause et nous regarda avant de poursuivre.

– On est tous réunis, au pied de cette croix, pour se souvenir du tragique accident qui nous a enlevé un incroyable petit garçon, Tristan Antonio Layne. Recueillons-nous pour son repos éternel. Prions pour lui et sa famille, pour ses proches et ses amis. Ce sera une dure épreuve à surmonter, une épreuve des plus déchirantes. Sachez tous que Tristan veillera sur nous comme un ange. Il restera à tout jamais parmi nous et dans nos cœurs. Amen.

Suite à cet hommage bouleversant, Jackie se joignit à nous pour prier. Même si Tristan reposait toujours à la réception, ce recueillement nous permettait de nous soutenir les uns les autres. Sergio fut le premier à s'agenouiller devant la croix. Faible et dévasté, il y accrocha le chandail préféré que Tristan portait il y a quelques jours, celui où l'on pouvait lire l'inscription *Sergio's Best Fishing Crew.* Anna le rejoignit, s'effondrant à ses côtés. Les deux parents pleuraient, le cœur en mille morceaux, tout comme nous. Le temps s'immobilisa, nous faisant sombrer dans un abîme de tristesse. Cette image d'Anna et de Sergio, effondrés au pied de la croix, me fit penser aux miens et à leur désarroi quand ils apprendraient le drame que j'avais vécu. Je les appellerais le plus tôt possible. Je n'avais jamais perdu un membre de ma famille ni assisté à des funérailles. Je comprenais maintenant le chagrin de ceux à qui la vie avait enlevé un être cher. Le silence ambiant permettait à chacun de plonger en lui-même pour capter ce moment d'intimité qui se faufile à notre insu entre la vie et la mort. Avant que j'aie pris conscience de ce qui se passait, je me trouvai agenouillée à leurs côtés. Sergio s'empara de ma main, l'enveloppant d'un geste tendre. À son contact, je sentis sa peine me chavirer le cœur plus qu'il ne l'était déjà. Ainsi recueillis dans ce moment d'éternité, nous priâmes en silence, nous laissant pénétrer par la paix qui se déposait en nous.

La lumière du jour s'éteignait peu à peu, et le vent se refroidissait graduellement. Interrompant à voix feutrée le silence dans lequel nous étions plongés depuis presque une heure, Jackie nous invita à regagner la réception. Tout était prêt: les valises reposaient sur la pelouse mouillée, et un hélicoptère attendait dans le stationnement. Le cœur me manqua en voyant les quatre policiers sortir avec une civière et se diriger vers l'accueil. Deux d'entre eux ressortirent quelques instants plus tard, portant le corps de Tristan recouvert d'un drap blanc. Prise d'une nausée soudaine, je détournai aussitôt le regard. Je fus invitée à rentrer à la réception avec les parents de Tristan, car nous devions être questionnés en tant que témoins de l'accident. Je ne fus pas étonnée de voir Oliver entrer pour venir témoigner à mes côtés. Il tenait sa promesse d'être là quand le besoin s'en faisait sentir. Il répondit aux questions calmement, de façon claire et directe. Jackie parut soulagé de voir qu'il s'en tirait bien, malgré sa fragilité. Anna et Sergio en profitèrent pour le remercier de toutes les manœuvres qu'il avait tentées pour sauver Tristan. Aussitôt le rapport terminé, Oliver leur offrit ses condoléances et nous quitta, prétextant un malaise. Je savais que son besoin de solitude était aussi essentiel à sa nature que l'air, pour le commun des mortels. Les valises furent par la suite chargées à bord de l'hélicoptère. C'est un Sergio complètement anéanti qui s'approcha de Jackie.

– Bon courage, murmura Jackie en le serrant contre lui. Si je peux faire quoi que ce soit, je serai toujours là. Tu es le bienvenu quand tu veux.

– Merci, mon ami.

Anna, les yeux boursouflés, embrassa Jackie et les jumeaux. Elle nous fit un signe de la main en guise d'adieu. Lisette et Peter nous saluèrent à leur tour, car ils raccompagnaient leurs amis jusqu'à destination.

– Tu vas nous manquer, Cassy, sanglota Anna en me serrant contre elle. On t'aime comme notre propre fille. Tu seras toujours la bienvenue à la maison.

Elle sortit de sa poche un bout de papier chiffonné qu'elle me remit subtilement.

– C'est notre adresse et notre numéro de téléphone.

Elle relâcha ma main et m'embrassa une dernière fois avant que Sergio nous rejoigne.

– Promets-moi une chose, veux-tu? me demanda-t-il.

Je hochai légèrement la tête.

– Ne fais plus rien qui puisse mettre ta propre vie en danger. Promets-moi de faire attention à toi.

– C'est promis, mais… je ne regretterai jamais de vous avoir apporté mon aide.

– On t'en est très reconnaissants. Tristan aussi…

Je ne pus soutenir son regard embué de larmes.

– Prends soin de tes amis. Garde-les près de toi, Cassy.

Sur ces mots, il s'éloigna avec Anna en direction de l'hélicoptère. Lisette m'accorda un dernier regard et les portes s'ouvrirent, laissant place à un ambulancier qui les aida à s'installer. Aussitôt, l'hélice se mit à tournoyer, provoquant un vacarme et un vent qui nous obligèrent à reculer. Anna et Sergio agitèrent leurs mains derrière le hublot avant de disparaître au-delà de la forêt, emportant à jamais le corps de Tristan et nous laissant seuls avec ce vide dans le cœur.

17

Abandon

Le ciel avait retrouvé sa couleur des beaux jours pour égayer de nouveau le réservoir du Cabonga, mais le cœur n'y était plus. Depuis le tragique événement de la veille, le camp semblait endormi, comme si le temps s'était arrêté. Comme nous l'avait conseillé Jackie, nous avions tous téléphoné à nos parents pour les aviser du drame qui était survenu et les rassurer sur notre état. La sensibilité de ma mère s'était manifestée par le tremblement de sa voix. Elle me rassura en me disant que j'avais fait preuve de courage et que je m'en étais bien tirée avec les enquêteurs. Cette conversation émouvante nous rapprochait encore plus et j'avais très hâte de la serrer dans mes bras. Je retenais mon envie de déverser sur elle toute ma peine et ma rencontre fabuleuse avec Oliver. Sa présence me manquait, sa gentillesse et sa compréhension sans limites.

La journée se déroula sans grand enthousiasme, chacun vaquant à des activités diverses pour chasser la tristesse ambiante. Jamie et Marie se retirèrent dans leur chambre une partie de l'après-midi pour faire une longue sieste réparatrice pendant que les gars jouaient aux cartes sur la véranda. Quant à moi, rien d'autre qu'un peu de ménage pour dissiper les sombres pensées qui me tenaillaient et m'avaient empêchée de trouver le sommeil. Il n'était pas question que je sombre dans ce néant de mélancolie! Elyssa devait ressentir le même état d'esprit, car elle me prêta main forte et nous nous défoulâmes jusqu'à l'heure du souper, récurant à fond et rangeant cuisine, salon et salle de bains.

– Je suis épuisée, soupira Elyssa qui n'avait encore rien avalé.

– C'est normal! conclut Mick en mastiquant. Cassy et toi, vous avez frotté et rangé pendant des heures.

– Pourquoi tout ce remue-ménage? questionna Keven.

– Au lieu de critiquer, commenta-t-elle, tu devrais nous remercier.

Keven se tut, surpris par sa réplique plutôt sèche. Un lourd silence s'ensuivit. Nous avions tous l'humeur fragile et pas tellement le cœur à la rigolade.

– Qu'avez-vous envie de faire ce soir? demanda Marie pour dissiper le malaise.

Personne ne répondit. Décidément, le reste du séjour s'annonçait difficile si chacun ne faisait pas un petit effort.

– Un feu, comme à l'habitude? proposa timidement Jamie.

– Ouais… Je demanderai aux jumeaux s'ils veulent bien se joindre à nous.

Une idée m'éclaira soudainement l'esprit. Mieux qu'un simple feu, je me demandais si Jim accepterait que nous fassions exploser les feux d'artifice qu'il avait trouvés l'autre jour à l'intérieur de l'hydravion. Quittant la table, je prétextai avoir une information à demander aux jumeaux et courus à la réception. Ils regardaient un match de baseball à la télévision avec Jackie, tout en mangeant de la pizza.

– Oh… je ne voulais pas vous déranger.

– Mais non, entre! me rassura Jackie, la bouche pleine, tu ne nous déranges absolument pas. Ça va?

– Oui… oui, ça va. Je voulais seulement vous demander une permission.

– Tout ce que tu veux, ma chère.

– Hum… au fait, Jim… je me demandais si on pouvait utiliser les feux d'artifice que tu as trouvés l'autre jour. On pourrait peut-être les faire exploser en bordure du lac, ce soir?

L'étincelle qui traversa son regard me persuada qu'il avait grande envie d'accepter ma suggestion.

– Qu'en penses-tu, Jackie?

– Bah, ce sont tes feux. Je crois que c'est une bonne idée.

– Génial! s'exclama-t-il en déposant son assiette. Les feux sont dans la grange. Viens, on va aller les chercher.

La nuit s'était déjà installée avec son ciel étoilé s'illuminant majestueusement au-dessus de nos têtes. Nous contournâmes le chalet en direction des maisons hantées et nous arrêtâmes devant la grange centenaire où Oliver avait commis l'irréparable erreur de s'enlever la vie. La peinture rouge s'écaillait sur le bois vieilli. Une forte émotion m'envahit à l'idée d'entrer dans ce lieu pour la première fois. Cela revêtait une grande importance à mes yeux, car je savais qu'Oliver y avait vécu, et y vivait toujours, des moments extrêmement difficiles.

– Hum… Tu vas voir… c'est un peu bordélique, s'excusa Jim en ouvrant l'énorme porte qui grinça sur ses gonds.

Jim remarqua mon hésitation à y entrer et comprit aussitôt mon malaise.

– Ah, je suis bête, soupira-t-il en relâchant la poignée rouillée, Oliver t'a mise au courant… pour son suicide. Il vient souvent séjourner ici. Mais, tu n'as pas à t'en faire, car Jackie a condamné la pièce du grenier où il s'est enlevé la vie. Plus rien ne nous rappelle donc ce qui s'est déroulé ici. Oliver nous autorise à venir.

Il déposa une main rassurante sur mon bras et me sourit tendrement en soulevant la porte grinçante. Il avança dans la noirceur pour ouvrir la lumière, mais la faible ampoule n'éclairait que ce qu'il fallait pour ne pas trébucher.

– Voici donc notre dépotoir à outils!

En effet, les jumeaux avaient aménagé l'intérieur selon leurs besoins. Une voiture ancienne, toute rouillée, la porte du passager en moins, gisait au centre de la pièce, visiblement pas en état de rouler.

– Ça, c'est la plus vieille des carcasses que tu ne verras jamais plus dans ta vie. Jackie l'a trouvée chez un concessionnaire de voitures anciennes et il nous l'a rapportée, espérant qu'un jour, mon frère et moi, on la réparerait. On a bien essayé, mais… on s'est très vite découragés.

Sans contredit, elle était bonne pour la fourrière. Mes yeux s'étant habitués à l'obscurité, j'observai ce qui m'entourait. Toute une panoplie d'outils, électriques ou autres, étaient accrochés le long des murs ou reposaient sur les nombreuses tablettes qui y étaient fixées. Au fond complètement, étaient alignés des planches de bois, un établi, ainsi qu'une scie mécanique. Tout le matériel nécessaire pour faire de la construction ou bricoler se retrouvait ici. Accroché au plafond, je repérai le kayak que Mick et moi avions emprunté l'autre jour.

– Chaque fois qu'on retourne en ville, on rapporte un autre outil qui vient s'ajouter à notre collection.

Du bout de mes doigts, j'effleurai une moulure de bois qui laissa retomber un épais bran de scie. Cet endroit était dû pour un bon époussetage! Déambulant dans la pièce, mon attention s'arrêta soudain sur une photo accrochée au mur. Elle représentait les jumeaux, âgés de quatre ou cinq ans, les cheveux blondis par le soleil d'été, accompagnés d'un homme que je ne connaissais pas. Ils étaient assis dans une chaloupe où Jim exhibait fièrement un poisson.

– Qui est cet homme?

La ressemblance avec les jumeaux était évidente : même crinière dorée, même teint foncé. Il ressemblait beaucoup à Jackie aussi: même barbe forte, même regard décidé.

– Mon père... murmura-t-il en regardant tendrement le cadre suspendu de travers sur le mur. Il est décédé d'un accident de voiture il y a douze ans.

– Je suis vraiment désolée...

– Ce n'est rien, dit-il en soupirant. Il s'appelait David Dawson. C'était un père fantastique. Lui et Jackie, d'un an son cadet, étaient des frères inséparables. On se retrouvait tous ici pendant nos vacances d'été... C'était les meilleurs moments de ma vie.

– C'est une très belle photo.

Son visage sembla se remémorer les souvenirs de cette époque.

– Suite au décès de mon père, c'est Jackie qui l'a remplacé de façon extraordinaire, nous aimant comme si on était ses fils. Je n'ai jamais connu ma mère. Elle a succombé à un cancer quand on avait à peine deux ans. Jackie est notre seule famille.

J'ignorais que Ben et Jim avaient traversé un deuil pareil. Perdre leurs parents si jeunes avait dû être affreusement difficile.

– Mais... ne t'apitoie pas sur notre sort. On a toujours vécu sans notre mère et Jackie nous a beaucoup aidés à accepter la mort de notre père. Quand on est un enfant, on vit le moment présent et c'est ce qu'on a fait, en profitant de la vie que Jackie nous offrait. À l'époque, il a pensé vendre le camp, car trop de souvenirs y étaient associés avec mon père. On a réussi à le convaincre qu'il n'aurait jamais voulu qu'il fasse une chose pareille, mais plutôt qu'il poursuive ce qu'ils avaient bâti ensemble. Jackie a finalement entendu raison et a décidé de garder le camp.

– Il a bien fait!

– Oui, on est tous contents!

Après un moment de silence, j'osai une question plus délicate.

– Ton père était-il au courant du monde des fantômes?

Il se tourna vers moi, me fixant sans broncher. C'était la première fois que j'abordais le sujet avec lui.

– Pour ne rien te cacher, Jackie et mon père étaient deux mordus de fantômes depuis leur tout jeune âge, deux accros des spectres. Vers l'âge de dix ans, ils dévoraient les livres et les romans qui racontaient des histoires de fantômes, ils regardaient tous les reportages possibles à la télévision et ont même fait des recherches sur les endroits où de tels phénomènes s'étaient produits dans le monde. Bien entendu, ils étaient trop jeunes pour voyager et enquêter sur le terrain, mais il n'en reste pas moins que leur culture sur les spectres et sur les maisons hantées était très approfondie et surprenante pour des gamins de leur âge.

– C'est de cette manière qu'ils ont découvert le Cabonga?

– En partie, oui. Ils ont déniché cet endroit en 1983, lorsqu'ils avaient 13 et 14 ans. Ils accompagnaient leur père pour l'aider à la construction d'une pourvoirie. En arrivant sur les lieux, le propriétaire du terrain les a avertis que l'endroit était supposément hanté et que c'était la raison qui le poussait à vendre au plus vite. Il avait mentionné l'existence de deux maisons, un peu à l'écart du camp, qu'il croyait maudites.

– Mais… pourquoi a-t-il dit qu'elles étaient hantées s'il tenait vraiment à vendre le terrain? Je ne comprends pas, il me semble que cela fait fuir les gens, non?

– C'était un pur idiot, ricana-t-il. Imagine un peu la réaction de mon père et de Jackie en entendant cela. Ils étaient au paradis!

– Alors, est-ce que ton grand-père a acheté le terrain?

– Mais oui! Le propriétaire voulait s'en débarrasser, alors mon grand-père l'a eue pour une bouchée de pain! s'exclama-t-il, amusé, comme si c'était lui qui avait fait une bonne affaire. Suite à cet achat, mon grand-père a engagé des ouvriers pour faire les travaux de terrassement, d'électricité et de plomberie. Tous les chalets du Cabonga ont été construits par notre famille et des amis. Ben et moi, on n'était même pas encore nés.

– Ton grand-père vient-il souvent ici?

– Non… Il est décédé lorsque j'avais six ans seulement, un an à peine avant le décès de mon père. Ça a été une période très difficile pour nous, surtout pour Jackie qui perdait à la fois son père et son frère.

Je comprenais maintenant d'où venait la force qui se dégageait de Jackie, mais aussi la blessure qui l'avait rendu aussi sensible aux autres. Un tel deuil laisse des traces…

– Excuse-moi, je ne voulais pas réveiller des souvenirs pénibles.

– Ça va, c'est un passage de notre vie…

– Jackie et ton père ont-ils maintenu leur intérêt pour les histoires de fantômes après l'achat du camp?

Le visage de Jim s'illumina. Cette question semblait lui plaire davantage.

– Tu parles! Ils passaient leurs journées entières dans ces vieux décombres. Ils ont fait une analyse complète des deux maisons hantées et ont commencé à inventer leur propre légende. Jackie m'a montré un jour son vieux calepin rempli de croquis et d'écriture. C'est fou comment un enfant peut avoir de l'imagination.

Il en savait plus que je ne le croyais. Je poursuivis donc mon interrogatoire qui semblait le ravir.

– La légende qu'ils ont inventée, est-ce que c'est celle que Jackie nous a racontée à propos des Amérindiens torturés?

– Tu as tout compris. Cette légende a été inventée par ces deux jeunes adolescents de 14 et 15 ans.

Cette histoire n'était pas née d'hier et pourtant, il manquait le plus important.

– Et… Oliver dans tout ça?

Il réfléchit avant de me répondre. Il n'était peut-être pas à l'aise pour me faire des confidences à son sujet, ignorant ce que je savais ou non.

– C'est d'Oliver dont tu voulais me parler?

Je restai silencieuse, acquiesçant d'un signe de tête.

– Eh bien, il est apparu exactement quatre ans après la construction du Cabonga, donc en 1987. Jackie avait 17 ans, et mon père, 18. Il faut que tu saches que les esprits se manifestent rarement. Jackie et mon père ont travaillé très fort durant deux ans avant que leurs recherches aboutissent à quelque chose. C'est au cours d'une de leurs nuits blanches, à les implorer de se manifester, qu'ils ont vu un fantôme pour la première fois. C'était Oliver et il ne correspondait pas du tout à leurs attentes.

Je l'écoutais, bouche bée.

– Ils s'attendaient à quoi?

– Je ne sais pas… quelque chose de différent. Il est apparu sous la forme d'un humain plutôt extravagant dans son accoutrement, comme on n'en voyait pas à l'époque.

Je souris, m'imaginant leur réaction en apercevant l'apparence provocante d'Oliver pour la toute première fois : son regard mystérieux, sa chevelure impeccable, son long manteau noir, ses bottes de cuir usées et l'abondance de ses bracelets de corde et de cuir entremêlés à ses poignets.

– Que s'est-il passé par la suite?

– Il est arrivé un phénomène assez inhabituel. Oliver s'est mis à communiquer avec eux, autant le jour que la nuit, leur révélant toutes sortes d'informations sur son univers de fantôme : qui il était et d'où il venait. Ce comportement est très rare chez les fantômes, qui sont plutôt des entités excessivement solitaires.

– Oliver est différent…

– Tu pourrais être étonnée de savoir qu'Oliver n'a pas fait la vie facile à Jackie ni à mon père. Il a perdu le contrôle sur ses agissements à maintes reprises, alors ils ont dû l'entraîner à maîtriser ses impulsions pour garder sa stabilité. Il est impossible de manipuler un fantôme. Pour en arriver à la maîtrise qu'Oliver démontre aujourd'hui, ils ont mis des années.

Jim me faisait découvrir une autre facette concernant le passé d'Oliver. Toutefois, j'avais de la difficulté à imaginer qu'il aurait pu représenter une menace pour quelqu'un.

– Les années ont passé, la pourvoirie s'est agrandie, accueillant de plus en plus de pêcheurs pour des séjours d'une semaine ou plus.

– Personne n'était au courant qu'Oliver était un fantôme?

– Personne n'était au courant de son existence… un point c'est tout. Il ne fallait surtout pas que les gens le découvrent, car cela aurait pu nuire à la bonne réputation du camp. L'univers des fantômes relevait d'un intérêt personnel qui ne regardait personne d'autre qu'eux. Cependant, la légende continuait de circuler, la fameuse légende des Amérindiens torturés.

– Jackie continuait de la raconter?

– Oui. C'était pour amuser les gens et ajouter un peu de mystère dans ce lieu qui s'y prêtait si bien.

– Mais, attends un peu… Ben et toi étiez au courant du passé d'Oliver?

– Les choses ont changé après la mort de notre père. L'année de nos 13 ans, Jackie nous a conduits au deuxième étage d'une des maisons hantées, nous disant sur un ton solennel qu'il avait quelqu'un d'important à nous présenter, quelqu'un de spécial…

Il me fixa profondément, sachant que j'avais deviné de qui il était question.

– C'est alors qu'Oliver est apparu, sortant de nulle part. Sur le coup, on a été surpris par cette apparition mystérieuse. Mais étrangement, on s'est très vite habitués, comme si ce phénomène nous était très familier. Peu à peu, Jackie nous a transmis toutes les connaissances que mon père et lui avaient découvertes à propos des fantômes. On prenait la relève de mon père, d'une certaine manière, en formant une nouvelle équipe avec Jackie.

Je tournai mon regard vers la photo, touchée par cette étrange histoire familiale.

– Jamais personne d'autre que vous n'a eu connaissance de ce qui se passait réellement au Cabonga?

– Jusqu'à cette semaine… personne. Depuis notre rencontre qui remonte à quelques années, Oliver n'a jamais dévoilé son histoire à personne d'autre. Il ne s'est jamais montré en public non plus. C'est la première fois qu'il se manifeste autant.

Même si Oliver m'avait confié les difficultés que les fantômes de sa catégorie rencontrent quand ils apparaissent en public, j'avais l'impression qu'avec moi, il se sentait bien et qu'il agissait de façon naturelle. Je ne le considérais pas comme un fantôme, mais plutôt comme quelqu'un de réel, qui faisait partie de ma vie maintenant.

– Jim, penses-tu que Tristan pourrait devenir comme Oliver et revenir à la vie en continuant de rester parmi nous?

– Cassy, il y a un aspect complexe dans ce monde parallèle : un fantôme ne vit pas, il est bel et bien mort. Pour qu'il se manifeste sous forme d'apparition, c'est long… très long.

Je me sentais comme une étudiante, captivée par les propos intéressants de son professeur. Notre attention fut distraite par l'arrivée de Ben qui s'impatientait de la durée de notre absence. Je n'avais pas vu le temps passer.

– Je lui parlais un peu de papa. Elle se demandait qui était l'homme sur la photo.

Ben y jeta un coup d'œil rapide, se remémorant sûrement de bons souvenirs, lui aussi.

– Les autres vous attendent à la réception, enchaîna-t-il.

– Oh… C'est vrai! On avait une mission en venant ici, avoua Jim, en s'éloignant vers le fond de la grange.

Il ouvrit une grosse armoire métallique bosselée remplie d'une vingtaine de bâtons pour faire des feux d'artifice.

– J'aurais besoin d'aide, il y en a plus que je l'imaginais.

Il passa les plus longs à son frère, me donna les plus courts et prit le reste.

– Je ne savais pas qu'il y en avait autant, ajouta Ben, les mains pleines.

– Moi non plus, je n'ai pas ouvert cette armoire depuis l'âge de 12 ans, je crois.

Les bras chargés de pétards explosifs, nous rejoignîmes les autres à l'entrée du chalet principal. Jackie aussi s'étonna de la quantité de feux.

– C'est génial tout ça! s'exclama Marie en se précipitant vers moi.

– C'est Jim qu'il faut remercier, c'est lui qui m'a autorisée à les utiliser.

Cette diversion avait atteint son but, car tout le monde affichait une mine plus souriante.

– Je vais aller les planter dans le sable, près du lac, proposa Jackie. Pendant ce temps, vous pouvez aller chercher des couvertures et vous installer sur le quai. Vous aurez un point de vue superbe!

Nous partîmes aussitôt chercher l'équipement nécessaire pour le spectacle : sacs de couchage, chaises de plage, bières, sans oublier le maïs soufflé au beurre salé. Nous rejoignîmes ensuite les jumeaux qui nous attendaient, bien emmitouflés dans leur coton ouaté à capuchon. Une première flammèche pétarada dans le ciel, me faisant légèrement sursauter. Le bruit avait résonné à mes oreilles tel un tir de fusil de chasse. Une fois rendue à son point le plus haut, la traînée de feu explosa en milliers d'étoiles pétillantes et dorées, créant l'impression que chaque étincelle retombait vers nous. Jackie fit exploser la série de pétards, illuminant le ciel au-dessus de nos visages ravis. Je savais que Tristan aurait aimé cette féerie et je m'en voulus de ne pas avoir pris cette initiative plus tôt, quand il était encore en vie. Semblant avoir deviné mes pensées, Mick se creusa une place sous ma couverture et m'enlaça d'un bras réconfortant. Après tout, je me sentais bien dans ses bras accueillants qui savaient me consoler.

Une fois tous les feux disparus en fumée, Jackie se joignit à nous. C'était la première fois qu'il veillait en notre compagnie. Fidèle à sa réputation de bon conteur, il nous dévoila certaines anecdotes cocasses qui étaient survenues au Cabonga. Deux ans plus tôt, deux pêcheurs s'étaient perdus en s'aventurant dans les bois et avaient dû y passer la nuit. Responsable de ses clients, Jackie avait fait des recherches qui s'étaient poursuivies le lendemain. Il avait fini par les retrouver, terrorisés et affamés, non loin des limites du camp. Les deux pêcheurs avaient dû passer cette nuit interminable dans un marais pour ne pas être repérés par des ours ou des loups. L'un d'eux avait avoué, honteux, qu'il avait davantage craint les mouvements visqueux et inattendus des grenouilles plutôt que l'assaut des bêtes sauvages. J'écoutais les commentaires de mes amis sans me mêler à la conversation. Je m'efforçais de démontrer un minimum d'intérêt et de bonne humeur, mais toujours cette petite voix qui me répétait que je n'en avais pas le droit après un tel drame. J'aurais aimé que Tristan soit là. J'aurais aimé qu'Oliver y soit aussi…

– On rentre? suggéra Keven en bâillant.

– Excellente idée, rétorqua Jackie. Il se fait tard, et vous travaillez tôt demain, les gars!

Les jumeaux ne pouvaient se permettre de faire la grasse matinée avec toutes les tâches qu'ils devaient exécuter au quotidien. Nous remontâmes la colline en direction de notre chalet, où brûlait un lampion à la citronnelle pour chasser les moustiques voraces. Malgré mes pensées instables, j'avais quand même apprécié la soirée.

– Rejoins-moi aux maisons hantées, cette nuit…

C'était la voix d'Oliver. Je me tournai brusquement, croyant à un effet de mon imagination.

– Oliver?

Comme je semblais être la seule à l'avoir entendu, j'en déduisis qu'il refusait de se montrer. Mine de rien, je rentrai au chalet avec les autres.

– Je suis brûlée, soupira Marie.

– Moi aussi, répliqua Elyssa en enfilant un pyjama de *Bob l'éponge*.

Étendue sur mon lit, j'écoutais leur babillage s'éteindre peu à peu, laissant le silence persister pour l'enchaînement de la nuit. La conscience en éveil, j'attendis quelques minutes après le début des ronflements pour m'assurer que la voie était libre. Regagnant l'extérieur sous un ciel sombre et nuageux, mon corps fut parcouru de frissons, qui n'étaient sans doute pas étrangers à la peur que je ressentais de me rendre là-bas après tout ce qui venait d'arriver. Affrontant ma peur comme je l'avais fait tant de fois ces derniers temps, je me faufilai à travers la nuit et courus jusqu'au ravin.

– Laisse-moi t'aider.

J'étais heureuse qu'il soit là à m'attendre, assis sur le haut palier. Il me hissa sans difficulté jusqu'à lui et m'entraîna aussitôt vers le deuxième étage. Il s'avança dans la pièce, s'arrêtant devant le trou qui transperçait le plancher. Toujours silencieux, nous échangeâmes un regard brûlant. L'absence de lumière accentuait l'aspect sombre et mystérieux de son visage. Malgré cela, je m'approchai de lui pour sentir son corps plus près du mien. J'aurais volontiers passé toute ma nuit ici, avec lui.

– Tu m'as manqué… soupirai-je en me serrant contre lui.

Je sentis sa main caresser le bas de mon dos.

– Cassy… il faut qu'on parle. J'ai quelque chose d'important à te dire.

Je reculai pour mieux le regarder. Le ton qu'il avait employé ne me rassurait pas.

– Écoute, ce que j'ai à te confier n'est pas facile, alors… laisse-moi être franc avec toi, dit-il en s'éloignant un peu.

– Quoi? De… de quoi tu parles? dis-je, désarçonnée.

– J'ai fait une erreur. J'ai cru que j'aurais pu m'intégrer au monde des humains, qui est le tien, mais j'ai eu tort.

Je ne voyais pas où il voulait en venir.

– On ne peut pas se fréquenter, Cassy. Je suis beaucoup trop différent de toi.

– Oliver, ne dis pas ça, tu ne peux pas… suppliai-je en m'avançant vers lui pour le serrer contre moi.

– Je suis désolé, dit-il en reculant, je ne peux plus faire semblant.

Je restai clouée sur place, regrettant maintenant de l'avoir approché.

– J'ai cru être capable… mais c'est plus fort que moi.

Mes yeux se remplirent d'eau : je n'arrivais plus à contrôler mes émotions ces derniers temps. J'avais si mal à l'intérieur de moi!

– Je n'ai jamais été moi-même. Depuis le jour de notre rencontre, j'ai fait semblant... J'ai fait semblant d'être quelqu'un d'autre. L'image du garçon amoureux que je projette n'est rien d'autre qu'un mensonge. Aucun fantôme ne peut éprouver des sentiments pour quelqu'un. On est vide de l'intérieur et on ne ressent rien… absolument rien. On n'a droit à aucun bonheur. Seules la tristesse et la souffrance reliées aux souvenirs passés nous hantent constamment.

– Oliver, si c'est à cause de moi, je… je peux te laisser un peu de temps, et…

– Non! Rien ne peut me changer!

Je reçus sa remarque comme une gifle.

– Mick est le garçon qu'il te faut, c'est lui qui mérite d'être avec toi.

– Quoi? Micka est mon meilleur ami. Tu ne peux pas, Oliver… C'est toi que je veux, personne d'autre.

– Tu vas passer à côté de quelque chose, Cassy. Il t'aime, et tu devrais t'ouvrir les yeux un peu plus. Il t'a toujours aimée.

– Attends… arrête de parler, s'il te plaît.

J'inspirai profondément pour tenter de retrouver un état émotionnel plus stable. Toutefois, c'en était trop, je n'arrivais pas à assimiler tout ce qu'il me racontait.

– Je me fiche de ce que Mick peut penser, ou même éprouver pour moi. Les sentiments que je ressens pour toi en ce moment sont tout ce qui m'importe.

– Tu crois sincèrement que je vis la même chose? Pourquoi ne prends-tu pas en considération comment moi, je me sens? Arrête d'être égoïste un peu.

– Égoïste?

Cette remarque me tira des larmes que je laissai couler sur mes joues.

– Pourquoi m'as-tu embrassée, alors? C'est toi qui as fait les premiers pas. Pourquoi as-tu même pris la peine de venir me parler la journée où on s'est rencontrés? Tu aurais franchement dû me laisser partir comme je m'apprêtais à le faire…

– Je t'ai embrassée par pure curiosité. Je voulais voir quel effet ça faisait.

– Tu voulais voir quel effet ça faisait… Et tu me traites d'égoïste? Alors, j'ai été un test, c'est ça?

Je me retins pour ne pas éclater en sanglots inconsolables.

– Je voulais me prouver que je pouvais peut-être aimer de nouveau. Je n'aurais pas dû aller aussi loin. J'en ai tiré la conclusion que… que je ne ressentais aucun sentiment, et que ma vie ne pouvait pas se mêler à celle des humains. Surtout pas à la tienne, Cassy.

J'émis un sanglot étouffé, passant nerveusement la main contre mon front humide.

– Je me fiche que tu sois un fantôme ou un humain. Pour moi, ça ne fait aucune différence. Je n'avais pas l'intention de dévoiler ton monde à qui que ce soit.

– Je n'ai jamais douté de ta confiance…

Je le fixai, sans trop savoir quelle attitude adopter. Même conscient de ma peine, il pouvait garder son sang-froid.

– Je suis amoureuse de toi… Oliver.

L'expression vide de son visage laissait croire qu'il était complètement indifférent à ma déclaration.

– C'est vrai, affirmai-je d'une voix frémissante, je t'aime, et… et je ne crois pas pouvoir supporter le fait que tu disparaisses si vite. Je me suis attachée à toi…

J'essuyai mes yeux dont je ne pouvais plus retenir les larmes.

– Tu ne peux pas partir et me laisser seule… On a vécu de si beaux moments ensemble. Tu ne peux pas faire comme si rien ne s'était passé entre nous!

– Qu'est-ce qu'on a vécu ensemble, Cassy? Parce que moi, je n'ai jamais eu l'impression de vivre quelque chose de spécial avec toi...

Ses paroles froides et cruelles me transperçaient le cœur.

– Je ne suis pas un humain, Cassy. Tu n'as pas l'air de t'en rendre compte. Je ne suis même pas quelque chose de définitif, je n'existe pas!

– Tu existes pour moi, Oliver…

Encore une fois, il m'observa sans expression. Baissant les yeux, il les releva quelques secondes, dardant son regard perçant dans le mien. Inconsciemment, je reculai : c'était la première fois qu'il me faisait peur.

– Tu n'existes pas pour moi, trancha-t-il, indifférent.

Tout comme à ma première rencontre avec lui, j'aurais aimé m'enfuir. Le ton brutal qu'il venait d'utiliser l'avait transformé en pur étranger.

– Je n'existe pas pour toi? chuchotai-je, la voix brisée par le chagrin.

– Tu as bien compris, affirma-t-il sur un ton impitoyable.

– Alors… tu m'as fait venir ici pour me dire que je ne te reverrais plus jamais?

– Je n'avais pas le choix.

– Oui, tu avais le choix! sanglotai-je. Avant que tu ne fasses ma rencontre, tu avais le choix, Oliver. Mais… qu'est-ce qui t'est arrivé? Je ne te reconnais plus!

Il était tellement différent. Comment expliquer ce brusque changement d'attitude, cette distance qu'il mettait entre nous?

– En fait, tu ne sais pas grand-chose de moi…

– Ce ne sera plus jamais pareil… reniflai-je en essuyant mes joues mouillées.

– Rien ne va changer. Tu vas poursuivre ta vie, et moi je vais retourner là où se trouve ma place, sous terre.

– Arrête de dire ça. Ta place est ici, avec moi, et non sous terre.

– Oui ce l'est! À cause de mes erreurs passées, j'ai mérité d'être prisonnier de ce que je suis présentement. Ni toi, ni Jackie, ni les jumeaux ne réussiront à faire de moi la personne que tu voudrais tant que je sois. Je ne pourrai jamais être l'un des vôtres. Jamais.

– Oliver... je ne veux pas que tu sois différent. Je t'ai aimé dès notre première rencontre. Je me fiche des dangers que ton monde peut représenter. Si tu as besoin de moments de solitude, je vais respecter cela. Si tu as besoin de t'absenter, ce n'est pas grave... je vais te laisser du temps, mais je t'en supplie, ne t'en va pas... Ne me laisse pas ici, j'ai besoin de toi!

L'espace d'une fraction de seconde, je crus percevoir de la tendresse et de l'amour dans l'éclat de ses yeux. Je me trompais assurément, car il avait déjà pris sa décision.

– Je suis vraiment désolé, Cassy. J'ai décidé de partir, et c'est ce que je vais faire. Plus jamais personne ne reverra mon ombre passer sous ces décombres.

Je me précipitai instinctivement vers lui, dans l'espoir de m'accrocher à son corps, mais je passai au travers, ne palpant que le vide.

– Il ne faut pas m'en vouloir, murmura-t-il calmement.

– OLIVER! NON! Qu'est-ce que tu fais? criai-je en essayant qu'il redevienne comme avant.

– Va rejoindre tes amis et ne reviens plus jamais ici. Fais ça pour moi.

– Ne pars pas, je t'en supplie.

J'essayai de le toucher, mais en vain. Son apparence s'était totalement métamorphosée, prenant l'aspect d'un corps fluide de fantôme qui bougeait sous un voile transparent. Il flottait à quelques centimètres du plancher, s'estompant peu à peu.

– Pardonne-moi, Cassy.

Il finit par disparaître, tel un amas de poussière fine.

– Oliver…

Je scrutai tout autour de moi, essayant de me convaincre qu'il n'avait pas disparu. Je laissai libre cours à mes gémissements dont la plainte douloureuse remplissait la maison. Comment vivre sans lui? Je devrais enfouir cette douleur insupportable en moi et la dissimuler aux autres. Oliver m'avait blessée si profondément que je ne tolérais pas l'idée de rester une seconde de plus dans ce lieu maudit où il m'avait fait ses adieux définitifs.

18

Affrontement

J'étais encore immobile, les jambes clouées au sol, n'ayant pas trouvé la force de quitter les lieux. Pourtant, il le fallait bien : Oliver ne reviendrait pas. L'écho de mes pleurs interminables se répercutait dans toute la maison. Je m'effondrai sur le plancher craquelé pour déverser ma peine. L'obscurité totale enveloppant la pièce accentuait le silence de ma solitude. Je me sentais si faible, que l'effort que je mis à me relever pour descendre l'escalier me donna la nausée. Je vacillai légèrement jusqu'au palier de la maison d'où je sautai imprudemment, sans égard à la fragilité de ma cheville qui encaissa le choc. Je ne désirais qu'une seule chose : m'éloigner au plus vite de ce lieu repoussant où je venais de vivre l'abandon le plus atroce de ma vie. Haletante, je courus en titubant vers mon unique refuge, le chalet, où j'avais hâte de déposer mes jambes et ma tête, qui semblait vouloir éclater. Une fois arrivée, j'hésitai à monter sur la véranda, de peur d'y rencontrer l'un des oiseaux de nuit de notre groupe. Je ne voulais surtout pas qu'on m'aperçoive dans un tel état, ce qui aurait éveillé des soupçons. Je poussai la porte avec précautions, et au moment où je franchissais le seuil de la cuisine, je vis Mick, debout devant l'évier. Je savais qu'il m'avait entendue…

– Cassy?

Instinctivement, je pivotai et repartis en flèche pour m'éloigner du chalet.

– Hey! Cassy! cria-t-il dans la nuit. Tu n'es pas couchée? Qu'est-ce qui se passe?

– Rien… affirmai-je d'un ton qui se voulait rassurant.

Du rebord de ma manche, j'essuyai les larmes qui coulaient malgré moi.

– Tu pleures? Hey… qu'est-ce qu'il y a? s'inquiéta-t-il en m'enlaçant.

Je ne pus faire autrement que de le serrer contre moi. J'avais besoin de ressentir une présence réconfortante.

– Qu'est-ce qui ne va pas? murmura-t-il tendrement.

Malgré tous mes efforts pour retenir mes larmes, j'avais lamentablement échoué.

– Pourquoi tu pleures comme ça?

J'aurais aimé lui expliquer, mais je n'aurais su par où commencer.

– Tu penses à Tristan?

Il est vrai que je me sentais plus vulnérable à cause de la disparition de Tristan, mais je n'avais jamais menti à Mick. De toute façon, il savait déceler quand je ne lui disais pas la vérité.

– Non…

Il me retenait encore fermement contre lui.

– Ne me dis pas que c'est Oliver…

Le simple fait d'entendre les syllabes formant son nom amplifia l'intensité des sentiments qui se bousculaient en moi. Je fixai Mick droit dans les yeux où il put déchiffrer, à la tristesse de mon regard, qu'il avait vu juste. Mon soupir accablé et la traînée de larmes qui jaillit aussitôt sur mes joues rougies lui exprimèrent mieux que des mots l'ampleur de ma détresse. Comme c'était bon de pouvoir laisser ma peine se déverser pour libérer cette douleur étouffante. Je ressentis le doux contact de sa main sur mon visage attristé. Vidée de toute énergie, je me laissai tomber sur la pelouse trempée de rosée.

– Dis-moi ce qui s'est passé, me souffla-t-il en s'abaissant à mes côtés. Il t'a fait du mal?

Je niai d'un signe de tête.

– Qu'est-ce qui s'est passé, Cassy? Tu dois me le dire.

Je toussotai pour éclaircir ma voix et je tentai d'exprimer une phrase plus complète.

– Il m'a laissée…

Comme j'avais terriblement mal à la tête, je posai ma main contre mon front fiévreux.

– Cassy, tu ne te sens pas bien?

– Je ne sais pas, j'ai la tête qui tourne.

Il vérifia la chaleur de mon front à son tour.

– Viens, on va s'asseoir sur les marches, là-bas.

Il me tendit les mains et je m'adossai à la première marche du chalet, le visage enfoui dans mes bras croisés, à la hauteur des genoux. Je me demandais comment j'arriverais à me confier sans dévoiler l'essentiel de ce qui s'était passé entre Oliver et moi. L'enfer du mensonge m'attendait. Sortant de la véranda, Mick me tendit un verre d'eau froide et déposa deux comprimés au centre de ma main pour chasser ma migraine. Le liquide froid me fit frissonner.

– Que faisais-tu réveillée à cette heure-ci? Je te croyais couchée...

– C'est Oliver… Il m'avait demandé de le rejoindre aux maisons hantées.

– Tu t'es levée au beau milieu de la nuit pour aller le retrouver dans les maisons hantées?

– Oui… mais… mais, c'est sans importance maintenant.

Même si mes pleurs s'étaient calmés, j'essuyai tout de même la surface de mes yeux.

– C'est sans importance maintenant… parce qu'il ne reviendra pas, dis-je dans un souffle douloureux.

– Cassy, il ne peut pas être parti. Comment veux-tu qu'il quitte le camp à 2h30 de la nuit? Jackie ne le laisserait jamais faire ça.

Je restai silencieuse. Il ne connaissait pas Oliver.

– Tu l'aimes… murmura-t-il d'un ton qu'il voulait indifférent.

Je savais qu'il reviendrait sur le sujet. Mal à l'aise de devoir affronter son regard, je baissai les yeux, fixant le bout de mes souliers en laissant planer un silence révélateur.

– Oui, conclus-je douloureusement. Oui, je l'aime…

Ces mots me firent tressaillir. Je les savourai, sachant qu'ils révélaient toute ma sincérité.

– Mais… j'ai été la seule à éprouver quelque chose.

J'essuyai le bord de mon œil droit que je sentais légèrement irrité.

– Il ne m'a jamais aimée…

– Ne dis pas ça, chuchota-t-il à mon oreille en déposant un doux baiser sur ma tête. Tout va s'arranger.

La compréhension de Mick me soulageait un peu, mais pas au point de faire disparaître l'énorme creux qui me perforait le cœur.

– Non… rien ne va s'arranger, soupirai-je. Je suis amoureuse de lui. Je me suis attachée trop vite…

Il retira son bras de mes épaules, sans me lâcher des yeux.

– Cassy…

Je ne le laissai pas terminer sa phrase.

– S'il s'en va, je ne sais plus où j'en suis. Tu me diras peut-être que je ne le connais pas assez et que je prends un risque en m'aventurant dans une telle relation avec lui. Il habite loin et il est différent de nous. Mais… rien de tout cela ne m'empêchera de l'aimer. Je suis sûre de ce que je ressens pour lui.

Ses yeux verts étaient posés sur moi, tendrement. Je reconnaissais cette façon de me regarder lorsqu'il voulait me dire qu'il m'aimait. Habituellement, il m'aurait serrée fort dans ses bras, mais il ne fit que presser sa main contre la mienne.

– Je suis désolée… murmurai-je.

– Pour quelle raison?

– Je m'excuse de t'avouer tout ça.

Il soupira lui aussi.

– Mais non, ce n'est rien. Écoute… va le voir demain et explique-lui. Pour le peu de temps qu'il nous reste ici, dis-lui comment tu te sens. Il n'est pas conscient de ce qu'il est en train de perdre.

– Je ne peux pas faire ça, haletai-je en passant une main sur mon cou. Il m'a dit qu'il ne voulait plus jamais me revoir. Il m'a dit que je devais l'oublier et passer à autre chose.

Le silence s'installa quelques instants. Mick me tenait toujours par la main, attentif à mon chagrin.

– Tu sais que je vais toujours être là pour toi.

J'appuyai naturellement ma tête contre son épaule.

– Sa façon de te traiter m'enrage. Tu n'as pas idée à quel point! Je ne tolère pas qu'on te fasse du mal. Il va sûrement regretter de s'être emporté de la sorte.

J'aurais donné tout l'or du monde pour croire ce qu'il me disait et qu'Oliver me revienne. Il ne se rendait sûrement pas compte à quel point il m'avait blessée. Je pouvais encore lui pardonner ou le supplier de revenir sur sa décision, le convaincre même qu'il avait eu tort et qu'il devrait écouter ses sentiments profonds. Peut-être n'en avait-il réellement pas? Je ne pouvais me résoudre à cette éventualité, car jusqu'à cette nuit, il m'avait démontré le contraire, me faisant sentir unique et spéciale à ses yeux.

– Cassy, me souffla Mick, on devrait peut-être rentrer. Il se fait tard… et tu verras plus clair dans tout cela après quelques heures de sommeil.

Je savais que le reste de la nuit ne serait pas de tout repos. J'avais l'esprit torturé et le cœur complètement étouffé, comme s'il cherchait de l'air pour respirer. Contre mon gré, je me dirigeai vers la cuisine, où une veilleuse illuminait la surface du comptoir. Par réflexe, je fis couler l'eau froide et remplis mon verre à moitié, sans toutefois en boire une seule gorgée. J'avais l'impression d'avancer comme une somnambule. En quelques heures seulement, j'étais passée de la joie d'avoir retrouvé Oliver à la douleur de l'avoir perdu. J'étais déjà inconsolable à cause des adieux faits à Tristan, comment aurais-je la force d'y ajouter les siens?

– Pourquoi? soupirai-je, désespérée.

Je passai la main dans mes cheveux emmêlés et fermai les yeux. Comment apaiser ce chaos dans ma tête? Je n'avais qu'une seule envie, celle de courir jusqu'aux maisons hantées pour m'assurer qu'il était réellement parti.

– Le seul désir que j'ai présentement, c'est de retrouver mon chez-moi et toute ma famille…

En me retournant, je me rendis compte qu'il n'était plus là.

– Mick? chuchotai-je, en inspectant la cuisine et le salon.

Seule la porte de la véranda battait sur elle-même. Je sortis sur la galerie, déçue de découvrir qu'il n'y était pas. Le néant profond de la nuit me donnait l'impression de se refermer sur moi. J'aperçus, au loin, la silhouette de Mick qui atteignait le ravin sombre menant aux maisons hantées. J'imaginai aussitôt les pires scénarios, certaine qu'il était parti à la recherche d'Oliver dans le but d'obtenir des explications. Tout cela prenait une tournure qui ne me plaisait pas. Je devais à tout prix empêcher cette rencontre si je voulais éviter le pire.

– MICK!!! hurlai-je dans la nuit.

Un regain soudain s'empara de tous mes membres, et malgré ma douleur persistante à la cheville, je me précipitai à sa poursuite, me moquant complètement de réveiller Jackie et les jumeaux en criant son nom. Malgré mon envie de revoir Oliver, je refusais que mon meilleur ami risque un danger.

– MICKA!!! Ne va pas là-bas!

Arrivée au sommet du chemin broussailleux menant aux maisons, je m'arrêtai, à bout de souffle, distinguant dans la pénombre les deux silhouettes qui s'affrontaient déjà.

– Qu'est-ce que tu lui as fait? s'écria Mick en s'approchant de son rival. Tu te crois tout permis?

Oliver ne bronchait pas, le regardant avec un sourire arrogant, ce qui n'annonçait rien de bon.

– Tu n'as pas idée à quel point tu l'as blessée. Cassy a le cœur en mille morceaux à cause de tes sales conneries.

Sentant la tension monter entre eux, je dévalai la pente dans leur direction en criant le nom de mon ami. Je vins m'interposer entre les deux pour éviter que la situation s'envenime, car Oliver semblait sur la défensive.

– Oliver… ordonnai-je brutalement, je t'interdis de faire un pas de plus vers nous.

Jamais je n'aurais pensé que je lui demanderais, un jour, de s'éloigner et de partir. Malgré mes sentiments pour lui, la sécurité de Mick et la mienne m'importaient davantage.

– Cassy, ne t'en mêle pas, j'ai des comptes à régler avec lui.

– Tu ne peux pas comprendre ce qui pourrait arriver, m'énervai-je en attrapant ses mains. Je t'en supplie, retourne au chalet. On ne peut pas rester ici, c'est beaucoup trop risqué.

– Oui, mais avant, j'ai deux mots à lui dire.

Il me contourna et s'avança sans crainte vers Oliver, d'un pas ferme et décidé.

– J'ai promis à Cassy que je ne laisserais jamais personne lui causer des ennuis…

Oliver resta de glace. J'observais son corps sombre et contracté, dont seuls les cheveux bougeaient sous le vent froid de la nuit.

– Tu savais très bien que Cassy t'aimait et tu as joué le jeu. Elle t'a fait confiance, et toi, tout ce que tu trouves à lui donner en retour, c'est de la rejeter comme ça? On croyait te connaître, mais finalement, tu n'es qu'un hypocrite!

Ces mots provocateurs eurent un effet instantané sur Oliver : une grosse veine violacée, dont je percevais les battements accélérés, s'engorgea à la base de son cou tendu, puis il contracta ses poings. Fermant lentement ses paupières, il fléchit la tête vers l'arrière d'un mouvement brusque et horrifiant qu'il amplifia en la balançant de gauche à droite, comme pour faire craquer les vertèbres de son cou. Sa respiration rauque et profonde me fit frémir de peur. Lorsqu'il sembla retrouver contenance, un phénomène encore plus terrifiant me figea sur place. Plus aucune pigmentation ne teintait ses iris, seulement deux globes blancs, laiteux, qui fixaient Mick d'un regard glacial. Il le dévisagea avec inquiétude, ne saisissant pas la raison de cette métamorphose si subite. Je savais qu'Oliver était sur le point de se transformer… et de s'en prendre à nous.

– MICK!!! Il faut partir d'ici, hurlai-je, désespérée.

Je le pris par le bras, mais il refusa de bouger, comme statufié par la vision d'Oliver dans cet état. Lorsqu'il s'avança vers nous, menaçant, le sol vibra comme si une décharge électrique nous avait atteints, ce qui me déstabilisa momentanément. Le vent s'éleva violemment, faisant s'entrechoquer les branches et se déplacer les nuages en accéléré. La nature semblait se ranger de son côté, nous renvoyant le miroir de sa colère. Son regard maléfique, empreint de vengeance, transperçait le nôtre. Il arborait un sourire haineux que je ne lui connaissais pas. Plus rien ne semblait pouvoir l'arrêter.

– Oliver… regarde-moi, c'est Cassy, tentai-je ultimement, avec l'intention de le calmer.

Je réussis à m'approcher de lui, mais il baissa la tête, tout en gardant son air arrogant. La situation semblait l'amuser.

– Oliver? Je sais que tu peux te contrôler. Concentre-toi…

Il souleva si promptement la tête pour me poignarder du regard, que je reculai aussitôt. Ses yeux livides me glacèrent le sang, donnant l'impression qu'il était possédé par une force démoniaque. Il semblait regarder au-delà de moi, même si je savais qu'il me voyait parfaitement.

– Je sais que tu ne nous feras aucun mal…

Je respirais bruyamment, au rythme affolé des battements de mon cœur. J'agissais instinctivement, sans être sûre que mon approche était appropriée.

– Tu me reconnais, n'est-ce pas?

Je commis alors la grave erreur de vouloir toucher sa main. Il dégagea son bras glacé d'un geste violent en émettant un grognement rauque et menaçant. Je sus alors que nous aurions dû nous enfuir bien avant. Je me tournai vivement vers Mick, qui s'apprêtait à intervenir.

– NONNNN!!!!! COURS JUSQU'AU CHALET ET SAUVE-TOI!!!!!

M'éloignant de ce monstre inhumain dont je ne reconnaissais que le nom, je m'élançai vers mon ami pour fuir ce sinistre endroit au plus vite.

– CASSY!!!!! DERRIÈRE TOI!!!!!!

Je me retournai pour voir ce qui me menaçait et je l'aperçus, faisant un saut prodigieux qui le propulsa à mes côtés, tel un homme-araignée. Le regard démoniaque rivé au mien, il articula en riant sa première phrase à mon intention.

– J'ai raté mon coup…

Accroupi au sol, il ressemblait à un animal enragé. Cela me remémora mon face à face récent avec l'ours et ce que j'avais ressenti en me voyant prise au piège. Cette fois, je ne pouvais compter sur Oliver pour venir à mon secours. Au contraire, j'étais dorénavant sa proie. Sans que j'aie eu le temps de faire le moindre mouvement, il m'agrippa, comme le ferait un rapace, et se téléporta vers le boisé où il me projeta contre un arbre. Je sentis mon dos heurter la surface rugueuse du tronc. Étourdie, je mis quelques secondes avant de repérer où j'étais. Je pouvais apercevoir Mick tout en bas alors qu'Oliver me maintenait solidement contre l'écorce du chêne géant. Prise d'un vertige terrifiant, je crus que mon heure était venue et qu'il me laisserait tomber dans le vide.

– Oliver… réussis-je à dire.

Les poumons comprimés par son étreinte, la gorge nouée, je me sentais suffoquer.

– Tu me fais mal, fais-moi… redescendre… je t'en supplie!

À travers son regard de glace, je crus percevoir une étincelle de bonté.

– Oliver… Je t'en prie…toussotai-je, sur le point de m'évanouir.

Contre toute attente, il nous téléporta jusqu'en bas, au même endroit où il avait failli m'écraser quelques secondes plutôt. Il n'avait pas desserré l'étreinte de ses bras autour de mon corps meurtri ni le contact de son regard livide dans le mien. Son souffle de glace contre mon cou m'était pour la première fois, insoutenable.

– CASSY!!!!! s'écria Mick en s'élançant vers nous.

Mon ami accourut en furie au bas du ravin, ce qui raviva la démence d'Oliver.

– MICK, NON!!!!!

Oliver leva un poing menaçant et l'abattit sur le sol, à quelques centimètres de mon visage. Terrorisée, je remerciai le ciel d'être toujours vivante.

– MICK, SAUVE-TOI!!!!!

Sous l'impact du coup porté, la terre se mit à trembler sous nos pieds, se fissurant jusqu'à l'endroit où je me trouvais. Mick, m'interdisant de faire le moindre mouvement, s'élança pour me porter secours. Au même instant, j'entendis les aboiements de Shadow et le vis apparaître sur le sentier, la gueule ouverte, se précipitant sans crainte sur Oliver qui, surpris par l'agressivité du chien, desserra son étreinte. Mick profita de cette distraction momentanée pour m'agripper par le bras et m'emprisonner contre lui.

– Tu n'as rien? s'inquiéta-t-il. C'est quoi tout ce délire?

L'écoutant à moitié, mon attention se détourna vers Oliver et Shadow. Étrangement, il semblait neutralisé par le chien et il n'osa plus aucun mouvement vers nous.

– Shadow... Shadow... Shadow... murmura-t-il, enjoué, pour amadouer l'animal.

Le chien s'approcha de lui à petits pas en émettant des grognements menaçants. La bave dégoulinait de ses babines retroussées d'où pointaient ses crocs acérés. Je ne l'aurais jamais imaginé aussi féroce.

– Tu crois me faire peur? ricana-t-il encore.

Ils semblaient communiquer par la pensée, tels deux adversaires se scrutant du regard en tournant dans le ring.

– Eh bien, détrompe-toi, imbécile de chien, je n'ai pas peur de toi.

Shadow émit un long hurlement, presque humain, avant de foncer sur lui. Oliver se tourna immédiatement et se propulsa dans les airs dans notre direction. Mick m'enveloppa de ses bras et me plaqua contre le sol. Agrippée fermement à son corps, les yeux fermés, j'attendais, la peur au ventre, l'assaut terrible d'Oliver, quand j'entendis miraculeusement hurler les jumeaux en haut du ravin.

– ÉLOIGNEZ-VOUS!!!

Mick nous fit rouler au sol, pour s'écarter le plus possible de la zone dangereuse. Je n'avais pas desserré mon étreinte, mais regardais, foudroyée, les agissements des jumeaux. L'un d'eux écrasa de son talon une boule de cristal de la grosseur d'une balle de golf. Il s'en échappa une fumée cristalline qui créa instantanément un énorme dôme vitré d'environ quatre mètres de hauteur. Dans sa lancée pour nous atteindre, Oliver fonça droit dessus et y resta prisonnier.

– NE LE LÂCHEZ SURTOUT PAS!!! s'écria Jackie.

Ben et Jim, les bras ouverts, essayaient tant bien que mal de maintenir la sphère en place. Jackie contourna le nuage vitré, talonné par Shadow qui semblait fier d'avoir participé à ce coup de filet inespéré. Il s'en approcha afin de mieux voir Oliver qui se débattait dangereusement.

– Je te conseille de partir, sinon je transforme ta misérable vie de fantôme en cauchemar… le pire de ta vie, car je peux te détruire pour de bon, hurla-t-il, en colère.

Le dôme projetait une lumière si intense que les reflets bleus et blancs éclairaient toute la surface du gazon. Cette puissante énergie paraissait dévastatrice.

– JACKIE! s'exclama Jim. Je n'y arrive plus, dépêche-toi!

Ben semblait mieux résister que son frère, dont le visage montrait des signes d'épuisement, indiquant qu'il ne tiendrait pas le coup bien longtemps encore. Cependant, son oncle l'ignora et continua de menacer Oliver.

– Si je te revois ici, je te renvoie sous terre sans possibilité de te racheter. Tu m'as bien compris?

Oliver, piégé dans cette prison lumineuse dont il tentait de s'extraire, semblait souffrir terriblement. Il tenait sa tête en hurlant qu'elle allait éclater. Il n'avait visiblement rien entendu des propos de Jackie.

– ARRÊTEZ! hurlai-je, accablée, en me dégageant de Mick pour accourir près du dôme.

– CASSY! NE T'APPROCHE SURTOUT PAS D'ICI! coupa Jackie d'un ton autoritaire.

Je figeai instantanément dans mon élan. J'avais cependant du mal à assister à une telle souffrance sans rien faire. J'ignorais les dangers de ce voile lumineux, mais une force invisible m'imposait de réagir pour libérer Oliver de ses souffrances. En dépit de tout le mal qu'il venait de m'infliger, je suivis cette pulsion intérieure et fonçai droit vers la lumière aveuglante. Concentrés sur Oliver, Jackie et les jumeaux ne perçurent pas mes intentions.

– CASSY!!!!! NOOONNNNNNN!!!!! hurla Mick.

Il était trop tard. Je sentis une douleur atroce parcourir mes membres, comme une électrocution au ralenti. J'essayai de m'en libérer, mais en vain. Mes membres engourdis devinrent complètement paralysés.

– RELÂCHEZ TOUT!!!!! ordonna Jackie.

Au même moment, mes jambes s'affaissèrent et je m'étalai au sol, telle une masse inerte. Je voyais et entendais tout ce qui se passait, sans toutefois pouvoir bouger ni prononcer une parole. J'étais parcourue de violents spasmes douloureux provoquant des convulsions qui entravaient ma respiration. Mon cerveau n'arrivait plus à décoder aucune information.

– CASSY!!! s'inquiéta Jackie.

Le dôme avait disparu, et Oliver aussi. Jackie était penché au-dessus de moi, ses mains chaudes soulevant ma nuque arquée, essayant de me faire revenir à mon état normal. Je le vis chercher nerveusement dans les poches de sa chemise et en sortir une seringue.

– Je sais que tu m'entends, souffla-t-il. Tiens bon, la douleur devrait s'atténuer rapidement. Tu respireras mieux bientôt.

Au moment où je sentais mon cerveau sur le point de s'éteindre, Jackie inséra l'aiguille dans mon avant-bras. Les voix me parvenaient, lointaines.

– Qu'est-ce qu'elle a? s'informa Mick d'une voix tremblante.

– Ne la touche surtout pas! ordonna Ben en tentant de l'éloigner.

– Lâche-moi! Merde, mais qu'est-ce qu'elle a? Elle va mourir?

– Mick, ça va aller, je sais ce que je fais. Ce ne sera pas long… la seringue commence déjà à faire effet.

– À faire effet? Quoi… quelle seringue?

Jackie ne m'injectait pas un produit, il me retirait plutôt une substance lumineuse provenant de mon corps crispé.

– C'est bien, Cassy, dans quelques secondes, tu seras soulagée…

Mes jambes se détendirent peu à peu, les convulsions et les pulsations, dont chaque cellule de mon corps subissait l'assaut, s'atténuèrent également jusqu'à disparaître complètement.

– C'est bon, ma belle, reviens tranquillement à toi.

Une telle bouffée d'air pénétra ma poitrine d'un seul coup, que ce contraste me fit suffoquer de nouveau.

– Reprends ton souffle, murmura Jackie en me soutenant légèrement l'arrière du cou.

Peu à peu, je réussis à retrouver une respiration régulière.

– Maintenant, détends-toi…

Il déposa un baiser réconfortant sur mon front.

– Bon sang! Tu m'as fait une de ces peurs!

– Qu'est-ce qui s'est passé? murmurai-je en reprenant mes esprits.

Il se contenta de m'aider à m'asseoir lentement et jeta sa veste sur mes épaules pour réchauffer mon corps meurtri. Mon regard se fixa sur la seringue luminescente qu'il tenait encore dans sa main. Paraissant inquiet, il détourna son attention vers le ravin d'où surgissaient tous mes amis que le vacarme avait probablement alertés. Les jumeaux n'avaient pas bougé, me regardant avec de grands yeux dévastés.

– Mick, ordonna Jackie, je t'interdis de révéler quoi que ce soit de ce qui s'est passé.

Il glissa subtilement la seringue à l'intérieur de la pochette de sa chemise et vint à la rencontre du groupe.

– Ce n'est rien d'autre qu'un petit incident. Tout est rentré dans l'ordre, maintenant.

Ben et Jim avaient rejoint mes amis que cette réponse ne semblait pas satisfaire. Elyssa se précipita à mes côtés pour me serrer dans ses bras. Son accolade affectueuse réveilla une douleur au dos que je n'avais pas ressentie jusque-là, ce qui m'arracha une autre quinte de toux.

– Oh mon dieu, qu'est-ce qui s'est passé? On a entendu tellement de bruit!

Je me relevai péniblement, les jambes encore tremblantes et la respiration courte. J'avais l'impression de réapprendre à marcher. De plus, mon bras droit me faisait atrocement mal.

– Hum…

Jackie m'interrompit en répondant à ma place.

– Oliver et Mick se sont battus.

Elle se retourna promptement vers lui, étonnée.

– Quoi?

Mick préféra se taire.

– Tu t'es battue toi aussi, Cassy?

– Non, j'ai simplement essayé de les en empêcher.

Elle m'examina, sceptique.

– Mais… où est Oliver? ajouta-t-elle en regardant tout autour.

Je restai muette, me sentant incapable d'inventer une histoire plausible.

– Je veux que tout le monde retourne au chalet, s'impatienta Jackie. Vous deux, allez m'attendre à la réception, j'ai à vous parler, ordonna-t-il en nous pointant, Mick et moi.

Sentant probablement la tension qui régnait, tout le monde obéit sans protester. Une fois arrivé à l'accueil, attendant que Jackie nous rejoigne, Mick déchargea toute la colère qu'il avait retenue.

– Oliver est devenu complètement fou? s'alarma-t-il en faisant les cent pas dans le salon. Et Jackie, Ben et Jim… quel genre de pouvoirs ont-ils?

Ce détail m'avait complètement échappé.

– Cassy, ne me dis pas que tu ignores tout de cette histoire. Tu fréquentais Oliver, alors il t'a sûrement dévoilé des choses.

Je restais silencieuse, incapable de mettre de l'ordre dans mes idées qui se bousculaient, pêle-mêle, dans ma tête.

– Te rends-tu compte qu'il a failli nous tuer? Te rends-tu compte de ça? J'ai cru que tu allais mourir tantôt…

Il soupira profondément.

– Montre-moi ton bras…

J'avais un bleu à l'endroit où Jackie m'avait piquée. Comme il s'approchait pour y jeter un coup d'œil, la porte de l'entrée s'ouvrit brusquement sur Jackie et les jumeaux. Ben ferma les rideaux et Jim tourna le loquet de la porte, nous préservant de toute intrusion inappropriée.

– Là, on est dans le pétrin!

– Ben, arrête, s'énerva Jackie. On va tout leur expliquer dans les moindres détails. Cassy a le droit de savoir qui on est.

– C'est quoi toute cette histoire? riposta Mick. De quoi est-ce que vous parlez?

Jackie s'avança vers lui tout en jetant un regard sur mon bras.

– Tu n'étais pas censé être témoin de ce que tu as vu cette nuit… Mick.

Jackie semblait réfléchir, nous regardant à tour de rôle, comme s'il ne savait pas par où commencer. Je me sentais dans le même état.

– Mick, dis-moi une chose, veux-tu… commença-t-il en passant sa main dans ses cheveux. Crois-tu aux histoires de… de fantômes?

Mon ami me regarda comme si Jackie était devenu complètement cinglé. Les jumeaux et moi restâmes silencieux.

– Bien sûr que non, soupira-t-il, excédé.

– Alors, essaie de me donner une explication valable pour expliquer ce qui s'est passé cette nuit. Comment un humain peut-il bondir ainsi d'une centaine de mètres? Ou qu'un simple coup de poing au sol fasse trembler la terre pour qu'elle se fissure?

– C'est n'importe quoi, lança-t-il, les sourcils froncés.

Jackie me regarda comme si j'étais la seule à pouvoir le convaincre de ce qui s'était réellement passé.

– Il a raison, Mick. Crois-le…

– Quoi? Tu crois toutes ces foutaises?

– Tu l'as vu comme moi de tes propres yeux.

– Oliver a voulu te tuer! C'est ça que j'ai vu de mes propres yeux.

– Eh bien, c'est exactement ce que je voulais t'entendre dire. Tu as vu ce qu'il a fait? Tu n'aurais jamais été capable de l'en empêcher. Il n'est pas humain… et… sans Ben et Jim, dis-je en me tournant vers eux, sans vous…

– Vous seriez probablement morts tous les deux, acheva Ben.

Je les dévisageai comme si je les regardais pour la première fois. Quelque chose m'avait échappé, à moi aussi. Tous les trois me cachaient un secret.

– On n'est pas… comment dire… des gens normaux, poursuivit-il.

– Qu'entendez-vous par là? maugréa Mick. Vous êtes des genres de… de sorciers? Vous avez des pouvoirs magiques?

Ben n'élabora pas davantage, semblant piégé à son tour avec une vérité qu'il n'arrivait pas à formuler.

– On est des chasseurs de fantômes, enchaîna Jackie d'une voix rauque.

Pour la première fois, Mick sembla troublé et vint me retrouver sur le divan.

– C'est notre véritable nature, ajouta Ben. Sans nous, le Cabonga serait constamment en danger. De nombreux esprits règnent ici depuis des centaines d'années. Jackie nous a entraînés à combattre les fantômes et à les stabiliser. Notre capacité à les éloigner a atteint un niveau de compétence très élevé. Nos techniques d'apprenti chasseur de fantômes se sont avérées très pratiques aujourd'hui, même si elles ont été difficiles à appliquer.

– On représente une grande menace pour les fantômes, poursuivit Jackie. Quand on en rencontre un, une certaine liaison s'établit et le spectre n'osera jamais nous attaquer sur-le-champ, car on dégage une présence extrêmement puissante. Cependant, certains fantômes parviennent à nous affronter et refusent de s'enfuir.

Mick les dévisageait avec le même regard interrogateur et embarrassé. Je sentais qu'il était sur le point de craquer.

– Pourquoi avez-vous accepté qu'on vienne passer des vacances ici si l'endroit est dangereux? rétorqua-t-il d'un ton irrité.

– L'endroit n'est pas dangereux, au contraire, le Cabonga est très bien protégé. On a le contrôle depuis plusieurs années maintenant et aucun esprit ne s'est jamais réveillé.

– Vous appelez ça le contrôle? Cassy a failli se faire massacrer par ce démon et …

– Micka! Je t'interdis de l'appeler de cette façon. Premièrement, ce n'est pas un démon et, deuxièmement, il a un nom. Je suis consciente du danger qu'on a frôlé cette nuit, mais… qu'Oliver soit un fantôme ou non, ça m'est complètement égal. Je l'aime, et personne ne me fera changer d'idée. Que ma vie soit en danger ou non, ça n'a aucune importance. Alors… je ne veux plus jamais t'entendre dire qu'il s'agit d'un démon ou d'un monstre, car à ce compte-là, je le suis moi aussi.

Ils m'avaient tous écoutée attentivement sans chercher à m'interrompre. Cela m'avait fait du bien de parler d'Oliver et de ce que je pensais de lui après cet incident. Malgré tout le mal qu'il m'avait fait, je n'arrivais pas à oublier son côté attentionné et doux. Je réalisais à quel point j'avais besoin de lui.

– Je ne sais pas comment réagir, murmura Mick, perdu dans ses pensées. Je ne crois pas qu'on perçoive les choses de la même façon… toi et moi.

Il se leva sans me regarder et se dirigea vers la sortie.

– Où tu vas? s'inquiéta Jackie.

– Je retourne au chalet. Je n'ai plus rien à faire avec vous.

Il déverrouilla la porte et sortit promptement. Le regard plongé dans le vide, je restai sans voix. Jackie vint me rejoindre et prit mon bras pour l'examiner.

– Cassy… on est vraiment désolés.

– Vous n'avez pas à l'être. Vous avez fait ce qu'il fallait.

– Je suis navré de la façon dont tu as appris qui on était véritablement. Tout s'est déroulé si vite.

Même si Jackie et les jumeaux m'avaient caché leur secret, je résolus de ne pas leur en tenir rigueur. Tant d'événements étaient survenus depuis notre arrivée, que rien ne me surprenait plus.

– Écoute… je sais que tu tiens beaucoup à Oliver, mais ce qui compte avant tout pour moi, c'est ta sécurité. Non seulement la tienne, mais celle de tes amis aussi. Tu sais maintenant dans quel monde on vit, Mick l'est aussi, alors il va falloir prendre tout ça en considération. Il faut à tout prix éviter de provoquer le réveil de certains mauvais esprits, car on ne sait jamais à quoi s'attendre avec eux.

– Pourquoi de mauvais esprits voudraient-ils s'en prendre à nous?

Jackie me regardait sérieusement, comme accablé par toutes les révélations qu'il devait me dévoiler.

– Même si le camp est protégé, rien ne peut empêcher les fantômes de se réveiller. Puisqu'Oliver est impliqué et que la légende le concerne particulièrement, Jayson et sa bande pourraient bien rappliquer aussi. Ils font partie intégrante de son passé et leur retour est une probabilité envisageable.

Je restai impassible, ne voulant pas montrer la peur que les pouvoirs de Jayson exerçaient sur moi.

– Pour l'instant, je ne fais que te mettre en garde, mais essaie de convaincre Mick de garder le silence. C'est le mieux qu'on puisse faire pour l'instant.

Je hochai la tête machinalement et me levai tout en fixant mon regard dans le sien. Je me remémorai la scène où il m'avait sauvée en m'enlevant la douleur atroce qui m'empêchait de respirer… et de vivre.

– Ton bras ne te fait pas trop souffrir? me demanda-t-il en tirant doucement ma main vers lui.

Je lui dévoilai avec réserve l'intérieur de mon coude pour qu'il puisse l'examiner.

– Lorsque tu as foncé sur le voile incandescent… eh bien… ton sang s'est rempli d'électricité. Je t'ai donc inséré la seringue antidote, tel est son véritable nom, contenant une substance conçue pour attirer d'énormes charges électriques. C'est ainsi que j'ai pu retirer jusqu'à la dernière particule nocive présente dans ton système. Autrement dit, tu n'aurais pas survécu une minute de plus avec cette forme d'énergie dans le corps.

Je regardai la trace bleutée laissée par l'aiguille. Je l'avais échappé belle!

– Je suis désolé pour la marque, les vaccins… ce n'est pas ma spécialité. J'ai dû faire éclater quelques vaisseaux sanguins…

– Ce n'est pas grave… tu m'as sauvé la vie.

Il caressa la surface de ma peau. J'avais moi-même fait quelques vaccinations dans mes cours pratiques, et ce n'était pas si facile. Les jumeaux nous observaient. Je me demandais bien à quoi ils pensaient. La tension était tombée depuis que Mick avait quitté les lieux.

– Oliver va revenir? osai-je demander.

Le regard triste de Jackie ne me réconfortait pas pour autant.

– Je ne peux pas le savoir…

J'aurais espéré qu'il puisse arranger les choses, le ramener à la raison. Au contraire, il était aussi impuissant que moi.

– Je vais aller parler à Mick, tenter de le persuader de ne rien dévoiler de ce qu'il a vu cette nuit.

Je fis demi-tour et disparus dans la nuit. Comment allais-je faire pour convaincre Mick que tout cela était bien réel et que personne d'autre ne devait être au courant? C'est Marie qui m'accueillit, survoltée, me disant que Mick s'était enfermé dans sa chambre et refusait de nous parler. Je passai devant elle sans lui répondre, ouvris la porte de la chambre des gars, la faisant claquer derrière moi avec une force qui me fit moi-même sursauter. Mick était assis sur le lit, la tête plongée entre les mains. Je m'approchai doucement et m'assis à ses côtés.

– Pourquoi ne m'en as-tu pas parlé avant? haleta-t-il le premier.

– Mick… je suis désolée.

– Si tu m'en avais parlé, on aurait peut-être évité tout ce qui s'est passé ce soir.

– Je n'avais pas le droit, Mick. On m'a fait promettre de ne rien dire.

– Je suis ton meilleur ami, tu peux tout me dire. Doutes-tu de ma confiance?

– Non, absolument pas. Je suis désolée, O.K.? Je n'ai pas voulu que tu apprennes la vérité de cette façon.

– Comment voulais-tu que je l'apprenne, Cassy? Dis-moi comment? J'allais attendre que Jackie m'annonce qu'Oliver t'avait tuée?

– Mick, tu vas trop loin, je n'ai pas fait exprès de mettre nos vies en danger…

– Oliver a failli nous tuer. Si Jackie n'était pas intervenu à temps, il t'aurait massacrée…

– Si tu ne l'avais pas provoqué, répliquai-je nerveuse, il n'aurait jamais perdu le contrôle.

Je me ressaisis aussitôt, n'ayant aucune raison de le blâmer de ce qui était arrivé. Après tout, il n'avait voulu que me protéger. Je déposai ma main contre la sienne en guise d'excuse, mais il la repoussa vivement.

– Je ne peux plus supporter de m'interposer sans cesse entre vous deux. J'ai toujours l'impression d'être ton deuxième choix.

Cet aveu me troubla.

– C'est vrai, Cassy. J'ai toujours été là pour toi. On dirait que… que je n'en fais jamais assez.

– Mick…

– Non, arrête. Je ne veux plus t'entendre dire que notre relation d'amitié est unique, ou quelque chose du genre. Je peux comprendre que tu aies besoin de moi, ton prétendu meilleur ami. Mais sincèrement, je ne sais plus où j'en suis. Je suis désolé, moi aussi…

Il se leva et me tourna le dos.

– Hey! Que… qu'est-ce que tu veux dire par là? Tu vas me laisser tomber toi aussi, c'est ça?

Je me levai, au bord des larmes, réfléchissant à ce que je pourrais ajouter.

– Si c'est ce que tu veux… On n'est peut-être pas faits pour être des amis. Je me suis trompée sur toute la ligne. Si tu n'as plus envie de…

Il se tourna si rapidement, me coupant la parole en m'embrassant délicatement. Je reculai près du mur où il me plaqua sans retenue tout en continuant de m'embrasser passionnément. Ses mains chaudes emprisonnèrent ma nuque, retenant mon visage près du sien. Je m'abandonnai à la douceur de ses caresses. Sa main descendit le long de mon cou, effleurant mon épaule qui fut parcourue d'un frisson troublant. Je sentais son souffle chaud contre ma peau et les battements affolés de son cœur contre ma poitrine. Il reprit mes lèvres doucement et je m'abandonnai à ses baisers. Nos cœurs dévoilaient ce que les mots avaient été impuissants à dire. Puis, desserrant légèrement son étreinte, il me regarda passionnément.

– Ça veut tout dire, je crois. J'aurais dû le faire bien avant…

Je me sentais émue, troublée, ne sachant trop quoi répondre. Il rapprocha son front contre le mien et nous refermâmes nos yeux, laissant le silence nous envelopper.

– J'avais envie de t'embrasser depuis tellement longtemps…

Son souffle chaud me remua intérieurement.

– Je n'ai pas voulu t'effrayer…

– Pourquoi ne l'as-tu pas fait avant? murmurai-je, étonnée de ma propre réponse.

– Parce que j'avais peur. J'avais peur que tu ne ressentes pas la même chose, Cassy.

– Et maintenant… tu n'as plus peur de ce que je peux ressentir?

– Non…

19

Je ne pourrai jamais revivre sans toi

Je marchais, solitaire, en bordure du lac, le ciel embrouillé reflétant mon tumulte intérieur. En raison de l'heure matinale, j'étais sortie sans faire de bruit. J'avais très mal dormi, l'esprit complètement déstabilisé par des questionnements interminables. J'aurais dû trouver le baiser de Mick inapproprié dans les circonstances, mais ce n'était pas le cas. Je n'arrivais pas à m'expliquer pourquoi je ne l'avais pas repoussé, étant donné que mon cœur appartenait déjà à quelqu'un d'autre. Oliver n'était pas réapparu, mais cela signifiait-il qu'il était réellement parti? Quelle importance maintenant puisque je ne représentais plus rien à ses yeux! Je n'étais qu'une pauvre humaine, incapable d'interagir avec son monde. Les lourds nuages ne se rangeaient pas en ma faveur, m'accablant encore plus sous l'effet de leur poids. Cette grisaille accentuait mon sentiment de solitude. Même les huards se faisaient silencieux, s'alliant à la tranquillité de la forêt pour me laisser croire que j'étais maintenant seule au monde.

Regagnant l'extrémité du quai instable, je fis demi-tour pour me rendre à l'arbre où était dressée la croix de Tristan. Une grande tristesse m'envahit en apercevant la sculpture ornée de fleurs. Je m'agenouillai, contemplant l'harmonie du monument que nous avions érigé en son honneur. S'il avait pu m'entendre, je lui aurais confié tous mes tourments et je lui aurais demandé de me ramener Oliver. Son absence m'était insupportable et me grugeait de l'intérieur. Mon cœur déchiré saurait attendre patiemment son retour, car je n'arriverais jamais à oublier tout ce qu'il m'avait fait vivre au Cabonga. Pour la première fois, je me sentais habitée par des sentiments profonds qui guideraient mon cœur dans l'attente de celui qui lui avait donné vie. Dans quelques jours, je quitterais le Cabonga et je ne pouvais me résigner à partir sans lui avoir expliqué à quel point je n'étais rien sans lui. Je lançai un dernier regard attendri sur le monument de Tristan, le remerciant de m'avoir accueillie. Je lui offris une dernière prière avant de me diriger vers la réception.

– Cassy? Que fais-tu réveillée si tôt? fit Jackie en relevant la tête de son ordinateur.

– Je n'arrive pas à dormir…

Il s'arrêta un moment comme s'il savait déjà ce que j'allais lui demander.

– Je suis venue te voir pour que tu m'aides. J'ai besoin de toi pour le retrouver. S'il te plaît, Jackie… ramène-le-moi.

Le fait de formuler ces mots m'apporta un énorme soulagement. Il s'approcha de moi sans répondre. Ses yeux cernés soulignaient le manque de sommeil des derniers jours : le décès de Tristan et le départ déchirant de son ami, Sergio, le boulot exigeant du camp; ajoutée à cela, la scène embarrassante qu'Oliver et Mick avaient provoquée la veille.

– Cassy, je ne peux le forcer à agir contre son gré.

– Je sais… mais je suis incapable de me résigner à partir sans le revoir une dernière fois, tu comprends ça?

Il me regarda d'un air pensif.

– Je t'en supplie… Jackie.

– J'aimerais t'aider. Je sais que tu l'aimes, mais il s'agit d'un fantôme, Cassy, pas d'un humain. C'est bien différent.

– Dis-moi simplement où il se trouve, et j'irai moi-même le chercher.

– Tu ne peux pas faire ça. Tu as vu ce qui s'est passé hier? Tu dois cesser de mettre ta vie en danger.

– Mais, j'ai besoin de le revoir… il faut que je lui parle au moins une dernière fois.

– Il reviendra, si c'est réellement ce qu'il souhaite.

J'eus du mal à encaisser ses paroles. À la façon embarrassée dont il me regardait, je devais afficher un air pitoyable. Néanmoins, j'acquiesçai d'un signe de tête, regagnant l'entrée, résignée à l'idée de devoir renoncer à son aide.

– Cassy, attends… c'est ce que je souhaite réellement.

Cette douce voix, reconnaissable entre toutes, fit bondir mon cœur hors de ma poitrine. Je me retournai brusquement et aperçus Oliver, à côté de Jackie. Sans avoir eu le temps de sortir de ma torpeur, j'entendis les jumeaux dévaler les marches.

– Qu'est-ce que tu fais ici? s'énerva Ben.

Il avait l'air furieux, contrairement à Jackie qui semblait tout à fait à l'aise et calme.

– Ben, l'interrompit-il, ça ne fait rien.

– Quoi? C'est encore trop tôt pour qu'il se pointe. Jackie, il a perdu sa stabilité. C'est encore trop récent. Il pourrait très bien perdre le contrôle de nouveau.

– Ne t'inquiète pas, j'ai confiance en lui.

– Tu seras responsable s'il arrive un autre incident.

– Oui, je le sais, et j'en assume toutes les responsabilités.

Oliver me fixait d'un regard plein de tendresse, comme avant. Nulle trace de son agressivité récente : c'était bel et bien lui, tel que je l'aimais. Mon cœur était soulagé qu'il soit ainsi revenu à de meilleurs sentiments. Sans se préoccuper du désaccord de Ben, il s'avança vers moi, prit mon bras, tout comme Jackie l'avait fait la veille, et l'observa minutieusement. Son regard exprimait une telle souffrance, comme s'il regrettait les douleurs que j'avais endurées par sa faute.

– Viens avec moi, me murmura-t-il à l'oreille.

Je consultai Jackie du regard et il hocha la tête en signe d'approbation, m'accordant la permission de suivre Oliver sans problèmes. Les jumeaux se contentèrent d'afficher un air réprobateur, que je fis mine d'ignorer, bien entendu. Je fis un premier pas vers celui que j'aimais, sachant que nous allions nous téléporter vers une autre dimension. Je m'empressai d'enrouler mes bras autour de sa taille, laissant mon corps à sa merci, dans une confiance totale. J'avais tant rêvé de ce moment que l'effet désagréable du déplacement passa presque inaperçu. Quand j'ouvris les yeux, au contact d'une surface dure, je me rendis vite compte que nous étions au deuxième étage de sa vieille maison, là où il m'avait tant fait souffrir l'autre soir. Par réflexe, je m'éloignai de lui, et il comprit à quel point il m'avait blessée. J'avais en quelque sorte perdu confiance en moi, je me sentais fragile comme du cristal.

– Tu… pourquoi tu es là? soupirai-je d'une voix vacillante.

Il se rapprocha doucement, se pencha vers moi et déposa un doigt sur mes lèvres.

– Ne dis rien…

Il ferma les yeux et glissa sa main sous mon épaisse chevelure, caresse à laquelle je m'abandonnai en savourant la joie de l'avoir retrouvé. Hier à peine, je me sentais désertée, vide du grand bonheur qui m'habitait depuis notre rencontre. Ce simple contact suffisait à raviver l'étincelle qui brûlait en moi. Chaque instant m'était précieux : son visage effleurant le mien, la douceur de sa peau contre ma joue, ce vertige agréable qui s'éveillait en moi. Il n'avait pas osé m'embrasser, mais le rythme de sa respiration m'indiquait qu'il ressentait les mêmes désirs. J'étais peut-être la seule à le sentir si réel, mais je n'en demandais pas plus. Sa main fraîche caressa soudain le creux de mon dos, sous mon chandail, et il resserra son étreinte. Comment décrire cet envol de papillons au creux de mon estomac? Il déposa ses lèvres sur mon cou dénudé, me laissant dépourvue de toute réaction.

– Je suis tellement désolé, me souffla-t-il d'une voix défaite.

L'intensité du moment me laissa sans voix, hypnotisée par son regard translucide empreint d'un sincère repentir. Il avait retrouvé son apparence rassurante, son visage doux, son approche si tendre.

– Je ne me pardonnerai jamais le mal que je t'ai fait. Si tu savais combien je regrette…

Il prit mon visage entre ses mains, et j'eus le cœur chaviré en voyant la tristesse apparaître dans ses yeux.

– Je veux vivre chaque seconde de ma vie avec toi, ajouta-t-il, ému.

J'essuyai mes larmes, des larmes de soulagement peut-être…

– J'ai cru que tu allais me laisser partir sans t'avoir revu, sanglotai-je.

Il me serra plus fort dans ses bras, comme s'il avait peur de me perdre, et chercha mes lèvres qu'il dévora amoureusement dans un mouvement de coordination parfaite. Ne pouvant résister à cet élan de passion, je l'enlaçai pour savourer l'intensité du moment. J'aurais voulu que cet instant dure éternellement. Sentir son corps si près, et son visage contre le mien, donnait à ce baiser une langueur que je n'avais jamais vécue jusque-là. Mon paradis, c'était lui! Lentement, il détacha l'étreinte de ses lèvres et immobilisa son doux regard sur moi.

– En disparaissant, je croyais te faciliter la vie. C'est difficile d'expliquer ce qui m'arrive. Après tout ce qui s'est passé, mon côté bipolaire, propre à ma nature, est gravement affecté. Mais… j'ai pris conscience que… que je ne pouvais pas continuer sans toi, Cassy. C'est grâce à toi que je me sens revivre.

Il prit ma main et m'attira à proximité de la petite fenêtre où le soleil se pointait déjà.

– Il y a une chose importante que tu dois savoir à mon sujet.

Depuis sa crise de la nuit dernière, Oliver semblait avoir analysé les sentiments qu'il éprouvait pour moi et la situation dans laquelle nous nous trouvions. J'étais loin d'avoir fait le même cheminement, alors je le laissai poursuivre sans l'interrompre.

– Je vais disparaître, dit-il d'un ton déterminé. Je vais partir, et… et tu ne pourras pas venir avec moi. C'est un voyage que je devrai entreprendre seul.

Je sentis mon sang se glacer dans mes veines. Il n'allait quand même pas jouer aux montagnes russes avec moi, me prenant et me relâchant à sa guise.

– Non… tu ne t'en iras pas, répliquai-je, le souffle court.

Il m'attira contre lui.

– Il le faut, Cassy. J'aimerais rester avec toi, mais l'avenir m'offre une deuxième chance de recommencer une autre vie. Je n'ai pas le choix, je dois partir.

Je n'étais pas certaine de saisir ses propos.

– Tu te souviens lorsque je t'ai dit que les fantômes étaient des êtres solitaires et malheureux? Eh bien, c'est la pure vérité. Je projette une fausse image en te faisant croire que je suis follement amoureux de toi, mais rien n'est réel. Dans mon monde, on ne peut ressentir ce genre de sentiments. On est renfermés, sans émotions. Rien de la vie et de ce qui s'y rattache ne nous intéresse. Jackie et David ont bien tenté de me faire changer cette perception, mais je n'y suis jamais arrivé.

– Alors… tu n'éprouves aucun sentiment pour moi?

Il me fixa froidement, balançant la tête de gauche à droite.

– Non…

Mon cœur eut un tressaillement qui devait se lire dans mon regard affolé.

– Tu risques de trouver cela très étrange, mais… j'éprouve des sentiments pour toi, mais je ne pourrai les vivre qu'à travers une deuxième vie.

– Ta deuxième vie?

– Oui, et c'est la seule raison qui me pousse à rester avec toi. Même si je ne ressens aucune émotion, je suis attiré vers toi.

Je le laissai poursuivre, appréciant la sincérité de ses confidences.

– Un phénomène est en train de se produire en moi. Quelque chose que je n'aurais jamais cru possible…

Il me fixa d'un regard attendri.

– Je suis retombé amoureux…

J'étais de nouveau en orbite dans les montagnes russes, mais en haut cette fois, là où l'on respire mieux. Je craignais de chuter de nouveau. Il pouvait être amoureux de moi dans une autre vie? Même si je ne comprenais rien à tout cela, je ne demandais pas mieux que d'y croire…

– Après la mort de Rachel, je me suis dit que je n'aimerais plus jamais personne d'autre, car elle avait été la seule à me combler autant. Lorsqu'elle est morte, je n'avais plus aucune raison de vivre. C'est ce qui m'a poussé à commettre l'irréparable. Je n'ai trouvé aucune autre porte de sortie, à part me venger sur Jayson et me suicider ensuite. Je n'ai été qu'un lâche! Toutefois, je ne m'attendais pas à me réveiller avec l'apparence que j'ai aujourd'hui, prisonnier de ce corps depuis toutes ces années. Étrangement, c'est ce que je souhaitais, car il n'existe aucun fantôme qui prend goût à la vie, aucun. Dès que je t'ai vue, quelque chose s'est déclenché en moi. J'ai voulu conquérir ton cœur et te démontrer, à ma manière, les sentiments que je ressentais pour toi.

Je comprenais mieux maintenant nos façons différentes de percevoir notre relation.

– Ce que je tente de t'expliquer, c'est que lorsque tu quitteras le Cabonga pour retourner chez toi, mon fantôme disparaîtra à tout jamais. Je serai libéré de cette souffrance et de ces souvenirs atroces qui me hantent depuis des siècles. Une meilleure vie m'attend.

J'avais le regard plongé dans ses yeux lustrés dont je ne pouvais imaginer l'absence.

– Tu es spéciale et je ne veux surtout pas te perdre. C'est la raison pour laquelle je tiens à te dévoiler tout ce qui me concerne.

Je n'osais surtout pas l'interrompre, sentant que les révélations à venir étaient cruciales.

– Ma mission a été en quelque sorte… accomplie, puisque j'ai réussi à retrouver un semblant de vie paisible, comme celle qui s'annonçait pour moi, autrefois, avec Rachel.

Chaque fantôme a une mission à remplir, rappelle-toi. Lorsque tu partiras d'ici, ce sera le début d'une autre vie pour moi. Je ne peux préciser dans quel contexte aura lieu cette nouvelle aventure. Chose certaine, si tu reviens au Cabonga, je n'y serai plus. Si tu tentes de me retrouver, tu n'y arriveras pas non plus. Le jour où nos chemins se croiseront de nouveau, ce que j'espère de tout mon cœur, je n'aurai plus aucun souvenir de toi...

C'en était trop cette fois! Je ne pouvais réprimer ma désapprobation plus longtemps.

– Non... non, c'est impossible. Tu garderas toujours le souvenir de ce qui s'est passé entre nous...

– Toi, tu t'en souviendras, mais tu seras la seule. Tous les autres m'auront oublié. Tes amis ne se rappelleront même plus ma présence au Cabonga : tout mon passé sera effacé, comme si je n'avais jamais existé. Personne ne peut rien contre cela, ni Jackie ni les jumeaux. Comme ils te l'ont expliqué, ils doivent laisser le destin se dérouler comme il se doit, sans tenter d'en modifier le parcours. Alors, toi aussi, tu auras une mission : tu devras d'abord croiser ma route de nouveau et faire en sorte que je me souvienne de toi et de l'amour que tu m'inspirais. Dorénavant, l'avenir évoluera selon tes propres décisions.

– Je ferai tout ce qui est en mon pouvoir pour réussir cette mission, promis.

– Ce sera une tâche ardue où tu devras faire preuve de patience, de courage et de compréhension, car si par malheur, je me souvenais de mon douloureux passé, je ne peux me porter garant des dangers auxquels on serait confrontés. Je n'aurais plus aucun pouvoir, puisque je ne serais plus un fantôme.

– Tu vas...

– Oui, m'interrompit-il. Lorsqu'un fantôme accomplit sa mission, ce qui est très rare, son passé s'efface complètement et il renaît ailleurs dans le monde. Il est libéré de son âme de douleur et a là chance de recommencer une nouvelle vie, en tant qu'humain.

– Un humain… mais… tu seras toujours Oliver?

– Je serai toujours le même, mais sous un aspect différent. J'aurai sensiblement les mêmes traits physiques, mais sans l'apparence vestimentaire du fantôme que tu as connu. Mon comportement sera plus conforme à celui d'un être vivant en société, plus sociable, moins facilement irritable.

Ces révélations dépassaient de loin tout ce que j'aurais pu imaginer. Comment pourrais-je le retrouver dans l'immensité de cet univers? C'était comme chercher une aiguille dans une botte de foin. Il caressa doucement ma joue, comme une invitation à me livrer davantage.

– Et Mick dans tout ça? Est-ce qu'il court un danger?

– Il ne se souviendra plus de moi, Cassy. Tout le monde m'oubliera. C'est la raison pour laquelle tu devras surveiller tes agissements en partant d'ici. Il est important que tu restes amie avec eux. Cette amitié est précieuse et tu en auras besoin.

J'avais du mal à évaluer la portée de tout ce qui m'attendait.

– Mais, pour répondre à ta question, personne ne sera en danger, tant et aussi longtemps qu'on ne me force pas à me souvenir de toi en me ramenant au Cabonga.

– Si je te retrouve, tu ne veux pas que je te ramène ici?

– Non… C'est très important de respecter cette condition. Si je reviens dans cette maison, et même sur le territoire du Cabonga, mes souvenirs ressurgiront instantanément, avec tout ce que ça implique de désastreux. J'aurai une impression désagréable de déjà-vu et cela provoquera le réveil de l'âme de Jayson qui deviendra extrêmement jaloux. Cette fois, je ne serai plus son unique cible, il s'en prendra également à toi et à tes proches. Il sera incontrôlable…

Je ne pouvais concevoir qu'on puisse faire du mal à mes proches. Toute cette histoire ne concernait personne d'autre que lui et moi.

– Alors, je t'en supplie, Cassy, je ne dois surtout pas me retrouver sur les lieux de mon crime... Tu comprends?

– Comment dois-je faire alors pour que tu te souviennes de moi sans revenir ici?

– Tu y parviendras... Laisse les événements de la vie te guider.

Je ne pouvais rien lui promettre. Je me connaissais suffisamment pour savoir que je serais prête à tout pour qu'il se rappelle de moi, de nous... et si ma seule chance reposait sur la décision de le ramener ici, rien ne m'en empêcherait. Il m'enveloppa dans son grand manteau comme pour me protéger des tourments que l'avenir nous réservait. J'y serais restée à l'abri jusqu'à la fin des temps. Il sembla lire dans mes pensées.

– Nos chemins se recroiseront un jour, j'en suis convaincu.

Je restai dans ses bras tout en observant le ciel qui s'éclaircissait peu à peu. J'y vis un présage de bon augure pour la suite des événements. Je devrais me raccrocher à cet espoir dans les moments difficiles où je me retrouverais seule, sans personne à qui communiquer mon grand secret. Je chassai ces pensées qui reviendraient bien assez vite me tourmenter l'esprit.

– Hey, s'exclama-t-il en glissant sa main dans la poche de son manteau. J'ai un petit quelque chose pour toi.

Il en sortit une longue chaîne en argent au bout de laquelle était suspendu un délicat médaillon de forme ovale muni d'un fermoir, un bijou ancien, à en juger par le minutieux travail d'orfèvrerie. Il dégagea délicatement mes cheveux pour le passer à mon cou.

– Ce bijou appartenait à Rachel.

Je pris le précieux pendentif entre mes doigts pour en observer les détails : une couronne de fleurs en relief y était finement ciselée. Il était magnifique! Je ressentais un malaise à porter un bijou ayant appartenu à Rachel. Devinant mon trouble, Oliver m'encouragea à l'ouvrir. Une inscription y était gravée avec une calligraphie ancienne: « *Pour l'éternité* ».

– C'était un présent que j'avais offert à Rachel deux jours avant le meurtre. Je l'ai retrouvé là où elle est morte, à la falaise.

– Je suis très touchée que tu me l'offres.

– Il te va à merveille... Ce sera une preuve de mon existence quand tu ressentiras des doutes.

Je n'avais aucunement besoin de preuves pour me convaincre qu'il avait réellement fait partie de ma vie. Il était tout ce qu'il y avait de plus vrai à mes yeux. Jamais je ne l'oublierais.

– Je t'aime, chuchota-t-il en passant une main sous mes cheveux.

Il avait prononcé ces paroles de façon si spontanée et sincère, que je pris le temps d'en savourer la douceur. S'il savait à quel point je l'aimais aussi. Jamais avant lui je n'avais ressenti un tel bouleversement intérieur. Le simple fait de le savoir non loin de moi me contentait. Comme je m'apprêtais à lui avouer la réciprocité de mes sentiments, j'entendis des pas précipités dans l'escalier.

– Mick? Qu'est-ce que tu fais ici?

– Je devrais te poser la même question, riposta-t-il en fusillant Oliver du regard.

– Mick, ce n'est pas ce que tu penses, justifia-t-il, mal à l'aise.

– Éloigne-toi d'elle tout de suite!

Oliver fit un pas en arrière. Il n'était pas question de reprendre les hostilités. Je comprenais cependant l'attitude protectrice de mon ami, surtout après ce qui s'était passé entre nous, mais je ne le laisserais pas gâcher mes derniers moments avec Oliver.

– Mick, sors d'ici! lui ordonnai-je en me rapprochant d'Oliver.

– As-tu déjà oublié ce qui est arrivé hier? Il est dangereux!

– Non, il ne me fera aucun mal.

– Comment peux-tu en être sûre? Il t'a projetée contre un arbre, Cassy. Tu ne sais pas de quoi il est capable!

– Tu ne connais pas le fond de l'histoire.

– Bon sang! s'énerva-t-il. J'en sais suffisamment pour m'inquiéter de te laisser seule avec lui.

– Eh bien, il va falloir que tu t'y fasses! rétorquai-je sur un ton qui n'appelait aucune réplique. Je n'ai pas l'intention de te suivre, je reste avec lui.

Oliver était resté témoin de notre dispute sans intervenir d'aucune façon. Mick soupira tristement en me regardant, n'accordant aucune attention à Oliver.

– Je suis désolé d'être venu vérifier si tu courais un danger. Excuse-moi de m'être inquiété, la prochaine fois, je tâcherai de me retenir!

– Mick, je n'ai pas voulu…

Il disparut comme il était venu, dévalant les marches à toute vitesse.

– Micka…

20

La chambre spectrale

– Mick, pardonne-moi. Je n'ai pas voulu dire ça.

Je l'avais suivi jusqu'au chalet. Encore une fois, je discutai seul à seul avec lui, dans la chambre des gars. Oliver m'avait laissée filer sur les traces de mon ami, précisant qu'il en profiterait pour errer dans les bois afin de retrouver la solitude dont il avait tant besoin.

– Cassy, je ne peux pas croire que tu sois allée le retrouver. Tu ne vois pas le danger!

– Oui, je le vois… mais c'est impossible pour toi de comprendre ce que je vis présentement.

– Tu as raison, je ne peux pas comprendre, rétorqua-t-il, sarcastique.

Il se laissa retomber sur le bord du lit. Cette fois, je ne m'approchai pas, préférant rester à proximité de la porte.

– Tu n'étais pas obligé de lui dire de s'éloigner. Oliver ne m'aurait pas fait de mal.

– Tu crois vraiment! J'ai vu ce qu'il a essayé de te faire hier, et c'en est assez pour me convaincre qu'il représente une menace.

– Tu es pitoyable! Tu juges les gens sans même les connaître.

– Vraiment! Ne me dis pas que tu penses sérieusement ce que tu dis! Sans Jackie et les jumeaux, on serait morts tous les deux.

Je restai silencieuse.

– Je suis quelqu'un de rationnel et n'importe quelle personne normale aurait réagi de la même façon que moi.

– Mick, je suis consciente de ce qui s'est produit. Mais... il ne recommencera pas.

– C'est tout ce que tu trouves à me dire? Sincèrement, je te croyais plus sensée.

Je ne savais plus quel argument utiliser pour le convaincre qu'Oliver était quelqu'un de bien. Je n'aimais pas me disputer avec mon meilleur ami.

– Réalises-tu au moins qu'il s'agit d'un fantôme? Si jamais les autres viennent à l'apprendre, ils te trouveront cinglée. Ils ne voudront jamais croire une chose pareille, bordel!

– Je ne suis plus la seule à connaître ce secret, tu es au courant, toi aussi.

Il ne pouvait nier le fait qu'Oliver était un fantôme, car il en avait eu la preuve tangible. Jackie et les jumeaux lui avaient confirmé la vérité.

– On est deux cinglés maintenant, chuchotai-je.

Il s'étendit sur le lit, recouvrant son visage de ses deux mains, visiblement perturbé.

– Tout ça est absurde... admit-il.

– Tu as raison, c'est totalement invraisemblable. Mais c'est la réalité et on ne peut la changer.

Il soupira, exaspéré par mon entêtement.

– Au fait, demanda-t-il en se redressant promptement, Oliver... quel âge il a?

Je ne m'étais jamais posé la question, car à mes yeux, Oliver avait toujours 19 ans. Mais si je calculais le nombre d'années où il avait été prisonnier de son corps de fantôme, il avait 190 ans!

– Il a 19 ans…

Je pris quelques secondes pour formuler le reste de ma phrase, car la boule d'émotion qui me nouait la gorge ne me facilitait pas la tâche.

– Mais… il s'est enlevé la vie en 1840 exactement.

Son visage devint livide, comme s'il s'était vidé de son sang, et ses yeux incrédules me fixèrent, déboussolés. Il passa sa main dans ses cheveux, l'air complètement ahuri. Je ne l'avais jamais vu dans un tel état. Irréfutablement, c'était plus difficile pour lui que pour moi d'encaisser de telles révélations. Je m'étais habituée à la présence d'Oliver et à ses confidences alors que pour Mick, Oliver ne représentait qu'un rival et un fou furieux.

– Quoi? Il s'est enlevé la vie en 1840?

– Oui, et j'ai eu la même réaction que toi. Je n'arrivais pas à y croire non plus.

Immobile sur son lit, il semblait analyser toutes ces nouvelles données.

– Alors, tu es en train de me dire qu'il est mort depuis cent soixante et onze ans maintenant?

J'acquiesçai à l'exactitude de ses calculs.

– Pourquoi s'est-il suicidé?

Il commençait à être trop indiscret. Je ne voulais pas dévoiler les détails concernant la vie privée d'Oliver. Son histoire personnelle ne regardait que lui, ce n'était pas à moi de la lui révéler.

– Il n'a pas voulu me le dire, mentis-je en me croisant les bras.

D'un bond, il se leva et se retrouva à mes côtés. Je repensai à notre baiser de la veille alors que nous discutions du même sujet.

– À part s'acharner sur sa proie comme il l'a démontré hier… de quoi est-il capable?

Il était à quelques centimètres de moi.

– Les fantômes sont capables de bien des choses. Ils ont des pouvoirs extrêmement puissants, et c'est ce qui les rend invincibles.

– Comme…

– Mick, je ne sais pas, répliquai-je, fatiguée de toujours avoir à m'expliquer. Tout ce que tu peux imaginer sur eux, ils peuvent le faire.

– Et… tu continues de le fréquenter?

– Tu n'as rien compris? Je l'aime, et il est hors de question que je l'abandonne.

– Lui, il l'a pourtant fait…

Il plissa les yeux sévèrement et me tourna le dos sans rien dire. Se dirigeant résolument vers le placard, il commença à vider ses étagères.

– Micka, qu'est-ce que tu fais?

– Je fais mes valises.

– Pourquoi?

– Parce qu'on part demain matin.

Je le regardai ramasser ses affaires personnelles sans rien dire. Ces événements m'avaient enlevé toute notion du temps qui filait. Demain…déjà!

– Pendant qu'on y est, enchaîna-t-il d'un ton boudeur, tu ferais peut-être mieux d'aller dire tes adieux à ton fantôme si sympathique.

Il m'avait balancé ces paroles sur un ton presque joyeux, ce qui me chagrina, étant donné qu'il connaissait mes sentiments pour Oliver. J'étais consciente de l'avoir blessé, également, en l'embrassant comme si je ressentais quelque chose pour lui. Je comprenais son sarcasme et sa blessure. À ses yeux, Oliver n'était rien d'autre qu'un rival redoutable.

– Je ne lui ferai jamais mes adieux, affirmai-je sans équivoque. Jamais, tu m'entends?

Sans prendre le temps d'écouter ce qu'il s'apprêtait à répliquer, je sortis en claquant la porte et me dirigeai vers le lac. Je n'étais pas d'humeur à vouloir me confier à mes amis. Ils croyaient qu'il s'agissait d'une simple bagarre entre Mick et Oliver et que je m'étais, encore une fois, retrouvée entre les deux. Je n'arrivais pas à croire que Mick puisse penser que je renoncerais à Oliver aussi facilement. S'il ne me connaissait pas mieux que cela, c'était son problème. Je n'allais quand même pas m'agenouiller pour qu'ils soient amis.

– Hey! Cassy!

Je vis Elyssa descendre la pente vers moi.

– Qu'est-ce qui se passe?

– Rien…

J'étais découragée d'avoir à rendre des comptes si vite, mais il fallait bien que je donne un semblant d'explication, alors mieux valait que ce soit avec Elyssa en premier. Je pris l'élastique à mon poignet et remontai mes cheveux en chignon improvisé. L'air était humide et j'avais chaud.

– Arrête de me dire que ce n'est rien. Tu t'es encore disputée avec Mick?

– Non…

Elle avait beau connaître mes sentiments pour Oliver, elle ignorait tout de sa véritable nature. Alors, impossible de lui parler de mes derniers rebondissements amoureux ni de la conversation avec Mick qui en découlait évidemment.

– Cassy, cette situation ne peut plus continuer. Tu devrais régler ça avant de partir. Tu devrais leur parler pour qu'ils se réconcilient.

– Ce n'est pas si simple… Comment voudrais-tu que je réagisse? m'énervai-je en m'éloignant un peu. Je me sens prise entre deux feux et ce n'est vraiment pas évident. Du jour au lendemain, je me retrouve follement amoureuse d'un gars que je connais depuis deux semaines à peine. La nuit dernière, mon meilleur ami décide que tout cela ne fait pas son affaire! Je pensais pouvoir lui faire comprendre ce que je ressens pour Oliver, mais il ne veut rien entendre.

C'était la première fois que je pouvais me confier ainsi et j'étais bouleversée.

– Mick aurait dû m'avouer ce qu'il ressentait pour moi au lieu de camoufler cela pendant des mois. Il n'aurait jamais dû m'embrasser, et moi, je n'aurais jamais dû le laisser faire. J'ai eu besoin de réconfort, il était là, ça m'a rassurée. Maintenant, je le fais souffrir bien malgré moi…

Elyssa n'avait pas osé interrompre mon débordement sentimental. Je m'excusai d'avoir déversé mon trop-plein sur elle. Je me détournai, émue, pour descendre vers la plage. Elle m'emboîta le pas et vint m'entourer de ses bras.

– Tu n'as pas à t'excuser, une amie, c'est là pour ça.

– Elyssa, je ne sais plus quoi faire…

– Écoute, Mick t'apprécie énormément. L'amitié, ça se construit et il apprendra à t'aimer comme une amie. Laisse-lui un peu de temps pour digérer tout cela, c'est tout…

– Sa blessure est trop grande. Tout ce qu'il espère, c'est que je change d'idée un jour.

Je me dégageai d'elle pour m'asseoir sur le sable humide.

– Pourquoi ça m'arrive, à moi?

Elle s'installa à mes côtés.

– Ça pourrait arriver à n'importe qui d'entre nous.

Je plongeai mon regard sur l'immense étendue d'eau si calme qui contrastait avec l'agitation de mes pensées. Je sentais mon cœur pris dans un étau et j'aurais tout donné pour m'en libérer. Je me considérais choyée d'avoir Elyssa à mes côtés, mais je devrais affronter seule la situation et apprendre à gérer toutes mes émotions, parfois contradictoires.

– Comment as-tu réagi quand Mick t'a embrassée? J'imagine qu'il y a eu un moment de silence embarrassant…

L'évocation du baiser avec Mick me sortit de mes pensées. Contrairement à ce qu'elle s'attendait peut-être, je n'avais ressenti aucun malaise, ce qui m'inquiétait même un peu. Elle voulut savoir si je l'avais repoussé et ma réponse négative sembla la surprendre. Devant mon sentiment de culpabilité, elle se fit rassurante, disant que c'était normal que je me sois laissée aller, car notre relation avait toujours été ambiguë, à cheval entre l'amour et l'amitié.

– C'est la façon qu'il a trouvée pour te dire qu'il t'aime.

– Pourquoi j'ai continué à l'embrasser, alors?

– Peut-être parce que tu voulais être certaine de ce que tu ressentais pour lui?

Je ne répondis rien, tout simplement parce que j'ignorais ce qui m'avait poussée à agir de la sorte.

– Tu sais… poursuivit-elle, il faut juste écouter ce que tu ressens. Fais confiance à tes sentiments, ils sont ton meilleur guide.

Elle passa son bras autour de mon cou. Malgré nos confidences à propos de ma relation délicate avec Mick, je souffrais de ne pouvoir lui révéler la partie essentielle de mon aventure avec Oliver. Un jour, peut-être… en espérant qu'elle ne m'en voudrait pas de lui avoir caché ce secret si longtemps.

– Merci de ton écoute… dis-je en me levant. Je… je verrai à mettre de l'ordre dans mes idées.

– Tout va s'arranger, tu verras.

Je lui rendis un sourire forcé tout en secouant le sable collé à mes cuisses.

– Je vais aller à la réception pour téléphoner à mes parents.

– D'accord, je vais rejoindre les autres. Je crois qu'ils avaient l'intention d'aller à la plage pour qu'on profite pleinement de notre dernière journée.

Je n'avais pas envie d'y aller ni d'adresser la moindre parole à Mick. Arrivée à la réception, je composai mon numéro à la maison. J'espérais que ma mère, qui me connaissait par cœur, ne détecterait pas dans ma voix l'angoisse que je vivais. Moi qui détestais mentir, j'en aurais gros à camoufler en revenant à la maison. Elle mettrait sûrement mon changement d'attitude sur le compte du décès de Tristan. Je ne sais si j'oserais lui parler un jour de mes amours impossibles avec Oliver. Quel soulagement d'entendre la voix enfantine de mon frère Samuel décrocher le récepteur. Il attendait mon retour et mes histoires de pêche avec impatience. Il passa finalement le combiné à ma mère, dont j'avais le besoin pressant de sentir l'énergie. Étonnamment, mon timbre de voix ne trahit aucune émotion. Je l'informai de notre départ le lendemain, en matinée, et mis fin à notre conversation sans qu'elle se doute de quoi que ce soit.

– Salut, Cassy.

Je ne m'étais pas rendu compte de la présence de Jim à mes côtés.

– Tu vas mieux ce matin?

– Je ne sais pas, soupirai-je, peut-être…

S'étirant les bras, il vint s'asseoir sur la rampe qui chancela sous son poids. Il portait encore le même bandeau qui retenait sa chevelure blonde. Son visage, perlant de sueur, affichait un air contrarié. Ses yeux bleu ciel et son teint bronzé lui donnaient plutôt l'air d'un surfeur que d'un homme des bois.

– Tu as téléphoné à tes parents?

– Mouais… J'ai parlé un peu avec ma mère.

Un silence embarrassant pesait entre nous. Nous ne nous étions pas reparlé depuis les événements de la veille.

– Tu sais, Cassy, poursuivit-il après avoir pris une gorgée d'eau de sa gourde, je suis sincèrement désolé pour hier. C'est dommage que tu aies appris notre rôle de cette façon.

– J'ai été étonnée, c'est tout.

– Ouais… tu sais, je n'en croyais pas non plus mes yeux la première fois qu'on a vu un fantôme. C'est Jackie qui nous a appris à nous familiariser avec ce phénomène.

– Comment c'était… la première fois?

– Qu'est-ce que tu veux dire?

– Eh bien, vous aviez appris comment chasser les fantômes, non?

– Oh… absolument pas. On n'apprend pas à être un chasseur de fantômes. On l'est dès la naissance, c'est héréditaire.

– C'est de famille?

– Oui! Si les deux parents le sont, les enfants héritent automatiquement de cette faculté. Dans notre famille, il y avait des illusionnistes et des médiums, deux aspects reliés au monde des fantômes, ce qui fait que ces pouvoirs nous ont été transmis à notre tour. Toutefois, si l'un des partenaires ne l'est pas, il y a de fortes chances que leurs enfants soient des humains normaux, sans aucun pouvoir. Il peut cependant arriver que les générations futures en héritent.

– Alors, dès votre naissance, vos parents ont su que vous seriez chasseurs?

– Oui, puisque mes deux parents l'étaient. C'est une passion extrêmement puissante, difficile à comprendre pour un humain normal. Tout comme mes parents et Jackie, mon frère et moi, on était passionnés par les phénomènes paranormaux. Au début, à cause de notre jeune âge, on a eu besoin d'entraînement pour acquérir de la maturité dans ce domaine, car c'est un long processus. Jackie a été notre entraîneur pendant toutes ces années et il l'est encore aujourd'hui. C'est lui qui nous a montré comment maîtriser tous nos pouvoirs. Il fallait apprendre à les développer tout en essayant d'en maîtriser de nouveaux.

– Mais… comment faites-vous pour exercer vos pouvoirs sans qu'aucun visiteur ne s'en rende compte?

Il m'adressa un clin d'œil complice, me faisant signe de le suivre.

– Viens, ce que j'ai à te montrer t'intéressera sûrement.

À la fois curieuse et craintive, je le suivis malgré tout à l'intérieur du chalet. Il se dirigea à l'arrière du bureau de Jackie et décrocha un énorme cadre illustrant des centaines de poissons différents, probablement ceux qui frayaient dans le réservoir du Cabonga. Quelle ne fut pas ma surprise de voir apparaître une porte métallique munie de trois cadrans chiffrés servant de cadenas.

– Jim, qu'est-ce que tu fais?

– Je vais d'abord ouvrir cette porte et tu vas tout comprendre.

Sans me donner plus de détails, il manipula successivement le code des roulettes dans un sens puis dans l'autre, jusqu'à ce que le déclic d'ouverture se fasse entendre. Il poussa le battant et m'invita à le suivre dans le passage étroit. J'hésitai, ne sachant pas trop ce qui pouvait bien m'attendre de l'autre côté.

– N'aie pas peur, Cassy, il n'y a rien de dangereux.

Après tout, il semblait savoir ce qu'il faisait. Je fis donc un premier pas hésitant.

– Viens, souffla-t-il en me tendant la main.

Jim m'inspirait confiance, mais je commençais à en avoir assez des secrets. J'en étais là dans mes pensées quand la porte se referma d'un coup sec, nous plongeant dans l'obscurité totale. Il me rassura de nouveau et m'attira par le poignet vers le fond du couloir. Je le suivis ainsi jusqu'à un escalier en spirale qui me donna l'étrange impression de m'enfoncer dans les ténèbres d'un sous-sol ancien. Des lampions, insérés dans les pierres humides des fondations centenaires, apportaient un faible éclairage qui me permit d'apercevoir une deuxième porte tout en bas. Jim l'ouvrit sans difficulté et, tel un gentleman, il m'invita à y entrer la première : de longs rideaux de velours rouges masquaient l'entrée de la pièce. On se serait cru au théâtre avant le début d'un spectacle. À quoi rimait toute cette mise en scène? Je fis comme Jim me le demandait et traversai de l'autre côté, dans une salle qui me laissa bouche bée: il s'agissait d'une pièce circulaire dont la hauteur démesurée du plafond se perdait dans l'obscurité. D'énormes lampes anciennes, dispersées ça et là, éclairaient les murs qui étaient tapissés d'inscriptions écrites à l'encre noire. Les étagères et les tables poussiéreuses regorgeaient de livres anciens et les cadres, dont certains pendaient aux murs, démontraient le peu d'importance accordée à l'état des lieux. Mais, le plus intrigant, ce qui acheva de me déstabiliser, c'était la présence de Jackie et Ben, debout au centre de la pièce, dans un rectangle délimité par des lignes rouges flottant à quelques centimètres du sol. Ils semblaient concentrés dans une sorte d'entraînement que notre arrivée ne parut pas distraire.

– Viens, murmura Jim, on va s'approcher.

Je le suivis, impressionnée, et nous nous arrêtâmes à proximité de cette démarcation rouge qui délimitait le centre de la pièce.

– TIENS-LE PLUS LONGTEMPS! s'écria Jackie.

Tout comme le soir où Oliver nous avait attaqués, Ben maintenait la même sphère bleu poudre qui m'avait donné l'affreuse sensation d'être électrocutée. Ma curiosité fut attirée par un spectre qui se débattait à l'intérieur de la même façon qu'Oliver l'avait fait, l'air de souffrir atrocement. Il était bien différent par contre : musclé et muni d'une armure dorée comme un dieu grec.

– C'est ce que je fais! répliqua-t-il.

La sueur perlait sur ses veines gonflées longeant ses bras tendus. Malgré son effort démesuré, Jackie semblait s'amuser, jonglant avec trois boules cristallines contenant de la fumée.

– O.K. C'est bon, relâche-la maintenant!

Soulagé, Ben rabaissa ses bras d'un mouvement sec, et le voile électrique s'entortilla sur lui-même pour finalement s'effondrer au sol et disparaître. Le spectre qui était emprisonné disparut aussi.

– Beau travail! le félicita Jackie. C'était mieux que tantôt.

Ben s'essuya le front à l'aide d'une lingette, et Jackie rangea les boules dans un coffre de vitre avant de se retourner vers nous.

– Impressionnant, n'est-ce pas? s'exclama-t-il, enjoué. Tu es présentement dans la chambre spectrale, notre propre salle d'entraînement.

– Jackie et David l'ont bâtie lorsqu'ils étaient jeunes, me confia Jim.

– C'est incroyable…

– C'est ici même qu'on pratique l'efficacité de nos pouvoirs, enchaîna Ben en s'essuyant la bouche après avoir bu à la fontaine, au fond de la pièce. On s'entraîne tous les jours à les maîtriser. Les lignes rouges délimitent un champ d'action précis pour développer notre agilité quand on doit interagir contre les mauvais esprits. C'est la seule façon de délimiter notre périmètre d'action et de se discipliner à respecter les limites. Si, par malheur, on les franchit lors d'un entraînement, notre corps reçoit instantanément une décharge électrique.

Le souvenir douloureux relié à la décharge que j'avais reçue m'incita à la plus grande prudence.

– Les gars, je monte à la réception. Assurez-vous de verrouiller derrière vous.

Il quitta les lieux sans que j'y prête grande attention, ma curiosité étant plutôt piquée par les nombreuses inscriptions recouvrant entièrement la surface des murs. Je m'en approchai pour tenter d'y comprendre quelque chose.

– Nos aide-mémoire, m'expliqua Jim, tous les sortilèges et incantations utiles pour éloigner ou stabiliser un fantôme pendant un certain laps de temps.

– Ces inscriptions nous aident à les mémoriser, enchaîna Ben. Lorsqu'il faut intervenir, on n'a pas le temps de chercher dans un bouquin, on doit les connaître par cœur.

Je n'arrivais à déchiffrer le sens d'aucune phrase.

– Vous les connaissez tous? m'informai-je, curieuse.

– De A à Z, assura Ben avec fierté.

M'y intéressant de plus près, je réussis à décoder l'un d'entre eux : *« Ces lys montent la garde, contre les esprits et fantômes ils me gardent, ainsi soit-il. »*

– Qu'est-ce que ça veut dire?

– Ah, celui-ci, expliqua Ben, c'est le premier sortilège qu'on a appris pour éloigner un fantôme. Mais, il n'est pas très utile.

– C'est pour les enfants, celui-là, ricana Jim. Il suffit d'avoir une bougie, de planter des lys dans un pot ou dans un jardin, et le tour est joué!

J'essayais tant bien que mal de m'imaginer la procédure concernant ce sortilège quand mon regard dévia vers une étagère remplie de livres. Je m'en approchai et en pigeai un au hasard.

– *La chasse aux fantômes*, de Henry Price et Cardinal Lester, lis-je à voix haute.

Sur la page couverture, une photo en noir et blanc représentait deux hommes au regard sévère, qui me fixaient étrangement. En l'ouvrant, les pages noircies du manuscrit ancien menacèrent de s'effriter sous mes doigts.

– C'étaient les auteurs favoris de Jackie et de David, commenta Ben en considérant le volume. Ils étaient considérés comme les plus célèbres chasseurs de fantômes du 20e siècle, en Europe. Price a perdu la vie suite à un infarctus, le 29 mars 1979, tandis que Cardinal aurait succombé à un cancer quelques années plus tard. Enfin, c'est ce qu'on a entendu dire.

– Jackie et David ont lu plusieurs de leurs ouvrages, et crois-moi, ils représentent, même après leur mort, un modèle pour tous les chasseurs de fantômes de ce monde.

– On essaie de se procurer tous les livres importants de leur collection. Quelques bibliothèques en Angleterre et en France en détiennent encore des exemplaires, mais on n'a jamais eu l'opportunité d'aller les consulter.

– Regarde celui-là, s'exclama Jim, excité.

Je ne les avais jamais vus aussi fébriles, soudainement plongés dans un univers qui leur appartenait. Ben prit un autre livre sur lequel il souffla pour enlever la poussière accumulée.

– Frederick Fearson! Un contemporain très connu qui vit toujours. Il était l'apprenti chasseur de Cardinal. Une rumeur veut qu'il ne pratique plus la chasse. Il aurait tout arrêté, du jour au lendemain.

– Tout juste après les célèbres Henry et Cardinal, Frederick était surnommé le maître de la hantise. Il était incroyablement doué, pouvant anéantir presque toutes les formes de fantômes. Il n'avait peur de rien.

Aucune photo ne le représentait, seulement son nom écrit en caractères gras.

– Où habite-t-il aujourd'hui? m'informai-je, curieuse.

– À vrai dire, personne ne le sait. Des rumeurs le font voyager à travers l'Europe et déménager sans cesse. Dieu sait ce qu'il lui est arrivé pour qu'il décide de tout abandonner pour errer ainsi, sans domicile fixe, dit Ben en replaçant le livre à sa place initiale.

J'examinai de nouveau la salle d'entraînement où tant de choses attiraient mon attention. J'avais du mal à croire que cette pièce existait bel et bien dans le sous-sol dissimulé du chalet d'accueil, où tant de gens venaient depuis des années.

– Tu dois probablement te demander à quoi nous servent toutes ces petites boules cristallines? questionna Ben en ouvrant le coffret de verre dans lequel Jackie en avait déposé quelques-unes.

Étroit mais profond, il s'en dégageait une lumière scintillante et bleutée, comme celle où je m'étais enfoncée quand Oliver avait perdu sa stabilité.

– C'est de la fumée argentée.

Ben plongea son bras à l'intérieur et en sortit une petite boule qu'il fit virevolter entre ses doigts, comme un jongleur de cirque.

– Malgré son apparence fragile et inoffensive, cette boule de cristal contient une décharge électrique ultra puissante.

– C'est ce qu'on a utilisé pour stabiliser Oliver, déclara Jim en lançant un coup d'œil rapide à mon bras. Lorsque ton corps a été en contact avec la fumée argentée, c'est comme si un courant électrique t'avait traversée. Cette forme d'énergie qu'on a construite est beaucoup plus puissante et reste emmagasinée à l'intérieur du corps. Sauf qu'elle a été conçue spécialement pour les véritables chasseurs de fantômes. Notre sang élimine naturellement cette énergie, ce qui n'est pas le cas pour le commun des mortels. C'est la raison pour laquelle Jackie t'a immédiatement retiré toute l'électricité que tu avais en toi, grâce à la seringue antidote. Tu n'aurais pas tenu le coup bien longtemps, sinon.

Je pouvais percevoir la fumée bleutée emprisonnée dans la boule, dansant au ralenti dans l'espace restreint que lui offrait la sphère. Sur la surface vitrée était imprégné un chiffre d'argent, comme si chacune avait été numérotée.

– Ce n'est qu'en se brisant au sol qu'elle prend toute sa puissance libérant la fumée qui se transforme en un bouclier protecteur autour du spectre visé, commenta Ben. C'est une façon de l'emprisonner pour mieux le contrôler.

– Il faut savoir la maîtriser avec précision et s'entraîner souvent, car c'est une attaque qui exige beaucoup d'endurance et certains fantômes sont en mesure de la contourner.

– Il a raison, approuva Ben. Lorsque la fumée argentée est bien manipulée, elle permet d'infliger une douleur au spectre tout en l'immobilisant. Une fois cette étape exécutée, la fumée s'évapore, emportant le fantôme avec elle. Toutefois, rien ne l'empêche de revenir à la charge.

– Vous dites que cette fumée leur cause une douleur? demandai-je, étonnée. Quel genre de douleur?

– Tu vois ce chiffre sur la boule? Elles sont toutes classées par ordre de puissance. Alors, chaque type de fumée possède un numéro correspondant à sa force.

Au-dessus du coffret, une note explicative indiquait les différentes puissances de la fumée argentée.

– Elle engendre une douleur sentimentale très différente de celle que tu as ressentie. Les fantômes possèdent déjà une forte dose d'énergie en eux, ce qui explique leur insensibilité aux décharges électriques.

– Quelle forme de douleur avez-vous infligée à Oliver?

– Nos fumées argentées fonctionnent par niveaux. Comme tu peux l'apercevoir sur la fiche, il y a une colonne spécifique, divisée en 12 niveaux, qui concerne les entités conscientes comme celle d'Oliver. Plus notre spectre a de la difficulté à maintenir sa stabilité, plus on doit utiliser un niveau élevé. C'est un principe très simple, mais il doit être basé sur une évaluation précise de la condition du spectre afin de lui administrer le type de douleur sentimentale approprié.

– Hum…

– Bon, c'est normal que tu ne comprennes pas tout dès la première explication. Pour parvenir à maîtriser cette attaque, il faut connaître tous les types de fantômes. Dans le cas d'Oliver, on lui a infligé un niveau 2, ce qui est minime.

– Il n'a pas souffert beaucoup, alors...

– Juste assez pour le ressaisir. Il n'avait pas besoin d'un degré supérieur, car on l'entraîne depuis plusieurs années à maintenir une certaine stabilité. Le niveau sentimental 2 lui a remémoré une partie de son passé, qui repose principalement sur Rachel. Oliver est un type de fantôme très sensible, et ses souvenirs évoquent un passé affectif assez troublant. Lors de l'attaque de la nuit dernière, il a souffert sur le plan émotif, mais c'est surtout la provocation de Mick qui lui a fait perdre sa stabilité. Contrairement à lui, Jayson est un bon exemple d'un niveau 12, dont la stabilité n'a jamais été contrôlée puisqu'on ne l'a jamais combattu. La plupart des fantômes qui ont pour mission de se venger sont classés niveau 7 et plus.

– C'est vous qui fabriquez cette fumée?

– Non, quand je t'ai dit qu'on fabriquait nous-mêmes la fumée argentée, je voulais dire des chasseurs de fantômes de notre espèce. Comme on ne peut la trouver au Canada, il faut la faire venir d'Angleterre, d'un vieux magasin nommé *Ghost*. Elle nous coûte une fortune, entre 15 et 100 dollars la sphère.

– Tous vos produits viennent d'Europe?

– En général. C'est là qu'on trouve les magasins les plus spécialisés.

– Ben! Montre-lui l'armoire à outils! suggéra Jim qui s'affairait à nettoyer les lieux.

J'étais complètement captivée par leurs explications qui me permettaient d'apprivoiser cet univers étrange où évoluait Oliver. J'avais l'impression de le connaître mieux, de me rapprocher de lui, d'une certaine façon. Curieuse d'en apprendre davantage, j'avançai vers l'énorme armoire métallique, rouillée par endroits, qui reposait sur un tapis aux motifs égyptiens.

– C'est ici qu'on entrepose la majorité de nos armes de base.

Il ouvrit les deux grandes portes qui dévoilèrent des outils étranges dont j'ignorais totalement l'utilité.

– Ça, c'est un détecteur de champs électromagnétiques qui permet d'enregistrer certaines anormalités d'un lieu hanté. Il y a le thermomètre à mercure et l'autre, infrarouge. Même si un chasseur de fantômes a la capacité de ressentir instinctivement un changement de température, il doit avoir certains instruments de base pour s'en assurer avec précision. Une baisse de cinq degrés minimum est un excellent indice pour indiquer la présence d'un fantôme.

Il ouvrit un autre tiroir.

– Ici, on garde les caméras infrarouges ainsi que tous les appareils photos spécialisés.

– Mais on les utilise rarement, précisa Jim tout en poursuivant son travail de balayage. On a développé un sens aigu de la perception, ce qui nous permet de ne plus utiliser de caméras. À nos débuts, il nous était presque impossible de savoir à quels types de spectres on avait affaire, maintenant, il n'y a rien de plus facile.

Ben poursuivit la description des instruments qui prenaient maintenant un autre sens pour moi.

– On se servait autrefois de ce détecteur de mouvements et de cet enregistreur de voix numérique pour capter certains bruits ou voix qui auraient pu faciliter l'enquête. Mais aujourd'hui, ce type d'appareils se trouve facilement dans les commerces spécialisés. D'ailleurs, les semi-chasseurs de fantômes s'en tiennent uniquement à cette catégorie d'outils.

– Qu'entends-tu par « semi-chasseurs de fantômes »?

– C'est un individu qui se croit chasseur de fantômes, mais sans en avoir les pouvoirs. Tu pourrais toi-même te considérer comme une semi-chasseuse, si tu voulais.

J'étouffai un petit rire. J'étais loin de faire fuir les fantômes. Au contraire, je les attirais! Il me montra toute une panoplie d'objets qui m'étaient plus ou moins familiers : jeu *Ouija*, pendule, lampe torche, ruban adhésif, bobine de fil, télémètre laser, mètre-ruban, boussole, boules de cristal et jeu de cartes. Il m'expliqua que les baguettes de radiesthésie servaient à repérer un courant d'eau souterrain ou à détecter une personne pouvant se trouver à des milliers de kilomètres. Tout un équipement de base!

– Montre-lui donc l'autre armoire, s'exclama Jim, elle est beaucoup plus intéressante!

– Oui, patiente un peu! Je vais du plus ennuyant au plus excitant...

Il n'en fallait pas plus pour piquer ma curiosité. Ben referma les portes, tout en faisant la grimace à son frère. Il reprit un air sérieux et se dirigea vers la deuxième armoire.

– Tous les outils qui se trouvent dans cette étagère proviennent d'Europe, du célèbre magasin *Ghost* dont je t'ai parlé plus tôt. Le propriétaire, un ami de Jackie, est également un chasseur de fantômes.

Le meuble, plus récent que le précédent, était divisé en deux parties : d'un côté, une lingerie où étaient suspendus trois habits sur des cintres de velours; de l'autre, trois tablettes, fixées en haut, sur lesquelles étaient alignés des pots de verre portant une identification; au centre, un coffre dont les deux portes vitrées étaient ornées de motifs finement ouvragés qui représentaient trois sorciers tenant une baguette magique; en bas, un grand tiroir de bois dont j'avais hâte de découvrir le contenu.

– Nos imperméables protecteurs, s'émut Ben en décrochant l'un des vêtements pour me le montrer. Ces habits coûtent extrêmement cher, mais ils sont essentiels pour assurer notre protection contre certains pouvoirs que détiennent les fantômes. C'est un peu comme une armure de chevalier, mais 100 fois plus résistante.

Le long manteau bleu nuit se distinguait par la douceur de sa texture veloutée.

– Ce tissu n'est pas choisi en fonction de son *look*, mais pour l'excellent paravent qu'il nous procure. Normalement, un chasseur ne part jamais en mission sans ce vêtement précieux.

Il le fit tourner devant et derrière avant de le replacer sur le cintre.

– Sur les trois tablettes du haut, poursuivit-il, ce sont de faux spectres. Eh oui, il est possible d'en acheter. Comme ils semblent réels, ce sont des partenaires rêvés pour s'entraîner. C'est justement avec l'un d'eux que je me suis entraîné plus tôt.

Une vingtaine de bocaux transparents, portant une identité différente, permettaient d'apercevoir une minuscule créature quand on s'approchait.

– Tiens, prenons celui-ci, où c'est écrit « *Sirène d'enfer* », fit-il, moqueur, en le dévissant.

– Hey! Tu ne vas quand même pas ouvrir ça ici?

Éclatant de rire, Jim déposa son balai pour venir nous rejoindre.

– Ne t'inquiète pas, Cassy, un faux esprit est totalement inoffensif. Tant et aussi longtemps que tu ne lui lances pas un sortilège, il ne bougera pas.

Je pris quand même mes distances pour observer la suite. Une sirène miniature, de couleur violette, baignait dans un liquide spécial permettant d'assurer sa conservation. Ben retira le couvercle d'un geste sûr, laissant s'échapper un amas de poussière mauve qui se stabilisa devant nous avant de se transformer graduellement en sirène grandeur nature.

– Jim et moi, on s'amuse à commander des fantômes aux aspects cocasses. Récemment, on a réclamé un soldat, un dieu des océans, un dragon ainsi qu'une licorne. C'est un peu n'importe quoi, mais c'est notre façon d'alléger un peu l'entraînement rigoureux qu'on doit faire.

– Jackie n'apprécie pas vraiment. Il trouve que ça enlève du sérieux à nos pratiques.

J'étais fascinée par le spectre qui s'animait sous mes yeux. La créature mauve se mouvait, mi-femme-mi-poisson, gracieuse sous son voile transparent, en agitant ses longs cheveux soyeux. Ses écailles brillaient tels des coquillages en bordure de plage.

– C'est ainsi qu'on s'exerce. À l'arrière du contenant, tu peux lire l'historique du faux spectre. Dans son cas, il s'agit du meurtre de sa sœur qu'elle a assassinée dans l'espoir de régner seule sur son royaume sous-marin. Suite à la description, on doit choisir notre fumée argentée en fonction du niveau à administrer.

– Un niveau 7 sentimental? suggérai-je, à tout hasard.

– Tu y es presque, s'esclaffa-t-il, moi, je lui aurais infligé un niveau 10. Comme c'est la vengeance qui est en cause ici, on ne doit pas craindre d'augmenter la puissance de la douleur. Mais là encore, il faut connaître les particularités du spectre et écouter son instinct de chasseur, qui se développe bien sûr, après des années d'expérience.

Il fit entrer le faux spectre à l'intérieur du bocal, aussi facilement qu'il en était sorti.

– Lorsqu'on finit un entraînement avec un faux spectre, il a le choix de disparaître ou d'être récupéré. Cela dépend si on l'a anéanti ou non.

Je compris donc ce qui était advenu au dieu grec de tantôt : Ben l'avait probablement achevé.

– Voyons ce qu'il y a d'autre.

Il ouvrit le tiroir du bas qui était divisé en plusieurs compartiments permettant de classer les objets. Il me tendit une chaîne au bout de laquelle était suspendue une magnifique pierre précieuse : une turquoise.

– Une pierre magnétique! Grâce aux ondes ultra-puissantes qu'elle dégage, cette pierre précieuse a le pouvoir de repérer les endroits hantés, peu importe l'endroit sur la planète. Il suffit de la porter à son cou, comme un bijou, et le tour est joué. La pierre deviendra chaude et pointera vers l'endroit recherché.

Je ne pouvais détacher mon regard de sa couleur incandescente.

– C'est également dans ce tiroir qu'on garde nos boussoles magiques, les ingrédients pour les potions, les bijoux ensorcelés, et les cartes de spectres. Les boussoles ont sensiblement la même fonction que les pierres magnétiques. Elles nous indiquent correctement la route à suivre jusqu'à l'endroit recherché. En ce qui concerne les cartes de spectres, c'est bien différent.

Il sortit du tiroir un parchemin dont il détacha le ruban rouge pour le dérouler.

– Regarde, s'exclama-t-il, c'est le château de Chimay!

– Où est-il situé?

– C'est un château hanté en Belgique, précisa Jim.

Le plan intérieur du château était tracé à l'encre noire sur le parchemin jauni.

– Tu vois toutes ces têtes de mort qui flottent à certains endroits sur la carte? Eh bien, ce sont les spectres qui hantent le manoir. Il y en a partout; à l'intérieur des murs, des cadres, des placards et même des foyers.

– Tu veux dire qu'avec une carte comme celle-là, tu peux repérer n'importe quels fantômes?

– En plein dans le mille! Le magasin *Ghost* vend des centaines de cartes différentes pour orienter les recherches dans plusieurs pays. Elles ne sont pas nécessairement reliées à des châteaux; il peut s'agir de vieilles maisons abandonnées, comme celle d'*Amityville*, de cimetières, de grottes, de montagnes ou même de lacs. Même les vieux théâtres, les bibliothèques et les écoles peuvent être touchés.

– C'est très pratique, affirma Jim. Une description complète du lieu permet aussi de se renseigner davantage.

– Aviez-vous une carte du Cabonga? demandai-je, intéressée.

– Non, car on connaît assez l'endroit pour s'en passer.

Ben enroula le parchemin et le remit à sa place. Il déverrouillait maintenant les portes vitrées avec une minutie qui laissait deviner le précieux contenu que le coffre dissimulait. Déposées sur un lit de soie bleu nuit, trois baguettes étincelaient : l'une était en or et les deux autres, en argent.

– Nos baguettes précieuses! articula-t-il lentement, les yeux pétillants d'excitation.

– Les sorciers ne sont pas les seuls à maîtriser la baguette, ajouta Jim en me faisant un clin d'œil. Les chasseurs de fantômes sont très habiles, eux aussi.

Je n'en croyais pas mes yeux. Ben, Jim et Jackie possédaient de vraies baguettes magiques!

– C'est assurément l'outil le plus indispensable à tous les chasseurs de fantômes.

Ben saisit la sienne : une longue baguette en argent, mesurant une cinquantaine de centimètres, dont la base allait en rétrécissant jusqu'à la pointe. Son nom était gravé sur le côté, dans une calligraphie ancienne : *Benjamin Dawson.*

– Les baguettes précieuses sont une sorte d'identification pour les chasseurs de fantômes et elles sont classées en trois niveaux de couleurs : le bronze, l'argent et l'or. Je t'explique comment ça fonctionne.

Ben ouvrit délicatement un petit tiroir dissimulé sous le coffre d'où il sortit une quatrième baguette.

– Mon ancienne baguette de bronze! Tous les apprentis maîtres-chasseurs doivent débuter leur carrière en utilisant ce type de baguettes, fait d'un alliage de cuivre et d'étain. Les baguettes ont le pouvoir de reconnaître le niveau d'apprentissages des chasseurs. C'est ce qui détermine si leurs compétences sont suffisamment développées pour augmenter leur pouvoir, c'est-à-dire, les faire passer à la baguette d'argent en tant qu'assistant maître-chasseur, puis à la baguette d'or, en tant que maître-chasseur autonome.

– Ce qui revient à dire, ajouta Jim, que la chasse aux fantômes est interdite aux apprentis maîtres-chasseurs qui n'en sont encore qu'à la baguette de bronze. S'ils veulent y avoir accès, il leur faut alors intensifier leur entraînement. La baguette d'argent, par contre, permet d'assister un maître-chasseur en plein champ de bataille. Finalement, lorsqu'on atteint le statut de la baguette d'or, on peut être considéré comme un maître-chasseur autonome, c'est-à-dire qu'on est autorisé à chasser librement, et seul!

Toutes ces révélations me stupéfiaient. Je n'aurais jamais cru qu'un code aussi rigoureux régissait cet univers mystérieux.

– Il y a aussi un autre type de baguettes, poursuivit Jim, mais… ce niveau n'a été atteint qu'une seule fois, à ma connaissance, car il exige des compétences trop élevées.

– Elle ressemble à quoi?

– Il s'agit d'un bijou inestimable, digne de la supériorité qu'il symbolise. On nomme cette baguette, *Émeraude*.

– Émeraude?

– Oui, c'est bien ça, comme la pierre précieuse, spécifia Ben. En fait, elle est composée de 50% d'émeraude pure, et d'un alliage de trois autres pierres précieuses, le diamant, le saphir et le rubis. Le tout est lié, par un procédé scientifique, avec de l'or rose, ce qui lui donne une solidité incomparable. Le maître de Frederick Fearson, Cardinal, en possédait une. J'ignore ce qu'il en a fait, puisqu'il est décédé.

J'essayais d'imaginer la beauté exceptionnelle d'un tel objet et le pouvoir que devait ressentir la personne qui l'utilisait.

– C'est une baguette puissante?

– Puissante? s'exclama Ben, c'est peu dire! Elle dégage une telle force que même un maître-chasseur ne pourrait l'utiliser correctement. Il faut comprendre le monde spectral dans les moindres détails et être un génie dans le domaine de la chasse aux fantômes. Un tel chasseur n'omet aucun détail et peut accomplir des exploits. C'est pour cette raison qu'on le surnomme le *Maître-Émeraude*.

J'aurais bien classé Jackie dans cette catégorie, mais la baguette d'or identifiée à son nom me prouvait qu'il appartenait au statut de maître-chasseur.

– La baguette précieuse, ajouta-t-il, nous permet de transmettre l'énergie ainsi que tous les sortilèges et incantations possibles. Elle possède simultanément la volonté, le pouvoir et la force. C'est notre objet le plus efficace et on doit toujours l'avoir en notre possession quand on intervient auprès d'un fantôme. C'est une règle très importante à suivre.

Ben me tendit la sienne avec précaution. Consciente de sa valeur inestimable, je la pris avec les mêmes égards, surprise par le poids de l'instrument en argent massif que la délicate poignée permettait de mieux saisir.

– La nuit où vous êtes intervenus avec Jackie, vous n'aviez pas votre baguette?

– Elle était dissimulée sous notre chandail, car Jackie ne voulait pas qu'on s'en serve en présence de Mick. Bien sûr, si la situation s'était détériorée, on l'aurait utilisée.

– Et ce n'était qu'Oliver, précisa Jim. Avec lui, notre baguette et nos imperméables protecteurs ne sont pas nécessaires. En fait, ils peuvent l'être, mais… Oliver est en quelque sorte un fantôme différent.

– Pouvez-vous faire fonctionner votre baguette devant moi? m'informai-je en la rendant à Ben.

– Regarde bien ça! se réjouit-il en la pointant vers l'endroit où reposait le balai qu'utilisait Jim plus tôt.

– Allez, bouge tes petites fesses et fais le ménage!

Aussitôt, une étincelle dorée jaillit de la pointe de l'objet magique et le balai se redressa instantanément, s'activant sur le plancher. Ébranlée par cette prestation phénoménale, je trébuchai en reculant d'un pas, rattrapée de justesse par Jim. Nous éclatâmes tous de rire.

– Que… comment il a fait ça?

– Il a dit la formule dans sa tête. En fait, le vrai sortilège se dit : *Optimum Menagium!* Toutes nos incantations peuvent être appliquées à voix haute ou intérieurement. Toutefois, les apprentis maîtres-chasseurs doivent toujours les prononcer à haute voix, puisqu'ils n'ont pas encore un plein contrôle de leurs pouvoirs.

– C'est… c'est hallucinant tout ça!

– C'est impensable pour toi, mais pour nous, c'est tout à fait normal!

Ben ordonna au balai de s'arrêter et il obéit, comme un bon petit soldat, en reprenant sa place initiale dans le coin.

– Ce n'est pas toujours aussi simple, précisa Ben. Tout est possible avec une baguette, il suffit d'avoir une force mentale puissante, une excellente concentration et beaucoup d'entraînement. C'est une forme de communication télépathique qu'on établit avec notre baguette. Jackie serait en mesure d'anéantir tout le camp en provoquant une vague gigantesque, alors que pour Jim et moi, ce serait impossible. On manque d'expérience, en plus de ne pas avoir encore obtenu le niveau correspondant à la baguette d'or.

– Donner des ordres à un balai, ce n'est pas si mal…

Ils éclatèrent de rire. Je m'ennuierais de cette belle complicité… Je me demandais s'ils avaient prévu me divulguer un jour tous ces secrets, mais moi, rien ne m'avait préparée à ces révélations, car la magie m'était totalement inconnue avant mon séjour au Cabonga. J'étais flattée de la confiance qu'ils mettaient en moi. Ben remit sa baguette précieuse sur le voile de soie et referma à clé les deux portes vitrées. Une autre question m'intriguait : je me demandais si les jumeaux avaient reçu une éducation de base comme tous les jeunes.

– Au fait… même si vous étiez prédestinés à votre destin de chasseurs de fantômes, avez-vous quand même fréquenté l'école régulière?

– Bonne question! On a fréquenté l'école jusqu'à l'âge de 13 ans seulement, parce que c'est à cette période que Jackie nous a présenté Oliver pour la première fois et que notre véritable entraînement a débuté. Généralement, la formation des apprentis se fait entre 10 et 13 ans et ne se donne pas dans une école spécialisée. Comme il s'agit d'un héritage familial qui se transmet de génération en génération, chaque apprenti est habituellement initié par un maître-chasseur faisant partie de sa famille. Bien sûr, il y a des exceptions, comme Cardinal et Frederick, qui n'étaient pas du même sang.

– Et c'est grave?

– Absolument pas. Il y a beaucoup d'orphelins qui sont chasseurs de fantômes sur la Terre, c'est-à-dire des apprentis qui n'auront jamais la chance de se trouver un maître, comme c'était le cas pour Frederick avant qu'il rencontre Cardinal.

– Il est possible de poursuivre ses études, rectifia Jim, mais dans notre cas, Jackie souhaitait être notre maître, et il voulait aussi qu'on maintienne le bon fonctionnement de la pourvoirie. C'est un choix qu'on a fait ensemble.

Bien qu'évoluant dans un univers marginal, ils devaient tout de même se fondre dans la société et donner l'impression de mener une existence normale. Ça ne devait pas être évident de vivre ainsi entre deux mondes, toujours menacés qu'on découvre leur vie secrète.

– Je peux vous poser une dernière question?

– Mais oui, vas-y, répondit Ben, confiant.

– C'est un peu hors sujet, mais... la nuit où Oliver a perdu sa stabilité, Shadow était là... bien avant que vous arriviez. C'était très étrange... j'avais l'impression qu'il communiquait avec Oliver.

– Rien ne t'échappe, toi, rigola-t-il. J'allais oublier de t'en parler. Shadow est notre allié. Les chiens sont les animaux que les fantômes craignent le plus. Chaque chasseur en possède un. Peu importe sa race ou sa taille, c'est un compagnon de chasse aux fantômes indispensable.

– Les chiens peuvent sentir la présence des fantômes, communiquer avec eux et nous transmettre des informations, précisa Jim. De plus, ils sont très protecteurs. C'est pourquoi on garde Shadow ici. Il nous aide à protéger le camp.

Je comprenais maintenant pourquoi Shadow avait immédiatement accouru : il avait senti que nous étions en danger.

– LES ENFANTS!!!!!

La voix de Jackie retentit du haut de l'escalier.

– Il est l'heure de monter! N'oubliez pas de verrouiller!

– Il a raison, le temps a filé, sursauta Jim en regardant sa montre. Il faudrait remonter avant que les autres se questionnent.

D'un claquement de mains, Ben éteignit les lumières et referma la porte derrière nous. Quelle sensation étrange de sortir du mur pour aboutir derrière le bureau de Jackie! Quel contraste entre la réalité de l'endroit et l'atmosphère magique dans laquelle je baignais il y a quelques secondes à peine. Jackie nous attentait, le cadre dans les mains, pressé de refermer la porte et de tout remettre en place. La minute suivante, Elyssa fit irruption, nous empêchant de commenter les révélations qui venaient de m'être transmises dans cette chambre spectrale. De toute évidence, je ne dévoilerais rien, puisque je sentais que ce secret était dorénavant le mien.

21

L'adieu

– Nos vacances sont déjà finies! pleurnicha Marie. Je n'aurais jamais cru que le temps aurait passé si vite. Jim habite loin, je ne le verrai probablement plus!

Nous étions en train de boucler nos valises, et le simple fait d'entendre Marie se plaindre me donnait la nausée. Moi aussi, j'avais le cœur déchiré à l'idée de quitter le Cabonga, mais contrairement à Marie, je ne pouvais dévoiler mes véritables motifs.

– Arrête de t'en faire, Marie, la consola Elyssa en ramassant une pile de vêtements qui traînaient au sol. Il te téléphonera sûrement durant les vacances. Invite-le à Kingston! On pourra lui faire visiter la ville et les environs.

– Ouais…

Comme elle ne semblait pas trop convaincue, Elyssa me fit signe d'ajouter quelque chose aussi.

– Elle a raison, affirmai-je en y mettant le maximum d'enthousiasme.

– C'est une bonne idée! se ravisa-t-elle. Je l'inviterai quelques jours en Ontario.

La mine réjouie à l'idée de cette rencontre, elle sauta sur sa valise pour tenter de fermer la fermeture-éclair.

– Je ne comprends pas, j'ai toujours l'impression de repartir avec plus de vêtements.

Sa remarque me fit rire, parce qu'elle en apportait toujours plus qu'il ne le fallait, un peu comme moi d'ailleurs. Elle fila à la salle de bains pour récupérer tous nos accessoires, me laissant seule avec Elyssa. La mélancolie pesait sur moi telle une charge trop lourde. Malgré les moments difficiles des derniers jours, j'avais également vécu au Cabonga les plus intenses et les plus beaux. Ma rencontre avec Oliver paraissait déjà si lointaine. Si j'avais pu tenir entre mes mains une baguette comme celle des jumeaux, j'aurais reculé le temps pour revivre les doux moments avec lui. Je ne pouvais me résigner à ne plus le voir et j'ignorais à quel point sa disparition m'affecterait.

– Oliver va te manquer, n'est-ce pas? murmura Elyssa, comme si elle lisait dans mes pensées.

Je restai songeuse, incapable de trouver le mot juste qui reflétait le grand désarroi qui m'habitait. Le mot « manquer » était insuffisant pour décrire l'état dans lequel je me sentais sombrer. Je lançais mes chandails, pêle-mêle, dans ma valise, sans prendre le temps de les plier.

– Hey, s'exclama-t-elle en bloquant mon bras.

Elle reprit trois pulls qu'elle plia minutieusement.

– Écoute, Cassy, Oliver n'a qu'à venir passer quelques jours avec Jim.

– Je ne sais pas… Les choses ne seront plus les mêmes.

J'aurais aimé lui dire la vérité. Depuis que je la connaissais, nous n'avions aucun secret l'une pour l'autre.

– C'est normal que les choses évoluent. On va reprendre notre routine, mais rien ne t'empêche de le revoir. Si tu l'aimes, et qu'il t'aime, il n'y aura aucun problème.

Elle avait tout de même réussi à m'arracher un mince sourire. Je m'apprêtais à la serrer dans mes bras, lorsque Jamie nous interrompit, entrant en bourrasque dans la chambre, l'air perturbé.

– Cassy, Oliver et Mick sont au quai!

Je filai rapidement en direction du lac où je les aperçus, debout l'un près de l'autre, semblant échanger normalement. Je ne voulais pas prendre le risque d'une autre confrontation. Quand Mick me vit, il adressa un petit signe de tête à Oliver, puis passa à mes côtés sans m'accorder le moindre regard.

– Qu'est-ce qu'il te voulait?

– C'est moi qui tenais à lui parler. Je désirais simplement lui présenter mes excuses. Ça n'a pas été facile, mais… il a fini par les accepter.

– Mouais… il a été un peu perturbé ces derniers jours.

– C'est normal…

Je fis un pas dans sa direction, ne pouvant résister à la tentation d'enrouler mes bras autour de lui. J'avais besoin de le sentir près de moi, puisque le moment que j'aurais tant voulu repousser arrivait à grand pas.

– J'espérais tant que tu viennes me retrouver, avoua-t-il.

– Je t'aurais cherché dans toute la forêt, s'il avait fallu.

Il m'embrassa sur la tête, mais ne put retenir l'envie de poser une dernière fois ses lèvres sur les miennes. Je voulais graver en moi cet instant d'éternité pour m'apaiser quand la douleur de son absence deviendrait insupportable.

– Tu vas me manquer, murmura-t-il affectueusement.

– Viens avec moi, ne me laisse pas repartir seule.

– Si tu savais combien j'en ai envie.

Il déposa sa main contre ma nuque.

– Tu sais… ce qui nous attend sera pire encore.

Appuyant son front contre le mien, il ferma les yeux, allumant en moi un feu de sensations inconnues.

– Cassy, chuchota-t-il à mon oreille, je veux que tu me promettes une chose…

– Tout ce que tu veux!

– Ne remets jamais en question les sentiments que j'ai éprouvés pour toi… jamais!

Je savais qu'il n'en avait aucun, mais qu'il pourrait les percevoir et les ressentir dans une autre vie, s'il me rencontrait de nouveau. Je m'agrippai à lui, en inspirant profondément, comme pour garder en moi cette odeur et ce goût qui m'enivraient. Je lui fis la promesse de ne jamais remettre ses sentiments en question. Il m'embrassa tendrement, et comme à chaque fois, je me laissai emporter ailleurs. Je noyai mon regard dans le sien pour mieux partager notre complicité.

– Cassy, j'aimerais te montrer quelque chose, murmura-t-il en desserrant son étreinte.

Il scruta les alentours pour s'assurer que personne ne venait.

– C'est près des maisons hantées… mais pour une dernière fois, j'aimerais qu'on s'y rende à ma manière.

La crainte que quelqu'un nous aperçoive se dissipa aussitôt que ses bras m'enveloppèrent. Sa tendresse me faisait tout oublier. À la vitesse de la lumière, je sentis mon corps s'évaporer et tourbillonner, l'espace d'un millième de seconde. Encore légèrement étourdie, je me retrouvai sur une petite plage, en bordure du lac, au bas d'un ravin d'où on apercevait les deux maisons hantées, qui semblaient nous épier, du haut de la montagne.

– Tu n'es jamais venue ici, déclara-t-il en effleurant le bout de mes doigts.

Quelque chose au sol me fit détourner le regard.

– Ma pierre tombale, murmura-t-il.

En fait, il y en avait trois, gravées de noms qui me firent tressaillir : Oliver Miller, Rachel Bratford et Jayson Skills.

– C'est ici que nos parents ont décidé de nous rendre hommage. Ils n'ont jamais su la vraie histoire, alors ils ont cru bon de nous réunir.

Quelle étrange sensation de voir celui que j'aimais, à la fois mort et vivant. Je n'avais aucunement besoin de ce rappel déchirant, mais je savais que c'était important pour Oliver de me confier cette partie de sa vie.

– Mon corps et celui de Jayson y sont toujours, mais celui de Rachel n'a jamais été enterré.

Je m'approchai lentement de la tombe d'Oliver et m'y agenouillai respectueusement. La pierre était abîmée par endroits. Je dégageai la terre et les feuilles mortes qui la recouvraient en partie, ce qui me permit de lire l'épitaphe.

OLIVER MILLER

1821-1840

QUE TON ÂME ET ESPRIT RÈGNENT POUR TOUJOURS,

DANS LA PAIX ET L'AMOUR,

JUSQU'À LA FIN DES JOURS

– Oliver, je…

Il perçut mon embarras et tenta de m'expliquer la raison pour laquelle il avait tenu à me montrer cet endroit.

– J'ai hésité longtemps avant de te conduire ici, car je craignais ta réaction. Mais, je me suis dit que… que tu avais le droit de savoir où reposait mon corps et que notre triangle amoureux y était également réuni.

Je ne savais pas si ses yeux attristés cachaient la douleur de ce passé affligeant ou le regret de ne pouvoir vivre notre amour au grand jour. Il m'aida à me relever et je serrai sa main pour montrer que je comprenais sa souffrance. Je jetai un regard impuissant vers les pierres sous lesquelles étaient ensevelis à la fois tant d'amour et de violence.

– Mon âme reste attirée par l'endroit où je suis décédé, et plus particulièrement par ce lieu où mon corps repose.

– L'âme de Jayson et celle de Rachel sont-elles là aussi?

– Le corps de Rachel n'a jamais été retrouvé après le meurtre, mais ses parents ont quand même jugé bon d'ériger cette pierre en sa mémoire. Cependant, l'âme de Jayson erre toujours sur les limites du Cabonga. Contrairement à moi, il ne s'est pas encore matérialisé en tant que fantôme. Il dort encore sous terre.

Jayson ne méritait pas d'associer sa mémoire à celles de Rachel et d'Oliver. Une vengeance malsaine brûlait en moi, me poussant à vouloir détruire sa pierre qui ne symbolisait que le mal à mes yeux.

– J'ai de la difficulté à comprendre comment Jayson a pu commettre un tel acte de cruauté. Comment un ami, qui se disait loyal, a-t-il pu trahir de cette façon? C'est horrible!

– Quand j'étais plus jeune, j'étais très naïf, totalement inconscient du danger. Tout le monde était gentil à mes yeux. J'ai été aveugle durant toutes ces années, ne percevant pas la méchanceté de Jayson et de son clan, ni la jalousie qui le dévorait. D'une certaine façon, c'est Jayson qui m'a tué…

Oliver avait raison : il ne pouvait porter à lui seul tout le blâme de ce qui s'était passé.

– Pour tout t'avouer, Cassy, je me réconcilie aujourd'hui avec mon passé en te sachant à mes côtés. Tu es la meilleure chose qui me soit arrivée depuis des siècles. Lorsque je suis près de toi, je me sens renaître en quelqu'un de mieux. Alors, peu importent mes souffrances passées, c'est grâce à toi que je peux espérer un avenir meilleur.

J'accentuai la pression de ma main contre la sienne pour lui communiquer le bonheur que je ressentais.

– Je t'aime énormément, et je ne laisserai jamais, au grand jamais, quelqu'un te faire du mal. Même si mon âme efface tout souvenir, je te promets de revenir… pour ne plus repartir cette fois. L'amour saura faire en sorte que nos chemins se croisent de nouveau.

Je fermai les yeux et le serrai tendrement, savourant l'espoir qu'il venait de raviver en moi. Je ne pouvais espérer un plus bel aveu avant mon départ. Je restai dans ses bras enveloppants, m'imaginant que le temps s'arrêtait à jamais.

– Il faudrait regagner le camp, tes amis vont s'inquiéter. Au fait, les jumeaux aimeraient te dire quelques mots avant ton départ.

Je me demandais si les jumeaux l'avaient informé de notre entretien dans la chambre spectrale. Je préférai ne pas y faire allusion.

– Ils sont à la réception?

– Oui. Si tu veux, je t'accompagne.

Contrairement à son habitude, il opta pour que nous remontions le ravin, lentement, main dans la main, peut-être pour mieux savourer nos derniers moments ensemble. Arrivé près de l'accueil, il s'immobilisa devant les marches.

– Tu restes ici?

– Oui, je crois que ce qu'ils ont à te dire ne concerne que toi. Je vais t'attendre ici.

Intriguée, j'entrai dans le chalet où les jumeaux et Jackie m'attendaient.

– Comment te sens-tu aujourd'hui? s'informa Jackie d'un ton mélancolique.

Je haussai les épaules. Ils devinaient sûrement que j'avais le cœur en lambeaux.

– Approche…

Ben se tenait près de Jackie, et Jim était assis sur son bureau qui débordait de paperasse.

– Jim! s'énerva Jackie, descends de là, tu vas tout déplacer!

Je souris, amusée de la situation. Contrairement à son habitude, Jackie avait fière allure : barbe fraîchement rasée, cheveux tressés sur la nuque dégageant un visage plutôt rayonnant, chemise à carreaux impeccable. Pour une fois, il avait mis son allure d'homme des bois de côté et il était particulièrement beau.

– C'est un présent de nous trois, dit-il en me tendant un paquet recouvert d'un papier brun.

J'acceptai le cadeau, surprise de cette attention à mon égard. J'étais toujours intimidée quand on m'offrait quelque chose. Je le déposai sur le bureau pour l'ouvrir et découvrit, à ma grande surprise, un livre intitulé *Le Guide professionnel du chasseur de fantômes*.

– C'est un livre que David et Jackie ont écrit, déclara Jim. Si tu observes bien l'intérieur, il n'a rien d'un livre régulier, c'est plutôt un montage.

L'apparence de la page couverture était normale : le fond couleur marron sur lequel apparaissaient le titre, en lettrage embossé, suivi du nom des auteurs, *Jackie et David, les frères Dawson*. À voir l'usure du papier jauni par les années, on déduisait qu'il avait été souvent consulté. Dès la première page, je fus charmée par l'originalité et la minutie du travail : des écritures variées, des collages, des croquis, des notes prises rapidement ainsi que plusieurs illustrations.

– Tu verras, déclara Ben, ce bouquin contient tout ce que tu dois savoir sur les fantômes et les chasseurs. Bien qu'il ait été conçu par notre père et Jackie, on a continué, mon frère et moi, à y ajouter des articles de journaux, de revues, bref… de l'information pertinente afin de l'enrichir. Il est pas mal complet selon nous, alors on a pensé qu'il pourrait t'être utile.

Ce travail représentait un investissement de temps colossal.

– Je ne peux accepter un tel cadeau… C'est votre œuvre, elle vous appartient.

– Non, non, me rassura Jackie. Au contraire, maintenant que tu es au courant du monde des fantômes, ce manuscrit te sera plus utile qu'à nous.

Je me sentis rougir.

– C'est très gentil, répondis-je en caressant la page couverture. J'apprécie énormément.

– Regarde, Ben et Jim ont fait des photocopies de plusieurs livres réputés sur le sujet. Tu y trouveras des extraits de biographies, des noms de musées hantés en Europe et les endroits de la planète les plus visités par les chasseurs. Cet ouvrage peut te renseigner sur les commerces et les bibliothèques spécialisés dans le domaine. C'est un précieux outil de références. La table des matières est un peu longue, mais facile d'utilisation pour trouver ce que tu cherches.

Effectivement, le livre contenait 250 pages.

– Il y a vraiment de tout là-dedans, fis-je observer.

– De tout, approuva Jackie. Ce guide te sera très utile.

– J'en prendrai bien soin.

Je refermai la page couverture et le serrai contre moi, sentant qu'il deviendrait un précieux allié. Jackie ouvrit un tiroir et en sortit une enveloppe pour le mettre à l'abri des regards indiscrets. J'étais heureuse de rapporter quelque chose qui leur appartenait. Nous avions développé une belle amitié : Ben et Jim étaient comme de grands frères pour moi, je me sentais réconfortée en leur présence. Comme ils habitaient loin, je me demandais sincèrement si je les reverrais bientôt. Ce livre m'unirait à eux d'une certaine manière.

– Vous allez me manquer, dis-je, me sentant envahie par une bouffée d'émotion.

Jackie soupira à son tour, visiblement ému, et vint m'enlacer chaleureusement.

– Nous aussi…

Malgré son apparente robustesse, je percevais son extrême sensibilité. Il avait été d'une grande aide pendant mon séjour, comme un maître en qui j'avais pu trouver sagesse et réconfort. Cependant, je lui avais caché quelque chose d'important, tout comme à Oliver et aux jumeaux. Je n'avais pas osé confier à qui que ce soit l'expérience étrange vécue avant mon arrivée au Cabonga : les cauchemars terrifiants et les apparitions soudaines. Au point où j'en étais, plus rien ne me paraissait insensé. Si j'avais réussi à percevoir Jayson avant mon arrivée au camp, car j'étais maintenant certaine qu'il s'agissait de lui, je craignais de croiser son chemin à mon retour chez moi. Je me risquai donc à leur dévoiler ce qui me tracassait.

– J'ai déjà vu Jayson…

Jackie fit un pas en arrière en fronçant les sourcils, et le visage des jumeaux s'assombrit instantanément. Nous n'avions jamais abordé sérieusement le sujet de Jayson et de sa bande de fantômes.

– J'ai aperçu Jayson plusieurs fois avant d'arriver ici, répétai-je.

Je m'attendais à ce que Jackie ou les jumeaux fassent un commentaire, mais ils se contentèrent de m'écouter pour connaître la suite.

– La première fois, j'ai fait un cauchemar où il tentait de m'étrangler; la deuxième fois, j'ai croisé sa silhouette étrange en me rendant à l'université; la troisième fois, j'ai entendu sa voix rauque au téléphone, et la quatrième, c'était à mon party de fin de session, quand il m'a suivie.

Je ne comprenais pas ce qui m'avait empêchée de leur communiquer ces informations plus tôt.

– Lorsqu'Oliver m'a raconté son histoire, j'ai immédiatement fait un lien avec Jayson. J'ai rêvé plusieurs fois à lui depuis mon arrivée ici, des cauchemars terribles où il me fait du mal.

– À quoi il ressemble? osa Jackie.

L'image que j'avais en tête était assez précise.

– Il… il est grand, très imposant. Sa peau semble grisâtre et son crâne, complètement rasé, laisse voir des cicatrices. Son manteau de cuir noir est un peu plus long que celui d'Oliver, mais assez semblable.

Je le vis lancer un coup d'œil aux jumeaux. La seconde suivante, Oliver entra précipitamment. Je sus à son regard nerveux qu'il avait tout entendu et qu'il avait reconnu la description que je venais de faire de son pire ennemi. C'était bel et bien Jayson que j'avais aperçu.

– Ce n'est que l'entité partielle de Jayson, acheva Jackie, une manifestation quelconque de sa présence. L'âme de Jayson est endormie depuis son décès. Toutefois, cela explique bien des choses. Tu as démontré ta capacité à rester neutre face au monde des fantômes, ce qui est une qualité extrêmement rare pour un humain. Jayson a voulu t'effrayer pour que tu renonces à affronter notre univers, espérant ainsi t'éloigner d'Oliver. Toutefois, son plan a échoué, car il n'arrive pas à te contrôler. Tu es plus forte que lui d'une certaine façon.

– Hum… ça veut dire que je risque de le revoir après mon départ?

– Les probabilités sont grandes… oui, car tu as le don de communiquer avec les fantômes, Cassy. J'ignore d'où te vient cette faculté, mais ce qui est certain, c'est que tu peux ressentir ce qui se passe dans une troisième dimension. Cette dimension, c'est la nôtre.

Je sentis les doigts d'Oliver s'entrecroiser dans les miens.

– L'entité consciente de Jayson est encore bien endormie, murmura-t-il. Tu auras peut-être encore des visions de lui, car il cherchera un autre moyen pour accomplir sa mission. Cette fois-ci, il comprend que tu ne le crains pas. Toutefois, il fera tout en son pouvoir pour parvenir à te dominer. Il tentera, par tous les moyens, de te convaincre de me ramener au Cabonga.

Quelle histoire invraisemblable! J'avais des dons pour communiquer avec les fantômes, moi qui ne m'étais jamais vraiment intéressée à cela et en plus, je communiquais avec Jayson? Je n'étais vraiment pas préparée à ce genre de retour!

– Tu es sa mission, Cassy, précisa Jackie. Rappelle-toi que chaque fantôme a une mission à accomplir. Jayson ne cherche qu'à se venger de ce qu'Oliver lui a fait subir autrefois, et cette revanche, il ne peut l'obtenir que par toi. Tu représentes le seul moyen par lequel il parviendra à faire souffrir Oliver et à accomplir sa mission, par le fait même.

Des frissons me parcoururent le corps à la simple pensée de ce qu'il pourrait me faire subir. Mais, comme je connaissais maintenant ses intentions et que j'étais munie d'un livre dans lequel je pourrais trouver des ressources importantes, je me sentais mieux préparée quand le temps serait venu de l'affronter.

– Jackie… murmura Ben, en se penchant vers la fenêtre, ils sont prêts, leurs valises sont dehors.

Un silence nous immobilisa quelques secondes, puis Jackie demanda aux jumeaux d'aller aider mes amis. Il n'en avait pas terminé avec moi : je sentais que ce qu'il voulait ajouter était important.

– Il y a un terme bien précis qui définit parfaitement ce que tu es, Cassy.

Je lançai un coup d'œil à Oliver.

– Tu es une sensitive pure. Tu as donc le don de faire des rêves prémonitoires, d'être témoin de phénomènes de déjà-vu et mieux encore, tu perçois l'invisible. Même si tu n'as aucun pouvoir, il y a quelqu'un de ta famille qui t'a transmis ce bel héritage. Ton sixième sens domine chez toi, et ton troisième œil est constamment en action. Tu te fies à ton intuition grâce à laquelle tu réussis parfaitement à communiquer avec les fantômes.

C'était bien la révélation la plus étonnante de toute ma vie. Je ne connaissais aucun membre de ma famille qui aurait pu me transmettre la faculté de communiquer avec le monde de l'invisible.

– Tu percevras encore les signes de Jayson qui tentera de t'inciter à ramener Oliver au Cabonga. Ignore-les, car tu connais maintenant les conséquences désastreuses qui pourraient survenir si tu revenais ici avec lui.

– Je vais tenter de les ignorer…

Oliver nous écoutait, n'osant ajouter la moindre parole.

– Je dois t'avouer autre chose, insista-t-il en s'approchant de nous. Quand Oliver a perdu sa stabilité l'autre nuit, eh bien, je… je ne croyais pas avoir le temps de t'injecter la seringue antidote. Je croyais qu'il était… trop tard.

– Trop tard?

Quand il regarda mon bras, je compris ce qu'il voulait dire.

– Tu n'étais pas censé t'en sauver si facilement. Pourtant, tu es ici aujourd'hui, devant moi. Seul le sang pur d'un chasseur de fantômes arrive à rejeter naturellement cette forme d'énergie. J'ai été très étonné que tu arrives à combattre et à résister. Tu n'aurais peut-être pas éliminé entièrement l'énergie électrique qui te faisait tant souffrir, mais suffisamment pour me laisser le temps de te venir en aide et de finir le travail avec la seringue antidote.

– Qu'est-ce que ça veut dire?

– Ça veut dire qu'une force spéciale domine en toi. Tu as une certaine protection contre notre monde et tu le comprends beaucoup mieux que tu ne le crois.

Je gardai un silence prolongé, encaissant l'impact de ses paroles.

– Tu auras toujours la force nécessaire pour affronter quoi que ce soit. Je vois en toi une volonté incroyable, alors je ne m'inquiète pas. Par contre, garde les chances de ton côté et sois patiente. Ne reviens pas ici avec Oliver…

Il fit un pas vers moi et déposa sa main sur le présent qu'il m'avait offert plus tôt.

– Garde ce volume près de toi, il te sera bien utile. Conserve-le précieusement.

Il m'accorda un dernier regard affectueux, tout en me saluant d'un signe de tête, et sortit aider les jumeaux avec les bagages. J'étais maintenant seule avec Oliver, quelque peu troublée par les aveux de Jackie. Une partie de moi m'était donc totalement inconnue, et j'apprendrais à la découvrir au jour le jour.

– Jackie t'a donné leur livre?

– Oui… et j'espère y trouver une part de toi.

Je lui adressai un sourire forcé. Ce simple souhait me faisait prendre conscience qu'il disparaîtrait de ma vie dans quelques instants. Tant de gens précieux que je ne verrais plus également : Tristan qui s'était éteint à tout jamais, Jackie et les jumeaux. Quel vide énorme bouleverserait ma vie bientôt.

– C'est l'heure, il faut y aller… murmura-t-il tendrement en serrant ma main dans la sienne.

Nous marchâmes en silence jusqu'au chalet où les gars empilaient les bagages sur la plate-forme du quatre-roues. Pour me donner contenance, j'allai jeter un dernier coup d'œil à l'intérieur. L'endroit était redevenu anonyme sans nos effets personnels, comme à notre arrivée. J'eus un pincement à la poitrine en repensant aux souvenirs mémorables qui allaient y survivre. Ces vacances avaient été pour moi une occasion de nouer des liens exceptionnels avec des gens que je quittais à regret. Quand je sortis, Oliver avait déjà regagné le stationnement en compagnie des jumeaux et de mes amis.

– Ça va? s'informa Elyssa qui m'avait sagement attendue. On n'a rien oublié?

– On n'a rien laissé. On peut y aller.

Nous quittâmes les lieux, bras dessus, bras dessous, chacune à nos pensées. Les gars finissaient de charger les valises dans le coffre arrière de notre camionnette.

– Ça y est! s'exclama Jim en passant une main dans ses cheveux humides, c'est la dernière.

Keven referma le coffre d'un coup sec et remercia les jumeaux en leur donnant une poignée de mains.

– Bon, qui est le chauffeur désigné? demanda Jackie pour dissiper l'émotion du départ.

– C'est moi, répliqua Mick.

– D'accord, alors... te souviens-tu comment sortir d'ici?

– De la même façon qu'on est arrivés... j'imagine.

– Oui, ricana-t-il, évidemment. Mais il va falloir lire attentivement les pancartes et bien suivre les indications. Suis toujours le chemin qui mène à l'autoroute. S'il y a un problème, n'hésite pas à téléphoner au bureau. Sois prudent!

Ils se serrèrent la main. À cause des événements survenus, une certaine tension semblait persister entre eux.

– Je crois qu'il est temps de te faire mes adieux, fit Jim en s'avançant vers moi, les bras derrière le dos, visiblement ému. Je sais que ça n'a pas été facile pour toi. Tu as vécu des moments forts en émotions et je te lève mon chapeau. Tu as du caractère, et je ne m'inquiète pas pour toi.

– Merci, Jim.

– Je suis content d'avoir croisé votre route ici. Tu es une fille super et je comprends l'attachement d'Oliver pour toi... Tu vas me manquer, Cassy. J'espère qu'on va rester de bons amis.

Je le serrai dans mes bras. J'avais besoin de lui démontrer à quel point il me manquerait lui aussi et combien je l'appréciais.

– Bien sûr qu'on va rester amis, murmurai-je contre son épaule.

J'avais le cœur gros et lui, les yeux remplis de larmes.

– Tu sais ce qui va se passer maintenant… chuchota-t-il pour que personne n'entende.

Je savais qu'il parlait d'Oliver. Je me retournai discrètement vers lui : il faisait ses adieux aux autres.

– Oui, je sais…

– Promets-moi une chose, veux-tu?

– Laquelle?

– Ne fais rien qui soit risqué. Réfléchis avant d'agir…

– Je ferai attention, promis.

Il me frotta l'épaule tendrement, en profitant pour me glisser un papier chiffonné dans la main.

– C'est mon numéro de cellulaire. N'hésite pas à me contacter en cas de besoin. Le camp est fermé durant l'hiver, alors je serai chez moi… à Montréal.

Glissant le papier au fond de ma poche, je ressentis un certain soulagement à l'idée que je pouvais le rejoindre à tout moment. Le cœur à fleur de peau, j'avais hâte que les adieux émouvants se terminent, mais en même temps, j'aurais souhaité qu'ils s'éternisent indéfiniment. Je retins mes larmes en voyant Ben et Jackie se diriger vers moi. Même Shadow, qui trottinait à leurs côtés, vint lécher ma main.

– Au revoir, Cassy, fit Ben en me rendant une accolade d'amitié. On sera toujours avec toi, en pensée. Fais attention à toi!

– J'ai vraiment passé de beaux moments en votre compagnie. J'ai déjà hâte de vous revoir.

Jackie me prit aussi dans ses bras.

– Pour la millième fois, sois prudente! me conseilla-t-il en faisant une pression sur mon épaule. On est ta seconde famille maintenant, ne l'oublie pas.

Mon cœur était sur le point d'éclater en sanglots! Ma liaison avec Oliver m'avait rapprochée de Jackie et des jumeaux : eux seuls pouvaient me comprendre et m'aider. Ils étaient pour moi une véritable famille, cela ne faisait aucun doute.

– Je vous l'emprunte quelques instants… annonça Oliver en s'approchant.

Jackie baissa la tête en guise d'au revoir, et les jumeaux s'éloignèrent. Seule avec lui, il passa un bras autour de mon cou et m'amena à l'écart. Je sentis le regard glacial de Mick se poser sur nous avant de monter précipitamment dans la camionnette. J'y prêtai peu d'attention, car le contrôle que je devais avoir pour ne pas m'écrouler dans les bras d'Oliver exigeait toute ma volonté. Malgré mon chagrin, je réussis à balbutier ces quelques mots à travers mes larmes.

– Tu vas revenir… tu me le promets?

Il m'emprisonna amoureusement dans ses bras, me forçant à me rapprocher. Nos corps s'enlacèrent dans une étreinte d'une infinie douceur et nos lèvres, tels des aimants, s'unirent en un baiser passionné. Mes yeux se refermèrent, comme pour mieux entendre les battements précipités de mon cœur qui sonnaient l'alerte du départ. Nos lèvres se mouvaient au rythme de notre désir, qui ne cessait de croître. Il me serrait si fort contre lui, me donnant l'impression que nous étions seuls au monde, que nous ne formions qu'une seule personne dont le cœur battait à l'unisson. J'aurais souhaité que ce moment ne s'arrête jamais, car sa présence était la seule façon de m'apaiser vraiment. Il nous fallut toutefois revenir brusquement à la réalité : on s'impatientait dans la camionnette, à en juger par le coup de klaxon insistant. Nos lèvres s'éloignèrent à regret, mais sans nous quitter du regard.

– Oui, je vais revenir… souffla-t-il sur mes lèvres entrouvertes. C'est une promesse...

– Je t'aime, murmurai-je en appuyant mon visage sur son torse.

– Je t'aime aussi, Cassy.

Quand Oliver proposa de me raccompagner à la voiture, je m'objectai.

– Non! Je… je n'ai pas envie de te faire mes adieux une deuxième fois…

Sans me retourner, je m'élançai vers la voiture. Je sentais que la moindre hésitation de ma part me ferait flancher et retourner dans la chaleur réconfortante de ses bras. Les yeux noyés de larmes, je passai devant Jackie, Shadow et les jumeaux, sans leur adresser le moindre regard. Je savais qu'ils compatissaient à mon chagrin. Je m'installai rapidement sur le siège arrière, tentant de retenir les sanglots qui secouaient mon corps. L'atmosphère était lourde, chacun respectant en silence le trouble qui m'habitait. Elyssa posa sa main sur la mienne pour me communiquer la chaleur de son amitié. Ce geste me procura un apaisement instantané : je savais que je pourrais toujours compter sur elle.

Mick roula aussitôt vers la sortie. Je ne pus résister à la tentation de me retourner pour capter un dernier souvenir. Debout, à côté de Jackie et des jumeaux, Oliver fixait son regard triste dans notre direction, comme hypnotisé. Je savourai cette dernière image, jusqu'à ce qu'elle diminue de plus en plus. Au moment où Mick prenait le virage vers le chemin de terre, Oliver souffla un dernier baiser et son corps disparut instantanément. Même si j'étais préparée à cette séparation, je ressentis un grand choc, car je savais qu'il ne reviendrait plus au Cabonga. J'ignorais même quand et où nos chemin se recroiseraient. Je me demandai comment Jackie et les jumeaux vivaient cela et si les chasseurs s'attachaient à leurs fantômes.

J'imagine qu'ils avaient dû se faire leurs adieux à leur manière. Comme Oliver avait tenté de me l'expliquer, son âme allait entreprendre un voyage afin de renaître dans mon monde, celui des humains. Oliver avait accompli sa mission, celle de retrouver une vie paisible, en revivant un amour comparable à celui qu'il avait jadis éprouvé pour Rachel. J'étais celle qui lui avait donné un regain d'espoir, qui l'avait aimé du plus profond de son âme.

J'en étais là dans mes pensées, fixant l'espace vide à côté de Jackie, lorsque mon attention fut attirée par une silhouette familière, au loin, en bordure de la forêt. Immobile, elle fixait notre camionnette. À ses côtés, quatre fidèles, en position d'attaque, me dévoraient des yeux. Tout rechuta en moi à la vue de Jayson. Je ne m'attendais pas à le voir réagir si tôt, Oliver n'étant disparu que depuis quelques secondes. Comment pouvait-il avoir eu l'audace de se montrer ainsi, en présence de trois chasseurs de fantômes! Peut-être que mes visions recommençaient et que j'étais la seule à les percevoir? Je me sentais comme une proie traquée qui avait la chance de s'enfuir. Cette apparition était-elle un avertissement signifiant qu'il n'en serait pas toujours ainsi? Malgré la distance, je sentais son regard cruel pénétrer le mien. C'étai bel et bien le même individu terrifiant qui m'étranglait dans mon premier cauchemar à Kingston : le même crâne marqué de cicatrices reflétant un passé de souffrances, le même visage aux traits sévères, le même regard provocateur, la même fébrilité intérieure dénotant une absence de contrôle. Comme on me l'avait expliqué, c'était un fantôme habité par la haine et la vengeance dont la mission consistait à m'éliminer pour faire souffrir Oliver autant que par le passé. Il était prêt à tout pour en sortir vainqueur.

À cet instant, je pris conscience de ce qui m'attendait. Tout évoluerait, à partir de maintenant, en fonction de mes décisions. Je fis glisser mes doigts le long du pendentif qu'Oliver m'avait offert, refermant ma main sur le bijou ovale qui symboliserait dorénavant la force et l'espoir dont j'aurais besoin pour me soutenir dans les moments difficiles. Ce médaillon représentait une partie de lui qui ne me quitterait jamais, une preuve concrète de notre amour. L'aventure unique que je venais de vivre et les rencontres exceptionnelles faites durant mon séjour au Cabonga m'avaient permis de découvrir la beauté de la vie dans sa plus belle réalité, celle de l'amour partagé et de l'amitié. Je sentis à ce moment que la force de ces deux sentiments saurait me guider pour traverser les épreuves à venir. Ils étaient plus forts que la souffrance et dotés de pouvoirs indestructibles. Je percevais en moi la puissance de cet amour, une alliée incomparable pour affronter le pire.

– Pour l'éternité… murmurai-je en me souvenant de l'inscription gravée à l'intérieur de mon porte-bonheur.

LECTURES DE CROISSANCE PERSONNELLE

Vivre libre, sans peur! Le secret de Ben (roman d'inspiration) *Mark Matteson*

Vivre libre, sans peur, pour toujours! Le cadeau de mariage (roman d'inspiration) *Mark Matteson*

Votre plus grand pouvoir, *J. Martin Kohe*

La carte routière de VOTRE succès ! *John C. Maxwell*

Le pouvoir des mots, *Yvonne Oswald*

Droit au but, *George Zalucki*

Réussir avec les autres, 6 principes gagnants pour des relations humaines harmonieuses, *Cavett Robert*

Les lois du succès, *Napoleon Hill (17 leçons en 4 tomes)*

La gratitude et VOS buts... pour créer la vie dont VOUS rêvez! *Stacey Grewal*

Journal quotidien de gratitude, *Stacey Grewal*

Le coach, l'unique clé du succès, *Luc Courtemanche*

De l'or en barre, 52 lingots d'inspiration personnelle, *Napoleon Hill et Judith Williamson*

Nos pensées, leur impact sur notre vie, *Agathe Raymond*

Doublez vos contacts, *Michael J. Durkin*

Prospectez avec posture et confiance, *Bob Burg*

Agenda annuel, *Performance Édition*

L'effet Popcorn, *(tome 1) Marie-Josée Arel et Julie Vincelette*

La communication une vraie passion, *Stéphan Roy et Nora Nicole Pépin*

Dans la collection **EXPÉRIENCE DE VIE :**

Drogué... sans l'avoir demandé! *Suzanne Carpentier*

Briser le silence pour enfin sortir de l'ombre, *Josée Amesse*

Se choisir, un rendez-vous avec soi-même pour voyager léger, *Robert Savoie*

Dans la collection **FANTASTIQUE :**

Cabonga, tomes 1-2-3, *Francesca Lo Dico*

LISTE

des produits Cascades utilisés :

1 501 livre(s) de Rolland Enviro100 Print
100 % post-consommation

Généré par : www.cascades.com/calculateur

Sources : Environmental Paper Network (EPN)
www.papercalculator.org

RÉSULTATS

Selon les produits Cascades sélectionnés, en comparaison à la moyenne de l'industrie pour des produits faits à 100% de fibres vierges, vos sauvegardes environnementales sont:

13 arbres

47 007 L d'eau
134 jours de consommation d'eau

712 kg de déchets
15 poubelles

1 851 kg CO_2
12 380 km parcourus

21 GJ
96 775 ampoules 60W pendant une heure

5 kg NOx
émissions d'un camion pendant 17 jours